JOHN CLARK

Docteur de l'Université de Paris
Maître de conférences à l'Université d'Edimbourg

LA PENSÉE
DE
FERDINAND
BRUNETIÈRE

LIBRAIRIE NIZET
3 bis, Place de la Sorbonne VIᵉ
PARIS
1954

LA PENSÉE
DE FERDINAND BRUNETIÈRE

JOHN CLARK

Docteur de l'Université de Paris
Maître de conférences à l'Université d'Edimbourg

LA PENSÉE

DE

FERDINAND
BRUNETIÈRE

LIBRAIRIE NIZET

3 bis, Place de la Sorbonne VIe
PARIS
1954

PRÉFACE

Victor Giraud, qui fut l'élève le plus fidèle, le biographe le plus attentif de Brunetière, avait lu, en manuscrit, le livre que voici. Il l'avait enrichi de ses conseils. Il l'aimait pour sa probité, sa sûreté d'information, sa justesse de ton. Il se proposait de le présenter en une page liminaire, avec cette intelligence sensible qu'il apportait à tous les sujets aux confins de l'histoire littéraire et de l'histoire morale. Victor Giraud nous a quittés, en ce triste et glacial hiver de 1953. Il ne tiendra pas entre ses mains ces pages imprimées. Il n'y placera pas ce préambule, que nous ne pouvons prétendre écrire à sa place. Mais il nous laisse le devoir mélancolique d'évoquer ici son souvenir, et de remercier le jeune et savant auteur de la Pensée de Ferdinand Brunetière.

Qu'un travailleur anglais puisse être attiré par celui qui subit si fortement, lui-même, l'appel de l'anglais Darwin et celui de l'anglais Newman ; qu'il se sente requis de s'arrêter, étonné peut-être, devant cette pensée si impérieuse, cette âme étrangère, où toute une tradition française et classique, une foi laborieusement reconquise, des espérances d'« Esprit Nouveau », s'allient aux exigences d'un esprit formé par l'âge positiviste, aux tentations de l'Inde flottant dans l'air de son époque, aux conceptions évolutionnistes, à ce pessimisme qui n'a jamais fait crédit à la nature humaine, et qui semble hésiter entre Schopenhauer et Pascal, — nous n'en serons pas surpris : quelques exemples antérieurs nous faisaient pressentir que Brunetière, trop oublié parmi nous, avait encore *des lecteurs outre-mer. Dans l'histoire des générations, qui est l'histoire d'ingratitudes successives, il arrive qu'un autre pays fasse la relève de notre propre pays auprès de nos propres maîtres.*

M. John G. Clark a eu la bonne fortune de rencontrer, dans la famille de Brunetière, cet accueil qui introduit à l'intimité des grands disparus. Nous-même, nous n'avons pas oublié les années déjà lointaines où Mme Brunetière nous recevait, dans le voisinage de Notre-Dame-des-Champs, en ce quartier qui fut celui des dernières années du critique, et où il s'éteignit. Nous avons, avant M. Clark, compulsé ces liasses de manuscrits, soigneusement classées par Joseph Bédier, et où une hautaine écriture d'ancienne France court, sans hésitation ni ratures, au long des feuilles in-octavo. Il nous semblait entendre la voix du conférencier, du combattant, qui a frappé tant de ses contemporains par sa métallique autorité. Une quarantaine d'années de vie et de lutte françaises tient dans ces dossiers, actuellement déposés à la Bibliothèque Nationale. Qui les en tirera ? pensions-nous ; lequel de nos chercheurs fera parler ces documents ? Celui qui répétait, après Pascal, que le silence est la plus grande des persécutions est-il donc condamné au silence ?

Le livre que voici met fin à cette « persécution » posthume.

Pierre MOREAU

Paris, 6 septembre 1953.

AVANT-PROPOS

Passionnément discutée il y a une cinquantaine d'années, l'œuvre de Ferdinand Brunetière, comme celle de tant d'écrivains de sa génération, est de nos jours tombée dans une relative obscurité. Nous avons donc cru utile, tant pour la préparation d'une biographie définitive de Brunetière que pour l'étude générale de son époque, d'examiner cette œuvre à nouveau et dans le détail, de préciser la nature des idées qui s'y trouvent exposées, et de déterminer les étapes successives de l'évolution morale et philosophique dont elle porte la trace. Ce travail présentait de nombreuses difficultés que le généreux concours de M. Pierre Moreau, Professeur à la Sorbonne, ainsi que les conseils lumineux du grand élève de Brunetière que fut M. Victor Giraud, nous ont puissamment aidé à surmonter.

D'autre part, grâce à la complaisance de Mme Fernande Dieuzeide, nièce et fille adoptive du critique, nous avons pu compléter notre information par le dépouillement systématique de tous les papiers personnels de l'auteur de l'*Evolution des Genres*, y compris les manuscrits de plusieurs articles qu'il avait laissés inédits et la vaste correspondance qu'il avait reçue. Nous sommes heureux d'avoir eu à jouer un rôle, si modeste fût-il, dans l'acquisition de cet important fonds de manuscrits par la Bibliothèque Nationale.

Il nous reste à remercier tous ceux qui ont bien voulu faciliter notre travail, soit en mettant à notre disposition d'autres documents inédits, soit en dirigeant nos recherches. Cette dernière tâche incombait notamment à M. René Jasinski, Professeur à la Sorbonne, que nous tenons à remercier ici de la patience et de la bienveillance dont il a toujours fait preuve à notre égard.

Nous tenons aussi à exprimer notre vive reconnaissance au Comité de la Fondation Carnegie des Universités écossaises, dont le puissant appui nous a permis de publier ce livre.

Enfin, nous remercions notre maître et ami, M. Heywood Thomas, Professeur de français à la Faculté des Lettres de Cardiff, qui fut le premier à nous conseiller le choix de ce sujet, qui nous procura les moyens de mener notre tâche à bien, et qui ne se lassa jamais de stimuler et de guider nos efforts.

JOHN GWYNNE CLARK

Paris 1953

CHAPITRE PREMIER

LA JEUNESSE DE BRUNETIERE

La famille des Brunetière habitait de longue date le petit village vendéen de Fontenay-le-Comte.

Le sieur Brunetière, arrière-grand-père du critique, était « Procureur ès Cour Royale et Sénéchaussée »[1] de Fontenay vers la fin de l'ancien régime.

Son fils aîné, Joseph Ambroise, « propriétaire domicilié dans la commune de Fontenay-le-peuple »[2] — ainsi que nous l'apprend un laissez-passer délivré « le onze prairial an Six de la République française, une et indivisible »[3] — y exerçait les fonctions de médecin au début du dix-neuvième siècle.

A la même époque ses deux autres fils, Pierre Jacques et Jacques Charles, appelés respectivement « Brunetière l'Aîné » et « Brunetière le jeune »[4] étaient inscrits comme avocats à la Cour Royale de Paris. Nous connaissons mal la personnalité de « Brunetière le Jeune » mais un document contemporain nous apprend que Pierre Jacques avait :

« ...suivi la carrière du barreau à laquelle il s'était destiné dès sa jeunesse — aussi lors du renversement des anciennes institutions judiciaires, il se donna avec ardeur à l'Etude des nouvelles lois françaises »[4]... et qu'en 1811 il avait publié « chez Clostermann, libraire »[4] « un petit traité de la représentation suivant le Code Napoléon[4].

Ses fréquentations mondaines lui permettaient de présenter son neveu, Charles Marie Ferdinand Emmanuel, à certaines personnalités littéraires, dont Scribe et la Duchesse d'Abrantès »[5].

Ce jeune neveu, deuxième fils de Joseph-Ambroise et futur père du critique, était venu à Paris faire ses études secondaires au Lycée Henri IV[6]. Au collège de Fontenay, où il avait fait ses études primaires, il s'était souvent vu décerner des prix de thème et de version grecs[7]. Destiné depuis quelque temps à l'Ecole Polytechnique, il y entre en 1826, à l'âge de vingt ans[8].

Mais, ayant échoué dans son premier examen, il s'engage immédiatement dans la Marine, où il est bientôt promu au grade de « Capitaine en premier au régiment d'artillerie »[9]. Il devient par la suite contrôleur des services de la Marine[9].

Le 5 octobre 1841 il épouse à Fontenay Mlle Augustine Henriette Pichard du Page descendante d'une des victimes de la Terreur[10].

Elle meurt l'année suivante, et il se marie de nouveau le 15 octobre 1848[11], épousant cette fois-ci une niortaise, Mlle Suzanne Delphine Hémon. Leur premier fils, Vincent Paul Marie Ferdinand, naît à Toulon, où son père fait alors son service, le 19 juillet 1849[11]. Il est baptisé le 9 août à Toulon même dans l'église paroissiale de saint-Louis[11].

L'enfant n'aura cependant que deux ans quand ses parents quitteront Toulon pour la Bretagne où ils resteront, d'abord à Brest et ensuite à Lorient[12], jusqu'en 1861.

Le charme du paysage breton et la grandeur sauvage de l'Océan d'Armorique[13] font une vive impression sur le jeune Ferdinand. Plus tard, dans une conférence faite à Nantes[13] il évoquera avec une émotion poétique qu'on rencontre rarement chez lui, le souvenir de cette lointaine jeunesse passée dans « la terre des bardes »[13].

« C'était, dit-il, à l'âge où nos impressions se gravent d'autant plus profondément en nous que nous n'y prenons pas garde, qu'elles s'y déposent, en quelque sorte, pour y former comme le lit de nos plus ineffaçables et de nos plus chers souvenirs. Aussi, quand j'évoque aujourd'hui le passé, sont-ce des images de Bretagne qui se dessinent confusément d'abord, qui se précisent, qui se colorent à mes yeux, Kermélo, Kéroman, l'Armor, Pont-Scorff... »[14].

Et la Bretagne où il habitait était celle du sud, plus ensoleillée et plus gaie que la contrée de ce « Trégorrois de Renan »[15]. Si celui-ci avait été mieux informé, il aurait moins parlé de la tristesse du paysage et des « éternels gémissements » [16] d'une mer « toujours sombre »[17].

« La petite ville de Quimperlé, dans son cadre de verdure, n'a rien de si mélancolique et rien surtout d'âpre ni de sombre... Et, lorsqu'au printemps... la lande s'y étoile de la pâle améthyste des bruyères et de l'or des ajoncs épineux... il n'y a guère de paysage dont le charme ait quelque chose de plus doux de plus enveloppant, et, comme on dit, de plus prenant, sous son voile de mélancolie légère[18].

« C'est une situation assez paradoxale que d'arriver au poste de Toulon pour chanter les louanges de Brest »[19], dit-il aux Nantais qui l'écoutent en 1895.

En 1861 ses parents font le voyage en sens inverse pour rester à Toulon jusqu'en 1867[20]. Ferdinand, qui a déjà fait de bonnes études primaires à Lorient[21], est envoyé comme interne au Lycée impérial de Marseille. Il y reste six ans et, d'après ce qu'il en dit lui-même, ce nouveau genre de vie ne lui déplaît pas. S'adressant le 28 octobre 1896 à l'Association amicale des anciens élèves du Lycée de Marseille[22], il déclare que « cette grande et antique cité, la plus vieille des Gaules » est pour lui « ce que l'homme n'oublie jamais, la cité de sa jeunesse, de sa seconde naissance, de sa naissance à la vie de l'intelligence[23]. »

Mais d'après le récit de son frère, il aurait beaucoup souffert moralement du régime de l'internat et de l'éloignement de ses parents qu'il ne voyait que rarement[24].

De toute façon, il est brillant élève et son nom figure souvent dans les palmarès[25]. En décembre 1865, il est reçu bachelier ès lettres[26] et, en 1867, à la fin de son année de philosophie, bachelier ès sciences[27]. Remarquons que ces diplômes sont les seuls qu'ait jamais obtenus le futur professeur de l'Ecole Normale[28].

En 1866, il obtient le prix d'honneur décerné chaque année par la Ville de Marseille au meilleur élève de rhétorique. Il avait dû faire une version latine, une composition d'histoire et un discours français : ces écrits sont encore conservés aux archives de la Ville de Marseille[29]. Pour un lycéen, sa version, une traduction de Juvenal[30], était remarquable et ses deux autres dissertations — sur la *Création des Invalides* et les Coalitions de 1792 à 1802[30] étaient « bien écrites et composées »[30].

Dans ce deuxième travail Brunetière qui, plus tard, défendra contre Taine quelques-unes des réalisations de la Révolution, fait déjà preuve d'une sympathie pour le libéralisme. Il est pourtant probable que cette sympathie s'explique surtout par l'influence de son professeur d'histoire, Ernest Delibes, avec lequel il gardera du reste d'excellents rapports.

Quoiqu'il ne les ait vus que pendant les vacances, il ne faut pas méconnaître le rôle joué dans sa formation par ses parents. Ils étaient très différents de caractère. Son père était rigide, autoritaire, raisonneur sinon sceptique. Sa mère était sensible, tendre et pieuse. N'est-ce pas ici, dans cette double influence[31], qu'on doit chercher l'explication du futur conflit entre l'esprit et le cœur de Brunetière ? En apparence il sera toujours dogmatique et sec mais, sous ces apparences, il restera plus sensible qu'on ne l'a dit aux « raisons du cœur que la raison ne connaît point ».

C'est d'ailleurs sa mère qui en 1867[32], le conduit à Rome, où ils obtiennent tous les deux une audience collective de Pie IX. Il serait précieux de savoir quelles impressions Brunetière emporta de cette visite qu'il devait répéter, dans de tout autres conditions, vingt-huit ans plus tard[33]. Nous n'en savons rien, mais il est permis de supposer qu'elles ont été plus profondes que lui-même ne s'en était douté. Pendant de longues années il sera détaché de la foi mais le souvenir de cette audience restera néanmoins vivace.

Arrivé à l'âge où il faut songer à une carrière il résout de suivre la profession d'homme de lettres, refuse d'entrer dans l'administration comme l'aurait désiré son père, et ne consent qu'à contrecœur à préparer le concours de l'Ecole Normale. Sa famille s'étant installée à Paris, rue de Tournon[34], il entre comme externe libre au lycée Louis-le-Grand. Mais le programme officiel l'intéressant bien moins que ses lectures personnelles, il n'est pas étonnant que, lorsqu'il se présente pour le concours en 1869[35], il y échoue et que l'année suivante il ne réussisse pas mieux.

Déjà il avoue à ses professeurs que ses deux grandes ambitions sont de devenir « rédacteur à la *Revue des Deux Mondes* et professeur au Collège de France »[36]. Secrètement il nourrit aussi celle de devenir membre de l'Académie Française et lorsque son ancien maître, M. Mossot, le félicitant de son élection, lui dit : « Vous ne m'aviez pas parlé de cette ambition-là ! » Brunetière répondra : « Celle-là on ne l'avoue jamais ! »[37].

Pendant ces deux années passées à Louis-le-Grand, nous le voyons tiraillé par deux tendances contradictoires qu'il n'arrivera jamais à réconcilier.

D'un côté il se passionne pour Bossuet[38] et réfute énergiquement les idées de Spinoza[38].

Mais d'un autre côté il se sent attiré par des lectures bien différentes de celles des *Oraisons funèbres*. Il se familiarise avec la philosophie évolutionniste. Il connaît « par cœur »[39] Taine et Renan. Les livres d'exégèse, notamment ceux de Strauss, font sa « joie » et son « tourment »[40]. Il préfère le positiviste Vacherot au spiritualiste Gratry[41].

D'autre part il n'échappe pas à l'engouement général pour le bouddhisme dont les principes essentiels venaient d'être résumés par Burnouf dans son *Introduction au Bouddhisme*[42]. Une lettre d'un de ses camarades nous en apporte la preuve.

« Qu'il y a donc longtemps, lui écrit Emile Krantz en 1897, que nous étions assis à Louis-le-Grand, tout près l'un de l'autre, dans la classe de ce brave père Charles

que tu épouvantais parfois alors, t'en souviens-tu, par
une sorte de *matérialisme bouddhiste* que tu professais
avec une crânerie déconcertante pour cet honnête et
scrupuleux écossais ? Nous étions, sans nous en douter,
à la veille de l'année terrible ».[43]

Que dans cette attitude très complaisamment affichée
par un jeune homme de vingt ans il entre autant de
pose que de conviction, rien n'est plus sûr. Mais il se
documente sérieusement sur la question[44] et croit retrouver l'*Evangile* dans la *Lotus de la bonne loi.*

Survient brusquement la guerre franco-allemande. Sur
la vie de Brunetière, comme sur celle de tant de ses
compatriotes, elle aura des répercussions profondes.
Aucun Français n'y pouvait rester indifférent mais elle
creusa entre ceux qui y participèrent directement et
ceux qui restèrent à l'écart « une véritable différence de
mentalité »[45].

Quinze jours avant le début des hostilités son numéro
est tiré au sort[46], mais il est réformé pour cause de
myopie et part aussitôt pour Hennebont où son père
vient d'acheter une propriété[47]. Mais le 6 septembre, dès
qu'il apprend la défaite de Sedan, il s'engage comme vo-
lontaire[47]. Incorporé d'abord au 59e régiment de ligne[48]
et ensuite au 26e régiment de marche [48], il est bientôt
transféré au 126e régiment de ligne qui reste à Paris
pendant tout l'hiver. C'est ainsi qu'il fait tout le siège.
Nous ne savons pas s'il a participé activement aux en-
gagements livrés pour la défense de la capitale mais
après sa mort son ami Faguet lui rendra ce simple mais
éloquent témoignage :

« Il fit tout son devoir, plus que son devoir, comme
soldat autour des portes de Paris. J'en sais quelque chose
par ses compagnons d'armes qui, comme lui, ont depuis
disparu »[49].

Les désordres de la Commune frappent son imagination mais, à la différence de son ami Bourget, il n'en est
pas directement témoin. Libéré le 20 mars[50] il était rentré immédiatement chez lui, assombri par le triste sort
de son pays et désemparé à la suite de ses récentes expé-

riences personnelles. « Il croyait », dit son frère, « avoir
assisté à la faillite de l'ordre traditionnel. Les cruels
démentis infligés aux rêves généreux de sa jeunesse
avaient ébranlé sa foi dans la puissance de l'organisme
social et avaient exaspéré son sens individuel. Puisque
la Société ne pouvait rien... il se tirerait d'affaire sans
elle »[51].

Dans tous les domaines les années d'après-guerre sont
caractérisées par l'incertitude et le désarroi. « Tout est
remis en question, métaphysique, morale, organisation
sociale et politique. La pensée se cherche ; de secrets
appels tourmentent les âmes insatisfaites »[52].

Brunetière partage cette inquiétude générale, mais dans
son œuvre, on trouve peu de références directes aux
événements de 1870-1871. Il qualifie la Commune d'insur-
rection « que l'avenir n'amnistiera pas »[53], fait allusion
aux « leçons inoubliables » de 1870[54], et consacre un
article non moins aigre que spirituel à un livre allemand qui l'irritait par son nationalisme excessif[55].

Mais, pendant longtemps, il envisage le problème
social d'une manière abstraite plutôt que concrète, morale plutôt que politique, et si la défense de « l'âme
française » devient une de ses préoccupations majeures
vers le moment de l'affaire Dreyfus, le nationalisme
doctrinaire et systématique des Barrès et des Maurras
lui sera tout à fait étranger. C'est surtout dans son évolution littéraire et dans son évolution religieuse que le
patriotisme joue un rôle important. Il le ramènera au
classicisme[56] — car il avait commencé par être romantique[57] — et il le rapprochera de la foi traditionnelle
de la France.

La guerre finie, Brunetière n'a aucune envie de se
représenter au concours de l'Ecole Normale. Pour faire
plaisir à ses parents, il accepte de s'inscrire à la Faculté
de Droit de Rennes, mais il le fait sans enthousiasme et
n'y reste qu'un seul trimestre. Le 12 juillet, il leur écrit
très simplement :

« Incapable de continuer à vivre plus longtemps ici,
je pars pour Paris, où je vais essayer de trouver les

moyens de travailler selon mes goûts »[58].

C'est une résolution à laquelle il ne tarde pas à donner suite, mais son père la désapprouve et refuse de subvenir à ses besoins matériels. Pendant quelques années, la vie sera très dure. Agé de vingt-deux ans à peine, et n'ayant presque pas d'amis influents[59], il lui faudra quatre ou cinq années de besogne ingrate avant qu'il commence à être connu par le grand public. Même en 1879, lorsqu'il est sur le point de publier la première série de ses *Etudes critiques*, il prend des précautions pour assurer que ce volume ne soit pas ignoré... à Fontenay !

« Tu feras », écrit-il à son frère,... « répandre dans Fontenay le bruit que ce volume est plein de bonnes choses et tu l'aideras discrètement à faire son chemin dans le monde. Il me semble indispensable que la bibliothèque de ton régiment en possède un exemplaire : tu feras entendre à Clemenceau [60] que le cercle de Fontenay ne saurait aussi s'en dispenser. J'ai ouï dire même qu'il y avait une bibliothèque publique à Fontenay. Clemenceau doit en être le médecin. Il faudra faire entendre à l'Administration qu'elle se doit d'encourager les gloires locales naissantes »[61].

Il avait trouvé d'abord un emploi de « préparateur au baccalauréat » dans un petit établissement, dit l'Institution Lelarge, qui était situé dans l'Impasse Royer-Collard[62].

Son ami Paul Bourget, lui aussi réduit, suivant sa propre expression, à exercer « ce très pénible métier »[62] l'y rejoint peu après. Bourget — qui a souvent évoqué cette période de sa vie — a déclaré plus tard que, comme professeur, Brunetière faisait déjà preuve de qualités remarquables.

Mais, le travail étant aussi mal rémunéré[63] qu'il était décourageant, Brunetière est obligé de chercher des moyens supplémentaires de subsistance. Il donne des leçons à son ancien lycée de Louis-le-Grand[64], à Sainte-Barbe et, à partir de février 1878, au collège Chaptal[65]. Tout cela sans compter des leçons particulières, des travaux de librairie, et quelques articles écrits pour des revues de province.

En 1877, dans une lettre à son frère, il fait une liste de toutes ses occupations et conclut aigrement :

« Je ne te parle pas des broutilles comme leçons de littérature pour les demoiselles, une heure par semaine, ou comme traductions de l'allemand qui me sont payées en cartes de théâtre de la guerre, avec hommage de « l'auteur reconnaissant », en veux-tu une ? Avec cela, si je ne suis pas un homme occupé, trouves en »[66].

Inévitablement, ce surcroît de besogne l'excède et, le 30 octobre 1874, il fait part à son père du désespoir qui l'envahit :

« Je n'insisterai pas », dit-il, « sur la demande que je t'adressais ; je commence décidément à croire qu'il est dans ma destinée à n'avoir de chance à quoi que ce soit que je désire ou que j'entreprenne. Aussi, plus je vais et plus il me semble qu'il n'y a rien de plus triste dans la vie que cette perspective qu'il se peut qu'on revive après avoir vécu. Je ne connais pas de pensée qui jette plus de découragement dans l'effort qu'il faut faire tous les jours pour gagner seulement de quoi vivre »[67].

Sans doute, Bourget avait-il raison de croire que l'amer pessimisme qui, déjà, commençait à caractériser son ami, s'expliquait par son excessive dépense d'énergie.

« Ces âpres années de jeunesse », dit-il, en 1906, « avaient, en effet, marqué Brunetière d'un pli précoce de mélancolie qui ne s'est pas effacé. Il avait trop peiné, trop jeune... « Si je ne m'écrasais pas de travail » disait-il un jour, je mourrais de chagrin devant la couleur de mes méditations »[68]

Pourtant, comme nous le dit encore Paul Bourget, « sa véritable vie n'était pas celle du professeur, c'était celle de l'étudiant qu'il devenait avec le soir quand, seul à sa table et parmi ses livres, il commençait à « travailler » après avoir « besogné »... Les heures passaient. Minuit sonnait. Deux heures. Quatre heures. Il était si absorbé par ses pensées que, souvent, il ne s'apercevait pas que sa lampe achevait de mourir dans les

premières clartés de l'aube »[69]. Et Bourget s'étonne
qu'un organisme « d'aspect si fragile » ait pu suffire
« à cet excès d'effort mental »[69].

Et pendant ces longues séances nocturnes, ce sont les
lectures de ses vingt ans qu'il reprend en les approfon-
dissant et en les complétant. Il amasse des notions sur
l'histoire, sur la poésie, sur la philosophie. Détestant
par-dessus tout « l'individualisme anarchique »[70], il se
tourne de préférence vers les grands écrivains de ce dix-
septième siècle qui lui apparaît l'incarnation même de
« l'ordre français »[70]. Mais il fréquente également Burnouf et Darwin et, parfois, il copie de longs extraits de
leurs ouvrages[71].

CHAPITRE II

BRUNETIERE ET LA *REVUE BLEUE*

Il utilise cette documentation dans une série d'articles qu'à partir de 1875 il publie dans la *Revue Bleue*[1]. Il y était entré grâce à l'appui d'un ami de sa famille, Emile Beaussire. C'est un homme dont il ne faut pas méconnaître la valeur. Député à l'Assemblée Nationale, professeur de philosophie à la Faculté de Poitiers, il avait fait d'intéressants essais pour concilier la pensée moderne — et, notamment, la pensée hégélienne — avec le christianisme traditionnel[2]. Serait-il trop téméraire d'affirmer qu'en essayant après 1900 d'« utiliser » le positivisme et l'évolutionnisme au profit du catholicisme, Brunetière n'aura pas oublié l'exemple donné par Beaussire ?[3] En tout cas, celui-ci suit attentivement les débuts de son jeune ami et, en novembre 1879[4], lui envoie un petit mot d'encouragement :

« Je me suis muni, dit-il, d'une petite bibliothèque sur les questions sociales en prévision de divers travaux. Je puis y joindre depuis hier votre dernier article de la *Revue politique et littéraire,* que je viens de lire avec beaucoup d'intérêt et de profit. Vous êtes vraiment universel dans vos études ».

Ces articles[5], bien que moins remarquables que ceux qu'il publie dans la *Revue des Deux Mondes,* éclairent la genèse de sa pensée et constituent un document pré-

cieux pour l'historien qui veut reconstituer la physionomie intellectuelle de l'époque.

La présentation des arguments reste à la fois touffue
et flottante et nous sommes frappés par les incertitudes,
les tâtonnements et les hésitations d'un homme qui, à
certains moments, paraît imbu de l'esprit positiviste et
scientiste mais qui, à d'autres moments, tend à réagir
contre ce même esprit. Pendant que la pensée française
elle-même traverse une crise, Brunetière, lui aussi, cherche sa voie.

Il a souvent les mêmes préoccupations qu'un homme
de science et celles-ci se révèlent jusque dans son style[6].
Parfois son enthousiasme pour la science l'entraîne dans
les rangs de ceux qui en proclament la toute-puissance.

En premier lieu, il est évolutionniste convaincu et on
peut reconnaître dans ses articles de la *Revue Bleue,* la
première expression de certaines idées qu'il développera
plus tard[7]. Il s'est documenté assez sérieusement sur la
question. S'il ne les a pas tous lus, il a tout au moins
consulté plusieurs travaux d'un caractère technique. Il
fait allusion à l'étude de Huxley sur les ornithoscélidés
et les ornithodelphes[8], à celle de Kowalewsky sur ce
« vertébré dégradé qu'on appelle l'Amphioxus » et il
avoue qu'il a beaucoup apprécié les « belles observations » de Darwin sur « *Les plantes carnivores* »[8].

Remarquons que les idées évolutionnistes étaient alors
très répandues en France. Les traductions, notamment
celles de Clémence Royer et de Barbier, commençaient
à paraître vers 1870. Parue en Angleterre en 1859, l'*Origine des Espèces* fut traduite d'abord en 1862 et ensuite
en 1873 et 1876. Les vulgarisations foisonnaient et —
bien que le plus souvent sous une forme altérée — la
philosophie évolutionniste faisait partie de l'atmosphère
intellectuelle de l'époque. « Alors, dit Anatole France
dans son premier article sur *Le Disciple,* alors, les livres
de Darwin étaient notre bible ; les louanges magnifiques
par lesquelles Lucrèce célèbre le divin Epicure nous
paraissaient à peine suffisantes pour glorifier le naturaliste anglais... Je ne puis, continue-t-il, me défendre de

rappeler, une fois encore, ces visites généreuses que, notre Darwin sous le bras, nous faisions à ce vieux Jardin des Plantes... »[9].

Dans un article publié en 1876, Brunetière esquisse l'histoire de l'évolutionnisme. Rappelant que les hypothèses transformistes avaient été répandues depuis longtemps mais qu'elles ne s'étaient guère appuyées que sur le raisonnement, il précise que l'originalité de Darwin avait été de fonder son système sur l'expérience et l'observation scientifiques.

Ses idées avaient pourtant été mal accueillies en Angleterre et en France. Dans son propre pays on le dénonça « violemment aux sévérités de l'Eglise »[10] et les savants eux - mêmes n'accordèrent à son hypothèse « qu'une médiocre faveur ». En France, l'opposition fut encore plus vive. De Quatrefages[11] insista sur « le désordre tout anglais » de ses idées et d'Archiac[11] le réfuta « point par point »[11].

Mais, « de plus hardis combattants » essayèrent d'appliquer les méthodes darwiniennes à l'homme lui-même. Dans sa *Place de l'Homme dans la Nature*[11] Huxley affirma que « les différences anatomiques qui séparent l'homme du gorille et du chimpanzé ne sont pas aussi considérables que celles qui séparent le gorille des singes inférieurs ». Pour le gros du public, il devenait ainsi possible de faire descendre l'homme du singe.

Mais il manquait encore un chef à la doctrine transformiste et Darwin n'avait ni « cette superbe confiance en soi » ni « ce goût naturel de la polémique » ni « l'activité bruyante » qui lui auraient été nécessaires pour remplir ce rôle. « Le docteur Ernest Hæckel » réunissait toutes ces qualités et par son « ardeur », son « belliqueux » enthousiasme », son talent et son imagination il réussit à faire « du *transformisme* un dogme et de l'*unisme* une religion »[11]. Ses généralisations étaient « hardies » — « Du haut d'une chaire d'Allemagne » il voulait « créer le monde comme on avait autrefois créé Dieu » — mais naturalistes et philosophes méconnaissaient l'originalité de sa tentative et la « réelle grandeur de son effort »[11].

En somme, dit Brunetière à la conclusion de son article, la doctrine évolutive laissera sa trace et « sa trace profonde »[12] dans l'histoire de la pensée contemporaine.

En avril 1882[13], il consacre un deuxième article à Darwin[13] mais, cette fois, il montre moins d'enthousiasme pour la partie « positive et rigoureusement scientifique » de son œuvre. La vraie gloire de Darwin, dit-il, est d'avoir été avant toute chose « un admirable organisateur d'idées »[13]. Sa capacité de généraliser et de coordonner les idées avait permis de former en « système lié » cette « vaste et audacieuse philosophie du Monisme et de l'Evolution »[13].

Nous avons rappelé tout à l'heure que, même au lycée, Brunetière s'était beaucoup intéressé au boudhisme et aux livres d'Eugène Burnouf.

En effet, l'engouement général pour la science et pour les méthodes scientifiques avait donné une grande impulsion à toutes les recherches érudites y compris les recherches sur la religion dont on voulait hâter la constitution en science. On se documentait sur les religions de l'antiquité et sur celles de l'Extrême-Orient et même la poésie — notamment celle de Leconte de Lisle[14] — reflétait ces préoccupations.

Burnouf avait publié sa monumentale *Introduction à l'histoire du Boudhisme* en 1845. En 1847, il traduisit le *Bhagavad Purana* et, en 1861, termina sa traduction du *Bhagavad Gita*. De nombreuses autres traductions, partielles ou complètes, paraissaient vers la même époque.

Tel que le comprenait alors le public français, le boudhisme présentait avec le christianisme des analogies trop frappantes pour ne pas inquiéter les chrétiens.

Dans les milieux intellectuels, on estimait que la religion et la métaphysique étaient des produits de l'enfance de l'humanité, destinés à disparaître avec l'avènement de l'ère positiviste. Le *Cours de Philosophie positive* re-

montait déjà à 1842, le *Système de politique positive insti-
tuant la religion de l'Humanité* à 1854. La pure tradition comtiste était représentée par Emile Littré qui
n'acceptait pourtant pas les dernières conclusions de
Comte. Mais ni Comte ni Littré n'étaient les vrais créa-
teurs de cette « atmosphère » positiviste qui caractéri-
sait les années 1860, 1870, 1880 même. Deux grands
penseurs en étaient responsables : Taine et Renan.

Comme tant d'autres intellectuels d'alors, Brunetière
s'était détaché de la foi de son enfance. Il croyait néanmoins à la possibilité de constituer « une science des
religions » et il était persuadé que cette science aurait
le plus grand intérêt.

Cet état d'esprit est reflété dans les premiers articles
qu'il écrit pour la *Revue Bleue* . Il y trouve fâcheuse
toute intrusion de la théologie dans le domaine scientifique, parle de la « tyrannie dogmatique » du catholicisme, n'estime Saint Louis que pour ses qualités d'homme d'état, et reproche à l'historien Lenormant de s'être
souvent laissé guider moins par les données de la science
que par ses convictions catholiques[16]. Il estime, d'autre
part, que, dans le passé, l'histoire, « servante plus fidèle
de la théologie que la métaphysique elle-même », avait
exagéré le rôle des Sémites « en subordonnant systéma-
tiquement à l'histoire privée du peuple de Dieu l'histoire
de l'humanité tout entière »[16].

Convaincu que les origines des religions sont purement naturelles, il estime, néanmoins, que leur intérêt est
considérable car, dit-il, l'homme « sera toujours ramené
vers soi-même comme vers l'objet d'études le plus intéressant, et nulle part il ne se retrouvera plus complètement reflété que dans ses croyances religieuses »[17].

C'est pourquoi il faut espérer que la science des religions sera bientôt définitivement constituée « sur l'inébranlable base de l'histoire et surtout de la géographie ».
Peut-être est-il trop téméraire d'espérer « que le siècle
ne s'achèvera pas sans avoir vu s'établir dans son unité la
science des religions » mais du moins peut-il se faire un

mérite de n'y avoir épargné ni « ardeur »[17], ni « patience »[17], ni « talent »[17]. Nulle étude n'aura été « poussée
plus vivement » ni « plus passionnément cultivée »[17].

Brunetière met le monothéisme sémitique bien au-
dessus du polythéisme mais estime néanmoins qu'il
implique une contradiction manifeste et qu'il est moins
« aisément admissible » que la métaphysique panthéiste
de l'Inde.

Il est frappé aussi par le plus grand produit de cette
métaphysique panthéiste : le bouddhisme. Toute comparaison entre la fortune du bouddhisme et celle du christianisme lui paraît « plus qu'aventureuse » mais il remar-
que en passant qu'à l'époque « le procès de Jésus n'est
qu'un épisode historique dont l'importance ne fut pas
très grande »[18] et ajoute qu'il y a « certainement un je
ne sais quoi de bizarre et d'inexpliqué dans la fortune du
bouddhisme »[18].

En 1873[19] cependant, il met le monothéisme au-dessus du panthéisme hindou. D'après Renan il considère
que le premier, malgré son « intolérance »[19] et son
« particularisme »[19] était « la forme religieuse la plus
épurée que l'antiquité ait connue »[19] et que l'Inde et la
Grèce, si supérieures en tant de points à la race sémitique,
n'ont pu s'élever jusqu'au monothéisme qu'au contact
et par le concours des Sémites »[19].

Brunetière est pourtant loin d'accepter toutes les conclusions du positivisme et de l'évolutionnisme.

Il n'accepte pas la loi des trois états qu'il traite dédai-
gneusement d'« aventureuse »[20] et quant à la théorie
comtiste sur les origines fétichistes de toute religion, il
estime que « c'est un grave défaut pour une théorie de
n'avoir été proposée que pour les besoins d'une
cause »[20]. Dans le premier article qu'il publie dans la
Revue des Deux Mondes il va jusqu'à déclarer que le
positivisme et le naturalisme menacent l'art et la philosophie « d'une même et dégradante transformation »[21].

Il se défend également d'être transformiste et s'ins-

crit en faux contre quelques-unes des prétentions des
évolutionnistes. Il trouve « insoutenable » la théorie de
Hæckel sur la dégénérescence et qualifie d'«aristocra-
ties insolentes »[22] ses paroles sur la sélection artificielle. Il y a, dit-il, « peu de raisons et de mauvaises »
pour croire que l'humanité recule mais il y en a « beaucoup... et de bonnes » pour croire qu'elle « marche en
avant »[23].

D'autre part, il tient à rejeter les « compromettantes
hypothèses »[24] par lesquelles les transformistes avaient
voulu couronner leurs systèmes. « Je crois, dit-il, que
le roman de Darwin sort du domaine des fictions agréa-
bles quand il nous donne pour ancêtre quelque « anthropoïde velu » ; je crois que la fantaisie d'Hæckel dépasse
les bornes fixées par le bon goût à la caricature, quand
elle fait descendre cet anthropoïde à son tour de ce
pseudo-mollusque qu'on appelle ascidie »[24].

Mais il y a surtout une doctrine de la science contemporaine sur laquelle il fait de très importantes
réserves. En ne voulant voir en l'homme qu'un être purement matériel et déterminé, la science avait essayé de
détruire la notion d'un règne humain indépendant. Le
naturaliste Richard Owen[25] croyait que seule sa denti-
tion distinguait l'homme des autres animaux et les Carl
Vogt[25] en Allemagne, les Huxley en Angleterre le con-
fondaient avec les singes anthropomorphiques. Or, dit
Brunetière, la question qui se pose est la suivante :
« Existe-t-il, entre l'homme et les animaux qui lui ressemblent le plus, des différences assez profondes pour
justifier ce qu'on appelle un *règne humain* »[26]. C'est
la question qui domine toute l'anthropologie.

Quant à la conclusion de Huxley, elle est « purement
anatomique » et ne « préjuge rien du résultat d'une
comparaison des caractères intellectuels et moraux »[26]
et justement « quiconque reconnaît un règne humain
n'invoque pour le justifier que des caractères intellectuels et moraux »[26]. Certains naturalistes, notamment
Russell Wallace, n'acceptaient pas le point de vue de
Huxley. Dans son livre sur *La sélection naturelle*, Wal-

lace avait dit que « nous avons... des motifs sérieux pour
faire à l'homme une place à part, non seulement comme étant la tête et le point culminant de la création,
mais encore comme en étant en quelque degré un être
tout nouveau et tout spécial »[27]. Un peu plus loin, il
disait encore : « j'avance des faits tendant à prouver
qu'il a été modifié d'une manière spéciale par une autre
force dont l'action s'est ajoutée à celle de la sélection
naturelle »[27]. Commentant ces deux passages, Brunetière
déclare à propos du premier que « c'était déjà reconstituer, au nom du transformisme, vu celui qui parlait, ce
règne humain que l'on croyait à jamais anéanti »[27].
Quant à l'autre, « c'était ramener Dieu sur la scène
et presque proclamer le miracle » et, dit-il, « je n'examine pas ici le raisonnement de M. Wallace, je n'en
discute pas la valeur ; cependant, on peut avouer qu'il
ne manque pas d'une certaine force »[28].

Il est certainement difficile de dire quels caractères
« intellectuels et moraux » constituent la définition de
l'homme. Mais, s'il y a une conclusion « qui s'impose
avec autorité : c'est à savoir que la question est pen-
dante et qu'on n'a pas encore trouvé le trait qui distin-
guera l'homme de l'animal ». Ce trait, on le trouvera
peut-être mais dans l'état présent de la science, on ne
saurait caractériser d'un mot la raison de ces différences.
Nous ne devons pourtant pas aller plus loin — « ce serait
anticiper l'avenir et préjuger la science »[29]. Dès à présent, nous pouvons être assurés qu'il n'y a aucun rapport entre les sciences de l'homme et celles de la nature.
Comme l'a montré Spencer, la psychologie humaine est
« une science complètement unique, indépendante de
toutes les autres sciences »[29] et Brunetière souscrit pleinement à ces paroles de l'auteur des *Premiers Principes :*
« L'esprit continue d'être pour nous quelque chose sans
parenté avec les autres choses et de la science qui découvre les lois de ce quelque chose, il n'y a aucun passage,
aucune transition graduelle aux sciences qui découvrent
les lois des autres choses ».[38].

Chapitre III

LES PREMIERES ANNEES

A LA *REVUE DES DEUX MONDES*

La campagne contre le naturalisme contemporain.

Dès ses débuts dans la critique littéraire, Brunetière prend nettement position contre le naturalisme du groupe de Médan, et ses articles, réunis pour la plupart dans le volume *Le Roman Naturaliste*[1], en constituent une condamnation sévère.

Il s'acharne avec une vigueur particulière contre Zola. Par ses « grossièretés révoltantes et malsaines »[2] l'auteur des *Rougon-Macquart* a dépassé, dit-il, « tout ce que le réalisme s'était encore permis d'excès »[3] et l'on imaginerait difficilement « une telle préoccupation de l'odieux dans le choix du sujet, de l'ignoble et du repoussant dans la peinture des caractères, du matérialisme et de la brutalité dans le style »[4]. Parfois, il est vrai, Zola fait preuve d'une « rare vigueur de touche »[5] et sait tracer des tableaux d'une vérité « saisissante et lugubre »[5]. Mais ces qualités, on ne les aperçoit que « de loin en loin »[6] à travers ses pages et elles ne compensent nullement « trois ou quatre défauts, des plus graves, et

de ceux à qui, quand bien même il consentirait un jour
à chercher un remède, il est probable qu'il ne le trouvera pas »[7]. Il manque « de goût et d'esprit »[8], n'a
aucune « finesse psychologique », est dépourvu même
du sens « de ce qu'il y a dans l'homme de supérieur à
la nature »[9]. Ses personnages n'étant que des « manne-
quins »[10] ou des êtres bestiaux sont en dehors de l'humanité ». S'il est une chose, enfin, dont manquent ses romans « c'est de valeur *documentaire,* de naturel et de
vérité, de vie et de variété »[11].

Pour Brunetière, la conséquence est évidente. Zola
lui-même, ses prédécesseurs et ses disciples, n'ont aucunement le droit de qualifier leur œuvre de « naturaliste ».
Le vrai naturalisme implique « la probité de l'observation, la sympathie pour la souffrance, l'indulgence aux
humbles et la simplicité de l'exécution »[12], mais les
Flaubert, les Goncourt et les Zola ont mis l'accent sur
« la superstition de « l'écriture artiste », le pessimisme
littéraire et la recherche de la grossièreté »[12]. Loin d'en
être un des précurseurs, un Edmond de Goncourt, « formé à l'école du mauvais xviiie siècle, pompadouresque
et crébillonnesque »[13], représente « ce qu'il y a de plus
contraire peut-être au naturalisme »[14]. Et quant à Zola
et ses imitateurs, ils n'ont fait finalement que consommer
la « banqueroute »[15] de ce naturalisme dont nous avions
le droit de tant espérer.

Cependant , tout n'a pas sombré dans le naufrage. Les
fondements du naturalisme sont assez « solides »[16] et
par conséquent assez durables »[16] pour que « ni *Nana,*
ni même *Pot-Bouille,* ne puissent réussir à prévaloir
contre lui »[16]. Nos soi-disant naturalistes ont beau
« détourner de son sens »[17] et « compromettre... dans
leurs aventures »[17] le bon renom d'une « grande doctrine
d'art »[18]. Cette doctrine « dont l'histoire de l'art hol-
landais et celle du roman anglais sont la démonstration
deux ou trois fois séculaire »[18] et « dans la formule
de laquelle on ferait entrer, avec un peu d'artifice, la
peinture vénitienne »[19] est autrement plus féconde que
ne le ferait croire l'auteur du *Roman Expérimental.*

En enseignant cette précieuse leçon qu'il n'y a de « res-
source, de salut et de sécurité pour l'artiste... que dans
l'exacte imitation de la nature »[20], elle rend à l'art un
service inappréciable.

Une distinction s'impose pourtant. Les Flaubert et
les Balzac rendent, dans toute sa richesse et dans toute sa complexité, la nature extérieure mais, impuissants
à pénétrer jusqu'à l'âme de leurs personnages, ils ne
sont qu'à moitié naturalistes. Le « *naturalisme,* c'est toute la nature, l'intérieure comme l'extérieure, l'invisible
comme la visible et, quand on se prétend *naturaliste*
et que l'on n'exprime pas ce côté de la nature humaine
avec autant de vigueur et de précision que l'autre... on
ment pour ainsi dire à sa propre profession de foi »[21].
« Peintres vigoureux de la réalité palpable, mais explo-
rateurs moins que médiocres de la réalité qui ne se
voit pas »[22] Balzac et Flaubert sont inférieurs, par
certains côtés, aux grands classiques du XVIIe siècle[23],
comme ils le sont aux romanciers anglais et russes[24].
Bien moins admiratif des Tolstoï et des Dostoïewsky
que ne l'était son ami de Vogüe[25], Brunetière a surtout
cherché dans la littérature anglaise des modèles d'un
art vraiment naturaliste. « S'il est vrai, écrit-il en 1881,
que l'observation en quelque sorte hostile, ironique,
railleuse tout au moins, de nos naturalistes français ne
pénètre guère au delà de l'écorce des choses »[26] il n'est,
en revanche, « guère de repli caché de l'âme humaine
que le naturalisme anglais n'ait atteint »[27]. Et le naturalisme anglais doit sa supériorité dans ce domaine à
sa capacité pour « une sympathie de l'intelligence éclai-
rée par l'amour »[28]. Tandis que les Flaubert ne respirent « que dédain et mépris »[29] pour les Bouvard et les
Pécuchet, les Richardson et les George Eliot « se met-
tent de plain-pied avec leurs personnages, s'efforcent à
les comprendre, et les aiment parce qu'ils les comprennent »[30].

Or, c'est George Eliot qui, de l'avis de Brunetière,
représente le mieux « le triomphe de la notation psychologique »[31] dans le roman et, à la suite de ces deux

anglicistes qu'étaient Emile Montégut et Edmond Schérer[32], il tient à analyser longuement ses qualités d'écrivain et de moraliste. Son œuvre, dit-il, est « un trésor d'observations psychologiques profondes et subtiles »[33] et elle sait créer des personnages dont on pourrait dire que « chaque pas que l'on fait dans leur connaissance est un pas que l'on fait dans la connaissance de l'humanité »[34]. Sans jamais moraliser à la manière « insupportablement prédicante »[35], « étroite »[35] et « prudhomesque » de Thackeray, elle donne à ses œuvres une « plénitude »[36] et une « profondeur »[36] de sens qui les place au premier rang de l'art contemporain. Elle est moraliste au meilleur sens du mot et l'on ne saurait trouver de morale plus « haute »[36], plus « utopique »[37] même, que sa conception de la solidarité humaine. Elle a enfin le don de « cette âpre ironie, sarcastique et contenue, où les Anglais excellent »[38] et qui diffère totalement de l'ironie « fatalement inféconde »[39] de notre Flaubert.

Celui-ci lui est peut-être supérieur par sa science de la composition. Comme à presque tous les romans anglais, « le mérite de la composition » fait défaut à ceux de George Eliot, *Silas Marner* et *Adam Bede* mis à part. Leur « ordonnance »[40] est vraiment « trop libre ou trop négligée »[40] et « cela éclate quand, sortant de lire *Le Moulin sur la Floss,* on retourne à *Madame Bovary,* chef-d'œuvre de composition peut-être autant que de naturalisme »[41]. Seul parmi les naturalistes Flaubert avait hérité de Balzac « le grand art de la composition »[42] et, malgré les défauts et les limitations de son auteur, *Madame Bovary* « vivra »[43] par cette qualité. Mais pour « forte », « profonde » et « durable » qu'elle soit, *Madame Bovary* n'est « malheureusement pas d'un ordre très élevé »[44] et, quant aux autres romans de Flaubert, ils sont tous, estime Brunetière, des « œuvres manquées »[45]. Artiste par ses défauts autant que par ses qualités, Flaubert s'est trop souvent contenté d'une vue superficielle des choses et « s'il lui manque un don, il n'en faut pas douter, c'est le don de voir au-delà du visible ».[46]

Les limitations de l'esthétique naturaliste
et la signification du mouvement symboliste

Pour Brunetière « toute esthétique naturaliste »[1] a nécessairement « quelque chose d'étroit, d'incomplet et de mutilé ».[1] Toute une partie de l'art est nécessairement « autre chose, et quelque chose de plus qu'une imitation de la nature »[2]. Ni la musique ni l'architecture ne sauraient être des arts d'imitation et même la peinture et la poésie peuvent se proposer de « corriger, rectifier, modifier, continuer, prolonger même »[2] ce qu'ils imitent. En outre la doctrine de l'imitation de la nature est aussi superficielle qu'étroite. Tandis qu'elle présuppose l'inexistence d'un « inconnaissable »[3] dont la nature ne serait peut-être « qu'un déguisement ou qu'un voile »[3] la moindre réflexion suffit à nous convaincre « que rien n'est clair en nous ni en dehors de nous, et que nous sommes de toutes parts environnés d'ombres et de mystère ».[3]

Et c'est pour nous avoir enseigné cette grande leçon que nous devrions savoir gré aux symbolistes. Quels que soient leurs défauts — et ils en ont de considérables — « c'est bien fait à eux »[4] d'avoir attaqué non seulement le « mauvais »[4] naturalisme qui s'étale « aussi largement et impudemment dans *Le Rêve,* que dans *Pot-Bouille* ou dans *Nana* »[4] mais aussi cet autre naturalisme « qui pénètre plus profondément au cœur des choses, à la façon du naturalisme anglais ou russe, mais qui cependant se limite lui-même à l'observation de la réalité »[5]. Même s'ils n'y ont pas réussi, les symbolistes ont tout au moins essayé de ramener la poésie « à une conception d'elle-même plus libre, plus large, et plus haute »[6].

Dans le domaine de la technique poétique leur contribution n'a pas été moins féconde. Certes les parnassiens et leurs prédécesseurs de l'école de l'art pour l'art avaient fait œuvre utile en insistant sur l'importance, trop souvent méconnue par les romantiques, de la forme. A supposer même que la production poétique d'un

Théophile Gautier, par exemple, fût destinée « à périr prochainement tout entière »[7], on saurait toujours gré à l'auteur d'*Emaux et Camées* d'avoir réintégré dans l'art, le respect et le souci « de la forme »[8]. « Secondaire peut-être en prose, — et encore ceci vaudrait-il la peine d'être longuement discuté — la question de forme est capitale en vers »[9]. Cependant ce respect de la forme avait dégénéré parfois — et même le plus souvent — en superstition, et il y a lieu de demander si, « merveilleusement doués »[10] comme ils l'étaient, les parnassiens n'avaient pas « trop abondé dans le sens de leurs aptitudes personnelles »[10]. En revendiquant contre eux « l'ancienne liberté du poète »[11] les symbolistes avaient « travaillé à débarrasser »[12] la poésie « d'entraves inutiles, qui risquaient d'être et qui ont plus d'une fois été des obstacles à la liberté de l'expression »[12].

Incontestablement le symbolisme avait donc mis en relief « deux ou trois idées justes »[13], grâce auxquelles son influence fut en grande partie heureuse. Mais même ses représentants les plus qualifiés étaient souvent allés trop loin dans leur réaction contre le naturalisme et l'esthétique parnassienne, et la valeur de leurs idées critiques restait « entièrement indépendante »[14] de celle de leurs œuvres. « Hypnotisés dans la contemplation des vocables, ou même des lettres »[15], ils ont tendu non plus même au polymorphisme mais à l'amorphisme, cependant que leur mépris du naturalisme leur faisait oublier qu'il ne saurait y avoir de symbolisme sans qu'un peu de naturalisme s'y mêle pour le « soutenir »[16], le « lester »[16] et « l'empêcher de s'évaporer en nuage »[16]. Animés trop souvent d'un « puéril amour-propre »[17], ils ont par leur culte de l'artificiel, rendu plus profonde encore « la séparation de l'art et de la vie »[18].

En cela ils recueillaient l'héritage de « ce mystificateur, doublé d'un maniaque obscène »[19] qui s'appelait Charles Baudelaire. L'influence de Baudelaire était « grande »[20] et elle était « fâcheuse »[20]. Les abonnés à toutes ces petites *Revues* « qui naissent avec l'aurore pour mourir avec le soir »[20] ne juraient que par lui et

ses imitateurs, les Mallarmé, les Verlaine et les Rimbaud
le surpassaient en « corruption »[21] et en « incompréhen-
sibilité »[21]. Mais, poursuit Brunetière, Baudelaire avait
beau passer pour « une idole du temps »[22] ; il n'était en
réalité « qu'un Satan d'hôtel garni »[23], qu'un « Belzé-
buth de table d'hôte »[23]. Toute son esthétique se ramenait à cette leçon qu' « au lieu de mettre l'objet de l'art
dans l'imitation de la nature et dans l'expression de la
vérité »[24] on devrait « le faire uniquement consister »[24]
dans l'artifice et le paradoxe. « Mystificateur »[25] par
excellence, dupe même de ses propres mystifications, il
avait « volontairement corrompu »[26] la notion de l'art,
et ceux qui conseillaient l'imitation de son œuvre ne
faisaient que proposer en exemple « la débauche et
l'immoralité »[27]. C'est « fort heureusement »[28] que d'autres influences — notamment celles des préraphaélites,
des romanciers russes et de Wagner — avaient contre-
carré la sienne et empêché le symbolisme de suivre
irréparablement la voie qu'il lui avait tracée. Débarrassés
de son « secours »[29] les poètes laissaient enfin espérer
que tôt ou tard ils rétabliraient avec la foule cette « communication »[30] dont l'art ne saurait se passer.

Par cette attitude envers Baudelaire comme du reste
par sa campagne contre le roman naturaliste Brunetière
a fait figure aux yeux de quelques-uns de traditionaliste
par trop attaché à la littérature du dix-septième siècle.
Entre autres Jules Lemaître[31], Anatole France[32], André
Gide[33] et Rémy de Gourmont[34] lui ont reproché son étroi-
tesse et son incompréhension, et même Paul Bourget
trouvait excessives certaines interventions de son ancien
« camarade de corvée »[35].

A vrai dire, les goûts de Brunetière et de Bourget
n'étaient point les mêmes en matière de littérature contemporaine. Dès 1875, Bourget reconnaissait que sur ce
sujet leurs idées étaient « très opposées »[35] et pour sa
part Brunetière déplorait le « dilettantisme »[36] des
« premiers débuts »[36] de son ami, jugeait fâcheux « son
air d'élégante indifférence aux perversités qu'il se com-
plaisait à décrire »[37], lui reprochait surtout d'admirer

et d'aimer « passionnément »[38] Stendhal et Baudelaire. Il devait pourtant reconnaître par la suite qu'il y avait déjà dans les *Essais de psychologie contemporaine* « un fond de sérieux, ou de gravité même »[38] et, lors de sa publication en 1889, il s'empressait de signaler « la valeur singulière »[39] et « presque unique »[39] du *Disciple*. Nous constaterons toutefois que même à cette dernière occasion les points de vue des deux écrivains étaient, du moins selon Bourget, plus divergents que ne le croyait Brunetière[40].

Les articles proprement littéraires et le thème religieux

En 1875 Bourget fait entrer son ami à la *Revue des Deux Mondes*[1]. Le directeur, François Buloz, cherchait quelqu'un qui pût faire un article sur la littérature contemporaine et Bourget lui amena Brunetière. Celui-ci hésita d'abord mais finit par accepter. Ainsi commença une association qui dura jusqu'à sa mort en 1906.

Il débute par une série d'articles sur le roman naturaliste mais publie en même temps des études sur l'histoire de la littérature française. Nous sommes en effet frappés par la variété et la diversité des sujets qu'il a traités, surtout pendant les vingt premières années. Il passe des romans de Zola aux *Sermons* de Bossuet, de l'œuvre historique de Taine au théâtre chinois, de Baudelaire à la poésie médiévale.

Cette diversité de curiosités se joint à une complexité dans la pensée. Car, du moins jusqu'en 1890, l'œuvre de Brunetière présente un caractère beaucoup moins systématique et schématisé qu'on ne l'a souvent dit. Sa pensée n'est, peut-être, ni subtile ni profonde, mais elle est complexe.

Certains grands problèmes dominent son esprit malgré tout et certains noms l'obsèdent. En dehors des préoccupations purement littéraires, il réfléchit à l'avenir de la morale, au rôle et à la place des métaphysiques et des religions. Mais ce sont des questions qu'il aborde

rarement de front. Le plus souvent il n'y touche qu'inci-
demment en interrogeant ces grandes figures, parfois
amies parfois ennemies, qui jouent un si grand rôle dans
sa vie intellectuelle, les Taine et les Renan, les Pascal et
les Bossuet, les Descartes et les Voltaire.

Car il lui est impossible de rester détaché et désintéressé en leur présence. Son tempérament, ses préjugés,
ses préventions, tout l'oblige à prendre parti pour ou
contre eux. S'il n'a jamais été philosophe, moraliste ou
théologien dans le sens strict de ces termes, il a toujours
cherché dans la littérature autre chose qu'un intérêt
purement littéraire. Elle a été pour lui un moyen de préciser sa pensée sur d'autres questions qu'il estimait plus
graves et plus importantes.

Le contraste entre le dix-septième siècle et le dix-huitième

Brunetière estime que Victor Cousin et Désiré Nisard
s'étaient étrangement trompés en voyant dans le dix-
huitième siècle le successeur immédiat du dix-septième.
A son sens, le contraste entre les deux est évident. Il
tient d'autre part à montrer qu'à tous les points de vue
le dix-septième siècle est supérieur au dix-huitième.

Au point de vue littéraire d'abord. Au dix-septième
siècle il voit tant de grandes œuvres dont la plénitude
du sens n'est égalée que par la splendeur de la forme et
la solidité de la construction. Mais au dix-huitième il
ne voit rien de comparable. Les tragédies de Voltaire
sont bien inférieures à celles de Racine. L'éloquence,
dont Bossuet et même Bourdaloue avaient été de si illustres représentants, est tarie et desséchée. On a perdu
cette admirable qualité qu'est l'impersonnalité et les
écrivains tiennent beaucoup moins à servir la cause de
la vérité qu'à exhiber leur propre talent. Un souci exagéré des détails remplace l'art de grouper les ensembles
et pour cette raison un des rares grands livres du siècle
— l'*Esprit des Lois* de Montesquieu — n'est guère en
réalité que « les fragments d'un grand livre »[2].

Mais la différence entre les deux siècles lui apparaît surtout dans le contraste entre leur valeur morale et psychologique respective. Le dix-septième — chrétien et janséniste — a une conception de l'homme qui est profonde, noble et vraie. Le propre du dix-huitième siècle est au contraire d'ignorer complètement l'homme. Grâce à leur vue de l'homme, les solitaires ne se sont pas imaginé qu'il suffisait de changer les institutions pour améliorer les mœurs. Les encyclopédistes, libertins et plus cartésiens que Descartes lui-même, caressaient la dangereuse illusion de la bonté naturelle de l'homme et fondaient toute leur sociologie là-dessus.

Sa partialité pour les hommes du dix-septième siècle au détriment des encyclopédistes a souvent été reprochée à Brunetière, notamment par Gustave Lanson[3]. Elle s'explique en partie par sa formation humaniste, mais surtout par sa première éducation religieuse. Sa lecture de Bossuet et de Pascal sera pour beaucoup dans sa future conversion mais il est tout aussi vrai de dire que s'il les aime tellement, c'est pour avoir été élevé dans une ambiance chrétienne.

Nous l'avons déjà dit, il ne faut pas chercher dans ces études un jugement détaché et désintéressé. Brunetière veut prendre parti dans le débat et, ne se contentant pas de juger ces écrivains sur leur valeur littéraire, il met en cause leur valeur proprement humaine.

Il y en a deux pour lesquels son admiration ne connaît presque pas de bornes. Ce sont Bossuet et Pascal. En revanche il est extrêmement sévère pour Descartes et pour les encyclopédistes.

En 1878 il consacre un long article à Voltaire[4] qu'il ne manque pas de malmener très rudement. Voltaire, dit-il, était toujours intéressé et se préoccupait avant tout de sa popularité et de sa fortune. Même dans ses interventions en faveur de la « Tolérance » des motifs peu louables avaient tenu une grande place. Et Brunetière termine son article en esquissant entre Voltaire et Bossuet un parallèle qui dénigre le patriarche de

Ferney autant qu'il rend honneur à l'aigle de Meaux.

C'est, dit-il, un parallèle qui ne saurait manquer d'être instructif car « ce ne sont pas seulement deux hommes »[5] mais « deux formes du génie français... deux faces de l'esprit humain... »[5]. « L'un et l'autre, ils ont été le plus grand nom de leur temps et la voix la plus écoutée ; l'un et l'autre, ils ont parlé comme personne cette langue lumineuse du bon sens, également éloignée de la singularité anglaise et de la profondeur germanique ; l'un et l'autre, ils se sont moins soucié de l'art que de l'action, de charmer que de persuader ou de convaincre, et de gagner des esprits à leur cause ; l'un et l'autre enfin, partout où de leur temps quelque controverse s'est émue, quelque conflit élevé, quelque bataille engagée, comme si le sort du combat n'eût dépendu que de leur présence, ils sont venus, et ils ont vaincu ».[5]

Mais ces points de ressemblance rendent d'autant plus significatives les différences qui les séparent car « s'ils diffèrent l'un de l'autre, c'est comme le XVIIIe siècle diffère du XVIIe »[5]. Voltaire n'est donc intervenu que dans sa propre cause, Bossuet dans celle de la vérité éternelle. Voltaire, persuadé que la réforme des lois entraînerait celle des mœurs, s'est efforcé de corriger les institutions en les ridiculisant. Bossuet, voyant « plus loin et plus juste » a essayé de conserver et de défendre les choses qui, malgré leur irrémédiable imperfection, lui paraissaient précieuses. Sa philosophie chrétienne lui montrait que « toutes choses qui tiennent de l'homme » sont imparfaites mais que la religion, l'autorité et le respect donnent quand même « du prix à la société des hommes »[7]. Il reconnaissait en eux d'indispensables sauvegardes contre le déchaînement de nos instincts.

Mais au dix-septième siècle déjà Bossuet avait rencontré, dans la personne de l'archevêque de Cambrai, un adversaire d'autant plus redoutable que son génie était doublé d'un charme insinuant et contre cet adversaire, Brunetière n'a pas manqué une seule occasion de prendre le parti de son héros[8]. En 1881 surtout, exami-

nant à propos d'un livre de Guerrier les péripéties de
l'affaire du quiétisme,[9] il prend position avec une telle
sévérité que l'abbé Brémond dira plus tard que chaque
ligne de son article appelle une critique[10]. Non pas que
Brunetière méconnaisse toutes les qualités de Fénelon
— « le plus curieux modèle peut-être et le plus rare
qu'il y ait de la souplesse infinie de l'esprit »[11] — mais
il voit même dans ces qualités de simples aspects des
défauts féneloniens. « Comme il y a des hommes, écrit-
il un peu plus tard, dont le naturel est de n'en pas
avoir ; qui sont, pour ainsi dire, naturellement compo-
sés, artificiels et guindés ; dont la simplicité si par hasard
ils y prétendaient ferait l'effet d'une recherche ; il y en
a qui naissent ennemis de la franchise, ou plutôt de
l'affirmation ; qui ne croient jamais pouvoir mettre
assez de nuances, de distinctions, de restrictions... de
« repentirs » dans l'expression de leur pensée ; et ainsi
qui sont sincèrement insincères. Tel fut bien Fénelon. »[12] Ce jugement, sur lequel du reste Brunetière ne
reviendra pas, est, on le voit, des plus intransigeants.

Brunetière n'est guère moins sévère pour Descartes
qu'il ne l'est pour Voltaire et pour Fénelon. Les Victor
Cousin, les Nisard et les Emile Krantz[13] lui paraissent en
avoir exagéré la valeur et l'importance historique. Quoi
qu'on en eût dit, Brunetière estime que l'influence de
Descartes était très réduite au dix-septième siècle. Sa
doctrine, selon lui, fut « brusquement arrêtée dans sa
course » par Pascal et ne commença d'exercer une influence appréciable que sur la génération des Bayle,
des Fontenelle et des Perrault. S'il y avait un grand
siècle cartésien, c'était bien le dix-huitième et non le dix-
septième.

Il se plaît à opposer Descartes à Pascal, comme il
avait opposé Voltaire à Bossuet. Descartes, « cet homme
de si peu de corps »[14] « ce génie chagrin et singulier »[15]
avait l'imagination « inquiète, ardente et chimérique[16].
Sa philosophie était optimiste et, par conséquent, superficielle. Son style était « sans relief ni couleur, sans
creux... et sans ombres »[17].

Dans ses *Pensées* Pascal avait opposé une contradiction catégorique à chacune des principales idées du cartésianisme. « C'est, dit Brunetière, un renversement du pour au contre »[18]. Descartes était optimiste à outrance. Il n'y a pas de pessimiste « plus sincère et plus convaincu »[19] que Pascal. Descartes avait prôné la toute-puissance de la raison. Pascal en démontre « la faiblesse et la vanité »[20] et, en affirmant l'autorité du sentiment, rétablit contre le cartésianisme « l'intégrité de la nature humaine »[21]. Pour Descartes la religion et la morale avaient été des choses presque indifférentes. Pour Pascal elles constituent « la principale affaire ou l'unique intérêt de l'humanité »[22]. Et, dit Brunetière, il est évident que c'est Pascal qui a raison et que notre premier devoir est de trouver la seule bonne manière « d'user de la vie »[22].

Au début Brunetière avait vu en Pascal un sceptique autant qu'un pessimiste. « Il faut convenir, écrit-il en 1879, que, dans les *Pensées*, ... la misère de la condition humaine et les motifs de désespoir sont marqués d'un trait bien autrement fort, bien autrement original et saisissant que la félicité des élus ». Et quelques lignes plus bas il ajoute : « les raisons de croire, c'est à peine si Pascal a pu les indiquer, tandis que les raisons de ne pas se soumettre et les raisons de douter, pas un moraliste peut-être ne les a fait plus éloquemment ressortir[23]. »

Cette vue sur Pascal n'est pas au premier abord essentiellement différente de celle répandue par Victor Cousin une trentaine d'années plus tôt. En parlant de Pascal les romantiques en général et Cousin en particulier avaient volontiers fait allusion à sa foi « inquiète et malheureuse »[24], sa dévotion « convulsive »[24], ses cris « de misère et de désespoir »[24] et aux yeux de beaucoup cette image continuait de paraître véridique. Elle fut pourtant, et dès 1844, sérieusement discutée par Alexandra Vinet dont Brunetière pour sa part et tout en prenant nettement position contre Cousin ne tarde pas à adopter le point de vue. Même dans l'article qu'il rédige en 1879[25] et où il convient du scepticisme de Pascal, il se sert, on le voit, d'expressions bien plus mesurées que celles des romantiques et il ajoute en note qu'à son sens Alexandre Vinet « connaissait admirablement Pascal »[26] et « le goûtait comme personne »[26].

Réunies en volume pour la première fois en 1848, les *Etudes sur Pascal* de Vinet sont en effet rééditées en 1876[27] et en se familiarisant avec leurs principales conclusions, Brunetière est amené à reconnaître que son scepticisme était de loin moins caractéristique de Pascal que ne l'était son pessimisme. « Dans la balance où Pascal avait entassé les éléments de sa conviction religieuse, dit-il d'après Vinet en septembre 1885, *le pessimisme, bien plus manifeste que le pyrrhonisme*, avait pesé d'un bien plus grand poids que l'insuffisance de nos moyens de connaître »[28]. Appliquer, comme l'avait fait Victor Cousin[29], les noms de « sceptique »[30] ou de « pyrrhonien »[30] à un homme qui croyait « avec la sincérité, l'ardeur et la violence de Pascal »[30] c'était se rendre coupable d'un insupportable abus de langage car « si Pascal est un sceptique, où trouverez-vous un croyant ? »[30]. C'est Vinet et non Cousin qui avait raison et « pessimisme est le mot juste ».[31]

Vers le moment où il rédige ces derniers articles, Brunetière arrive à un tournant de sa carrière. Soucieux sans doute de régulariser son mariage avec Mlle Sylvie Lefèbvre, une jeune belge qu'il avait connue au Quartier Latin, rue Paillet,[32] il s'efforce d'améliorer « sensiblement »[33] sa « situation pécuniaire »[33] à la *Revue des Deux Mondes*. Rappelant au directeur, Charles Buloz, que depuis « plus de cinq ans »[33] il y consacrait son temps « tout entier »[33], il réclame une rémunération de « douze cents francs par mois »[33] et demande de pouvoir jouer un rôle plus considérable dans la direction effective des affaires. « Votre souveraineté de directeur demeurant entière, et toute décision ne dépendant naturellement que de vous seul, écrit-il, je voudrais être le

porte-parole extérieurement seul responsable de vos dé-
cisions »[33].

Vers le même moment Brunetière cherche à se faire
une réputation de conférencier et à entrer dans l'enseignement supérieur. Ainsi qu'il l'avoue à Charles Buloz,
dans la lettre dont nous venons de citer quelques extraits, il éprouve « plusieurs fois »[34] au cours de l'année 1882 la « tentation »[34] de solliciter une place à
l'Ecole normale. Pour l'instant ce projet lui paraît irréalisable mais, ses débuts de conférencier se faisant remarquer[35], le philosophe Elme Caro l'engage à ne pas y
renoncer. « Je persiste à croire, lui écrit Caro, qu'il y
avait une belle place à prendre dans l'enseignement supérieur par le jeune maître de la critique... En pareille
matière, c'est le succès qui fait tout. Je pense que le
vôtre avait toutes les garanties de science, de doctrine
et de parole pour être éclatant »[36]. Encouragé par l'appui
de ce professeur qu'il admirait tout autant pour ses
qualités personnelles que pour l'étendue de sa science[37],
Brunetière cherche donc une occasion de poser sa candidature et l'occasion, en effet, ne tardera pas à se présenter. Le 4 février 1886 il se voit chargé, « à titre de
suppléant »[33], des fonctions « de Maitre de conférences
de Langue et de Littérature française (sic) (2ᵉ et 3ᵉ
années) à l'Ecole Normale supérieure jusqu'à la fin de
l'année scolaire 1885-1886 »[38] et une année plus tard,
grâce en grande partie à l'intervention du directeur,
Georges Perrot[39] il entre définitivement à l'Ecole pour
y commencer une carrière de professeur qui, de son vivant au moins, accroîtra considérablement son prestige.

Les rapports entre la religion et la morale

On aurait tort de voir en Brunetière un moraliste de
profession. Néanmoins le problème moral l'a obsédé
toute sa vie et il s'est longtemps préoccupé de trouver à
la conduite une base solide et inébranlable.

En cela il partageait l'inquiétude de toute sa généra-

tion. Les doctrines positivistes, tout en entamant grave-
ment les croyances traditionnelles, ne paraissaient pas d'a-
bord avoir atteint les principes de la morale. On prétendait
fonder celle-ci sur la Science mais au début on n'en révo-
quait pas en doute les principes. En 1888 Brunetière
rappelle que vingt-cinq ans plus tôt « on eût dit que la
morale était faite, qu'une insigne mauvaise foi pouvait
seule essayer d'en détruire les fondements »[1]. « En
dehors de l'histoire, on ne s'intéressait guère alors qu'à
la métaphysique » et si les Vacherot, les Renouvier et
les Ravaisson parlaient de la morale « ce n'était qu'indirectement, par circonstance ou par occasion ».[1] Pourtant la morale se trouvait déjà privée de son support et
bientôt on allait s'apercevoir que l'ancienne morale,
« impérative » « universelle » et « immuable » traversait une crise dont l'issue restait imprévisible. « La
grande affaire pour ma génération, avoua l'historien
Thévenin à Maurice Barrès, a été le passage de l'absolu
au relatif »[2]. Et en effet on convenait que, faute de pouvoir la secourir, il fallait de toute urgence remplacer
l'ancienne morale. Guyau dans son *Esquisse d'une morale sans obligation ni sanction*, Letourneau dans son
Evolution de la Morale, Secrétan dans sa *Civilisation et
la Croyance*, Emile Beaussire dans ses *Principes de la
Morale*, tous reconnaissaient que si le problème n'était
pas rapidement résolu, la société elle-même ne pourrait
plus subsister. « Nous habitons, dit Brunetière, une maison dont les fondements branlent, dont les murs s'en
vont insensiblement en ruines, où toutes les pluies
entrent par le toit, et, quelle que soit notre insouciance...
on commence à se demander, avec un peu d'inquiétude,
où nous nous logerons »[3].
  Brunetière a souvent cherché à dissocier le problème
religieux et le problème moral. « Je ne veux pas, dit-il
dans ce même article sur *Caro*, mêler la question religieuse à la question morale »[4] et, au moment où il rédi-
geait son *credo* il voulait résoudre le problème moral
« sans recourir à aucun moyen théologique ou métaphysique »[5]. Mais en 1880 il avait reconnu que « toutes reli-

gions et métaphysiques, mortes ou vivantes, actuelles ou futures, contiennent le meilleur et le plus pur de ce qu'il y a dans l'esprit humain »[6]. Et l'année suivante, dans un article consacré à *Massillon*[7] il examinait la nature des rapports entre la morale et la métaphysique.

« Contentons-nous d'observer, dit-il, qu'il n'y a pas de système de morale qui ne soit dans la dépendance entière de quelque métaphysique. Nul, pas même Aristippe, n'a pu formuler une doctrine des mœurs, c'est-à-dire, proposer aux hommes une règle de conduite, qui ne procédât d'une certaine idée qu'il se faisait de la nature et de la fin de l'homme »[8].

Le problème des rapports de la morale avec le dogme religieux est plus complexe car « il s'insinue dans les rapports du dogme avec la morale un élément historique ou traditionnel qui vient singulièrement compliquer le problème » et il faut savoir « de quelles nuances successives la définition même du dogme s'est enrichie »[9].

Mais il regarde à peine du côté du dogme proprement dit et s'en tient plutôt à l'idée d'une totalisation des religions. A cet égard une lettre qu'il écrira en 1898[10] est particulièrement significative : « J'ai cru, dit-il, comment dirais-je ? ... à l'idée du *Congrès des religions* ! Oui, j'ai cru un moment, et dix ans avant Chicago[11] que de la *totalisation,* si je puis ainsi dire, et de la compensation des religions les unes par les autres on pourrait dégager une religion, ou une morale quasi-laïques ou indépendantes, non pas précisément de toute philosophie de la vie, mais de toute *confession* particulière. Et j'avais trente-cinq ans quand cela m'arriva. Et je l'ai cru six ou sept ans... et je n'y crois plus pour y avoir cru plus fermement que d'autres... »[10].

Cette forme d'éclectisme moral était alors très répandue. En cherchant dans la totalisation des religions une base à la morale, Brunetière n'a fait que suivre un important courant d'idées. Du reste il n'a donné de ce lieu-commun de l'époque aucune expression nouvelle ou originale. Les termes mêmes dont il se sert manquent de précision.

Il revient sur la question en 1888 dans son article sur *Caro*[12]. « Ai-je besoin, dit-il, de rappeler comment la question se présente ? Il ne s'agit pas de rendre à une religion, la catholique ou la protestante, la grecque ou la mahométane, ses droits ou ses prétentions sur le gouvernement de la conduite humaine, pas plus que de lier la moralité même à une doctrine métaphysique unique, l'idéaliste ou la spiritualiste, l'optimiste ou la pessimiste, mais seulement de faire voir que toute règle des mœurs — et quand ce serait celle d'Aristippe ou d'Helvétius — implique nécessairement une conception de la vie ou une idée de la nature, du pouvoir, et de la fin de l'homme, qui est proprement ce qu'on appelle une métaphysique »[13] Si l'on n'a pas besoin de dire avec Caro que la morale philosophique ne peut s'achever sans Dieu, il faut convenir avec lui « qu'aucune morale ne saurait s'enfermer dans les bornes de la vie présente »[14].

Celui qui, de l'avis de Brunetière, avait fait la plus heureuse tentative pour « laïciser » l'enseignement des religions était Schopenhauer. Car l'essence des grandes religions, et notamment du bouddhisme et du christianisme, est la croyance à la misère irrémédiable de l'homme. Avant tout elles enseignent que l'homme est un être déchu et que la vie est « mauvaise ». Mais en prétendant dériver ces dogmes de la révélation, elles les rendaient difficilement acceptables pour l'homme moderne dont la raison avait été émancipée par la science.

Or justement la gloire de Schopenhauer avait été de tirer cette même leçon « du seul spectacle de la vie »[15] et ,en dépouillant la doctrine de son « enveloppe théologique »[15], de la fonder « sur la considération toute philosophique du monde et (*sic*) l'humanité »[15]. En suivant un tout autre chemin, il avait abouti aux mêmes conclusions que Jésus et Çakya-Mouni et il avait donc préservé l'essence même des religions. Car celles-ci pourront passer « en tant que leurs mystères, sans lesquels elles ne sont que des philosophies, prétendront s'imposer à la raison » mais « elles ne passeront point, en tant qu'elles sont quelque chose de plus et d'autre que la

science »[16]. Le pessimisme de Schopenhauer, dit Brunetière, nous offre les moyens de sauver de la religion « ce
qu'on ne pourrait en laisser périr sans laisser l'homme
retourner à l'animalité ».[17]

En 1892, dans un important article consacré à
Bayle[18], Brunetière reparle des rapports entre la religion et la morale. Et cet article est particulièrement intéressant parce que Brunetière n'y reste pas conséquent
avec lui-même. Ses hésitations et ses tâtonnements nous
montrent qu'une année avant le Congrès de Chicago et
deux ans avant sa visite au Vatican, il avait déjà à moitié abandonné son rêve de constituer une morale laïque.

L'œuvre de Bayle, dit-il, a dans une grande mesure
été utile. Il fallait que la morale s'affranchît de la religion et de la philosophie « pour essayer de se constituer
sur une base plus large »[19]. Il faut donc être reconnaissant à Bayle d'avoir fortement établi « qu'il y a un fondement de la moralité distinct des décrets de Dieu »[20].
Pourtant, en voulant libérer la morale de toute attache
métaphysique et religieuse il se peut que Bayle soit allé
trop loin et qu'il en ait « plutôt rétréci qu'élargi la
base »[21]. Car il est certain qu'une morale repose « toujours et nécessairement sur une conception déterminée
de la vie et de l'homme »[22], même si cette conception ne
se résume que dans le précepte : « Hâtons-nous !
jouissons ! »[23].

D'autre part, dit Brunetière, le problème est toujours
« en suspens »[24] de savoir si l'on peut séparer la morale « sans la dégrader »[24] des « aspirations religieuses
qui la terminent et qui la couronnent »[24]. Bayle avait
tort de dire « qu'il vaut mieux être athée qu'idolâtre »[25]
et, en les traitant de superstitions, il ne rendait pas raison de l'existence des religions. La morale a besoin d'être
fondée sur un principe absolu qui soit supérieur à l'institution sociale et qui garantisse l'autorité de celle-ci. « Si
l'institution sociale, dit Brunetière, n'est qu'une com-
pagnie d'assurances, la morale y suit nécessairement les
fluctuations de l'intérêt commun ... Et, tôt ou tard, conseils, préceptes, injonctions, finissent par perdre ce

caractère de fixité sans lequel une morale est indigne de
ce nom. Dans une morale entièrement détachée de la
religion ou du sentiment de l'*au-delà,* de ce que l'on a
jadis appelé « la catégorie de l'idéal », uniquement sou-
mise aux exigences de l'intérêt social, il y aurait des
temps de se dévouer, sinon de sacrifier, mais je crain-
drais qu'il n'y en eût d'autres aussi de mentir, de violer
sa parole, des temps de prendre le bétail, et la femme, et
la vie de son prochain ».[26]

Brunetière et le pessimisme

Quant au fond de sa philosophie morale Brunetière
est foncièrement pessimiste et en cela il est très représentatif de son époque. Pendant les années 1870-1890
en effet les idées pessimistes connaissaient en France
une vogue tout aussi grande que celle des doctrines évolutionnistes. Il serait même vrai de dire que souvent
elles se complétaient et se renforçaient les unes les autres. Taine voyait dans l'homme « un gorille féroce et
lubrique » et les romanciers naturalistes insistaient avec
complaisance sur l'animalité de sa nature. A cette vue
de l'homme, les événements de 1870-1871 avaient donné
une certaine couleur de vraisemblance.

A toutes ces influences s'est ajoutée celle de Schopenhauer dont les idées commençaient à se répandre en
France un peu avant 1875. En 1862 déjà Foucher de
Careil avait publié une étude sur *Hegel et Schopenhauer*
et en mars 1870 Challemel-Lacour présenta les idées du
grand pessimiste dans un article de *la Revue des Deux
Mondes*[1], article que le jeune Brunetière a peut-être eu
l'occasion de lire. Ces études furent bientôt suivies par
d'autres, en 1874 par celle de Ribot[2], en 1878
par celle, que Brunetière du reste jugera trop
sévère, de Caro[3]. Des traductions des œuvres maîtresses de Schopenhauer parurent enfin en 1886 et en
1890[4] et le prestige du philosophe atteignit alors son
comble.

En effet son succès dans les milieux intellectuels français était déjà très grand. Son nom, a déclaré un témoin contemporain, était « dans toutes les bouches »[5] Mais quelques-uns, considérant que son enseignement pourrait être un dissolvant pour la volonté, redoutaient son influence. Alphonse Daudet écrivait :

« A noter : la tristesse, l'effarement de mon grand garçon qui vient d'entrer en philosophie et de lire les livres de Schopenhauer, de Hartmann, Stuart Mill, Spencer. Terreur et dégoût de vivre ; la doctrine est morte, le professeur désespéré, les conversations en cours désolantes. L'inutilité de tout apparaît à ces gamins et les dévore »[6].

Brunetière consacre deux articles et une conférence[7] à Schopenhauer. En 1886 il voit en lui un idéaliste plutôt qu'un pessimiste, mais, en 1890, il rend pleine justice à sa philosophie pessimiste. A la différence de tant de ses contemporains il voit dans le pessimisme non un dissolvant mais un stimulant de la volonté. « Quant à l'espèce d'inertie qu'on a prétendu quelquefois que le pessimisme entretiendrait, dit-il en 1890, qui ne voit qu'on s'est fait un fantôme de pessimisme pour le pouvoir plus aisément terrasser ? et non seulement il ne l'engendre ni ne l'entretient, mais au contraire est le principe même et le ressort de la véritable activité ? »[8].

Schopenhauer avait montré que la vie est « mauvaise »[9] et la condition de l'homme « radicalement misérable »[9]. Mais les conséquences de ces conclusions sont toutes morales. Du fait que nos instincts sont pervertis, nous essayerons de les dompter. Du fait que la vie est mauvaise nous essayerons de l'améliorer et nous comprendrons qu'elle ne peut avoir son but en elle-même. Car il est paradoxal mais vrai que tous les grands pessimistes « depuis Bouddha jusqu'à Schopenhauer »[10] ont insisté sur le rôle primordial de la volonté.

Mais aux yeux de Brunetière le pessimisme de Schopenhauer paraît moins profond et moins original que celui de Pascal. « ...Ni dans le *Monde comme volonté et*

comme représentation, ni dans les *Parerga et Paralipo-
mena*, écrit-il en 1886, je ne vois rien, ou peu de chose,
pour la sincérité de la plainte ou l'amertume de la dérision, qui soit comparable... à certains fragments des
Pensées »[11].

En 1888, il reproche à Caro d'avoir méconnu « la grandeur et la noblesse » du pessimisme en se bornant à
examiner les idées de Schopenhauer. « A Dieu ne plaise,
dit Brunetière, que je fasse aucune comparaison de celui
de nos grands écrivains que j'aime et je respecte le plus
— c'est l'auteur des *Provinciales* et des *Pensées* —
avec l'auteur du *Monde comme volonté et comme représentation*, le vieillard caustique et quinteux de Franc-
fort ! »[12].

Certes, la valeur de Schopenhauer est grande et il se
pourrait qu'il fût un jour « avec Darwin, l'homme dont
les idées auront exercé sur cette fin de siècle la plus
profonde influence »[13]. Mais son système passera. Son
succès, tout à fait passager, tenait trop à des qualités
superficielles, telle que « cette espèce de jovialité cynique »[14] qui finit par choquer et par lasser les lecteurs français. Le vrai pessimisme est vieux comme le monde et « ni
Schopenhauer ni Darwin... n'expliquent le *Candide* de
Voltaire ou le *Gulliver* de Swift ou les *Pensées* de Pascal »[15]. Et, au fond, il se réduit toujours « à la conscience
plus ou moins nette que nous avons de la limitation de
notre être »[16]. Car nous sommes des êtres « limités ».
« Nous sommes limités dans l'expansion de nos instincts
animaux par la douleur, par la maladie, par la mort.
Nous sommes limités dans le développement de notre
esprit par l'ignorance. Et nous sommes limités enfin
dans l'exercice de notre volonté par sa propre fragilité
ou, en d'autres termes, par le péché. « La Mort, l'Ignorance et le Péché, voilà les causes du pessimisme »[16].

Or, dans toute la littérature française, et même sans
excepter le *Journal d'un Poète*[17], le pessimisme n'a
jamais reçu une expression aussi « pathétique »[18] que
celle que lui a donnée Pascal. « Pascal, dit Brunetière en
1889, n'est point sceptique mais il est pessimiste, parce

que la raison est impuissante à la solution des seules
questions qui l'intéressent. Il l'est encore parce qu'il
est janséniste et que si, dans l'état présent... la condition
de l'homme est misérable... il croit... qu'elle l'est presque plus encore dans l'hypothèse de l'état de nature...
Mais il l'est surtout parce qu'il est chrétien, et qu'un
chrétien cesserait de l'être s'il pouvait croire à la bonté
de l'homme et au prix de la vie »[19].

Comme Pascal, Brunetière a une vue très pessimiste
de la nature humaine et c'est un point sur lequel il ne
variera pas. Dans son *credo philosophique*, un curieux
document qu'il a dû rédiger entre 1880 et 1890[20], il
déclare formellement qu'il croit « à l'imperfection radicale », « à la misère originelle » et à la « perversité foncière » de l'homme. Elles sont, nous dit-il, prouvées par
la conscience, par l'histoire et par la théorie de l'évolution. C'est donc une croyance fondée sur « la plus grande vraisemblance scientifique ». Néanmoins, « et sans
recourir à aucun moyen théologique ou métaphysique »
mais « toujours en conformité de la loi d'évolution », on
peut « réparer » cette imperfection, « atténuer » cette
misère et « brider » cette « perversité » et « notre perfectionnement consiste justement à nous dégager de l'animalité ». Pour y arriver, la Société est « le meilleur ou
le seul moyen qu'on ait trouvé » mais elle ne peut remplacer l'effort individuel que chacun d'entre nous doit
faire.

On voit, d'après ce document, que Brunetière a même
essayé de tirer une morale des conclusions de l'évolutionnisme. La même conception de la moralité se trouve
dans un article qu'en 1885 il écrit sur *Vallès*[21]. Il y donne
cette définition d'une nature « immorale » :

« Une nature « immorale » est celle qui ne sent pas la
nécessité pour l'être faible ou vicieux que nous sommes,
d'être toujours et constamment en garde contre les sug-
gestions qui lui viennent de ce que l'on pourrait appeler son fonds d'animalité. Nous avons tous en nous les
commencements ou les semences des plus détestables
passions, et tous, nous sommes poussés par des instincts

obscurs vers l'assouvissement des pires appétits. Etre
immoral, c'est rien de plus que lâcher la bride de ces
instincts... mais qui ne voit que c'est remettre en question, dans chacun de nos actes, l'existence de la
société... »[22].

Remarquons que ces idées sont loin d'être originales
et que dans son *credo* Brunetière ne fait que reproduire
des lieux-communs qui étaient courants à l'époque. Le
document a, néanmoins, un intérêt pour le biographe de
Brunetière du fait même que ce credo est beaucoup
moins définitif que ne le croyait son auteur. Car s'il n'a
pas varié sur le premier article — à savoir « l'imperfection radicale », la « misère originelle » et la « perversité
foncière »[23] de l'homme — il a cherché ailleurs que
dans le darwinisme une base à cette doctrine et il n'est
pas toujours resté persuadé que la Société est « le meilleur ou le seul moyen qu'on ait trouvé »[23] pour remédier
à notre imperfection.

Déjà en 1885 il se demande si l'action purement
humaine peut suffire à l'œuvre de notre perfectionnement
ou si nous n'avons pas besoin d'une aide surnaturelle.
Dans un important article où il fait le bilan des plus
récents travaux consacrés à Pascal, il écrit à propos des
Pensées que « le problème qu'y agite l'âme passionnée
de Pascal n'a pas cessé d'être celui qu'il faut que tout
être qui pense aborde, discute et résolve une fois au
moins dans sa vie »[26]. Et ce problème, comme il précise
un peu plus loin, est celui de la grâce... « Une certaine
doctrine sur la grâce est le fond ou plutôt l'âme même
du jansénisme... comme aussi bien des *Pensées* de Pascal »[27]. Il s'agit de savoir « si l'opération de la nature
en nous suffit à l'œuvre de notre perfectionnement
moral ou, au contraire, et de quelque nom qu'on le
nomme, si nous y avons besoin d'un secours, d'une aide,
d'une coopération d'en haut[27] ».

Mais dans son for intérieur Brunetière est persuadé
que, grâce à nos seuls efforts, nous pouvons parfaire
l'œuvre de notre perfectionnement moral. Quoiqu'il ait

conçu un doute inquiétant à ce sujet, il n'a pas réellement abordé de front le problème qu'avait agité « l'âme passionnée de Pascal »[29]. Il est significatif que, dans ce passage, il ne cite que deux fois le livre des *Pensées* et que le mot qui retient son attention est le mot « Travaillez ». « Travaillez, avait dit Pascal, non pas à vous convaincre par l'augmentation des preuves de Dieu, mais par la diminution de vos passions »[30] et, dans un autre endroit, « en suivant les gens qui savent ce chemin, vous guérirez du mal dont vous voulez guérir »[30]. « C'est, dit Brunetière, la voie du salut, et c'est le dogme de la grâce »[31]. Pourtant, si c'est là le dogme de la grâce, il laisse peu de place à l'intervention divine.

Cinq ans plus tard, à la fin d'un article sur les *Provinciales*[32], Brunetière développe la même idée, en insistant surtout sur la nécessité d'un effort moral individuel. Après une longue comparaison entre « la morale d'Escobar »[33] qu'il trouve « trop indulgente » et celle de Port-Royal qu'il trouve « trop sévère et surtout trop intransigeante », il résume ainsi l'enseignement des jansénistes : « Quand on l'a dépouillé de son enveloppe théologique, dit-il, ce qui en demeure, ce qui en subsiste... ce que nous crierons éternellement par la voix de Pascal ses *Pensées* et ses « *Provinciales* » c'est qu'aucune religion ne peut nous dispenser « de travailler constamment à nous rendre meilleurs et plus désintéressés, parce qu'il n'y a pas d'observances ni de pratiques, il n'y a pas d'absolution ni de communion qui puissent remplacer l'effort qu'il nous faut faire contre nous-mêmes »[34] et voilà pourquoi « il n'y aura jamais dans la langue française de plus éloquente invective que les *Provinciales*, de plus beau livre que les fragments mutilés des *Pensées* et de plus grand écrivain que l'on doive plus assidûment relire, plus passionnément aimer, et plus profondément respecter que Pascal »[35].

On peut se demander si, pour des raisons qui tenaient surtout à la nature de son tempérament, Brunetière n'a pas laissé dans l'ombre tout un côté — et peut-être le plus important — de la doctrine janséniste.

Remarquons que le fait même de croire à l'efficacité des efforts de notre volonté mitige le pessimisme de Brunetière. Il estime que malgré notre « imperfection radicale »[36], la volonté n'est pas totalement impuissante à remédier à notre condition.

Mais plus encore que la « fragilité de notre volonté » la limitation de notre esprit « par l'ignorance » engendre le pessimisme. A vrai dire, cette « angoisse métaphysique » en est la source même et « faute de pouvoir s'y soustraire, qui sait si quelques-uns qui s'en sont le plus cruellement moqué ne sont pas ceux aussi qui en ont le plus souffert »[37]. Quel est le sens de notre vie ? A-t-elle même un sens ? Que signifie, enfin, ce phénomène redoutable que nous appelons la mort ? Ces questions ont été posées de tout temps et jamais les hommes n'ont su les résoudre. Mais elles ont toujours paru particulièrement aiguës aux moments où l'humanité traversait de grandes crises spirituelles et recherchait les fondements de croyances qu'elle sentait menacées.

Or, pendant ces âpres années d'après-guerre, les moralistes français commençaient à se rendre nettement compte que, si la science positive s'était crue en mesure de remplacer la religion traditionnelle, elle n'apportait aucune solution à ces grandes et éternelles inquiétudes humaines. Ceux qui avaient prétendu supprimer le mystère devaient s'incliner devant l'Inconnaissable et reconnaître que la Science était impuissante à résoudre « les seules questions qui vaillent la peine d'être posées »[38]. Toute une génération, élevée dans le culte de la Science, perdait sa foi dans la nouvelle idole et, si l'on ne reconnaît pas encore les signes d'une renaissance religieuse proprement dite, un renouveau général du désir de croire est incontestable. L'obsession de la mort, la hantise de l'inconnu se traduisent dans l'œuvre des poètes et des romanciers eux-mêmes.

Ce disciple de Pascal qu'était Brunetière ne pouvait s'y dérober. « Si je suis ainsi fait, dit-il en 1885, que le mystère de la vie me préoccupe et me tourmente, ce n'est pas aux champs... que j'en trouverai l'explication

ou l'oubli »[39]. Et il veut franchir ce mur impénétrable
que nous oppose la mort. Celle-ci est, après tout, l'une
des trois grandes causes du pessimisme et elle nous
amène à réfléchir sur la brièveté de notre vie. « Avez-
vous vu beaucoup mourir ?, demande-t-il dans sa conférence sur les *causes du pessimisme*... si vous avez vu
mourir je ne dis pas un grand homme, avez-vous pu
vous défendre, en contemplant son agonie, d'un retour
sur ce qu'on appelait la vanité des choses du monde ? »[40].
Et la mort n'est-elle, enfin, qu'un « sanglant passage »[41]
qui nous mène à « un inconnu plus formidable encore que
la vie ? »[41]. On croit faire merveille contre les pessimistes « en les sommant *hic et nunc* de se brûler la
cervelle »[42]. Encore s'agit-il de leur prouver, d'abord,
« qu'il n'y a rien d'ultérieur à la vie dont ils vont sortir »[42]. Le suicide ne serait peut-être « qu'un leurre et
qu'une duperie »[42].

Trouvant insupportable « ce terrible sous-entendu du
néant des choses »[43], Brunetière éprouve le besoin de
sortir de l'impasse et, en 1890, il croit entrevoir une
échappatoire dans l'acte de foi. Il précise sa pensée sur
ce point dans un article révélateur sur *Alexandre
Vinet*[66].

Vinet, dit-il, est, avant tout, chrétien et même dans
ses travaux d'historien littéraire, nous sommes frappés
par la « sincérité », la « sévérité » et « l'intensité »[45]
de son christianisme. Néanmoins, nous avons le droit de
nous demander s'il est nécessaire d'être « chrétien »
pour penser comme lui car, « indépendamment de toute
idée religieuse..., de tous les problèmes, le plus important et plus tragique pour nous, c'est encore celui de
notre destinée »[45].

L'Incroyance ne nous apporte aucune satisfaction et
le détachement intellectuel ne mène qu'au désarroi
moral. Au contraire, « moins nous sommes « chrétiens »,
plus ces questions ont d'intérêt et d'importance pour
nous. Bien loin d'en diminuer la grandeur, on l'augmen-
terait plutôt en les laïcisant »[45]. « C'est quand nous
sommes vraiment « chrétiens », dit-il dans un passage

significatif, que nous pouvons, à la rigueur, nous passer
d'agiter la question, elle est résolue ; et nous ne sommes
« chrétiens » qu'autant que nous la tenons fermement
pour résolue ». Déjà « chrétien de désir »[46], Brunetière
cherche la foi pour écarter des inquiétudes troublantes.

Certes, il faut bien se garder d'exagérer l'importance
d'un tel passage et de prêter à Brunetière une âme de
mystique. Esprit pratique et positif avant tout, il restait
fermé à certains aspects de l'émotion religieuse. Non
seulement il a traité Luther de « visionnaire »[47], Mahomet d'« épileptique »[47] et Mme Guyon de « monomane »[48]
mais il a enveloppé dans sa condamnation « tout mys-
ticisme, même le plus pur »[49]. « Dans tous les temps et
dans tous les pays », dit-il, c'est le propre de celui-ci de
mener ses adeptes « aux plus honteux excès »[50].

Mais, entre une Mme Guyon et un Alexandre Vinet
la différence était grande et les effusions de l'une
n'avaient rien de commun avec la « sincérité », la
« sévérité » et l'« intensité » de l'autre. Déjà grand
admirateur de Pascal, Brunetière ne pouvait qu'admirer
à son tour celui qu'il considérait comme l'interprète
le plus pénétrant des *Pensées*. Et les mots mêmes qui
figurent dans cet article — ces mots de « tragique »,
d'« agiter », de « tourmenter » — n'attestent-ils pas,
sinon la richesse, tout au moins l'authenticité de sa
propre émotion ? Ne révèlent-ils pas pas, enfin, l'existence
d'un côté de sa sensibilité que l'on pourrait qualifier
de « religieux » ?

Car son pessimisme rapproche Brunetière de la religion et il revient volontiers sur ce thème que les grandes religions sont pessimistes « dans leur fond et en
soi »[53]. « Il n'y a pas pire pessimisme, j'entends plus
sincère ni plus radical, dit-il, en 1887, que celui du fond
duquel, il y a bientôt dix-neuf-cents ans , le christianisme est sorti ; si ce n'est peut-être celui dont on peut
dire, quatre ou cinq siècles auparavant, qu'il fut la racine
du bouddhisme »[43]. Tous les deux, ils ont tiré leur origine d'un excès de la souffrance et d'un dégoût de la vie.
Tous les deux, ils ont été propagés par des misérables.

Leurs doctrines, enfin, se ressemblent car Çakya-Mouni, comme Jésus, a prêché avant tout la mortification de l'égoïsme. En un mot, le pessimisme constitue leur « essence »[54].

L'attitude intellectuelle de Brunetière
devant le christianisme jusqu'en 1894

Il s'en faut de beaucoup qu'à cette sensibilité religieuse corresponde une adhésion intellectuelle au christianisme et, comme nous venons de le voir, Brunetière n'a pas manqué de mettre celui-ci sur le même plan que le bouddhisme.

Ce parallèle, il l'avait fait d'abord dans l'un de ses premiers articles de la *Revue Bleue* où il déclarait que s'il y avait dans la fortune du bouddhisme « un je ne sais quoi de bizarre et d'inexpliqué »[1] le procès de Jésus n'était qu'un simple épisode historique dont l'importance à l'époque « ne fut pas très grande »[1]. Et encore en 1880, il considérait la propagation du bouddhisme comme « l'événement qu'on peut appeler, avec l'apparition du christianisme, le plus considérable de l'histoire du monde »[2].

Mais, vers 1884, il commence à sentir « l'unicité » du christianisme. « S'il y a dans toute religion d'amour un principe d'erreur et de corruption, écrit-il à cette date, l'esprit du christianisme n'a rien négligé de ce qui pouvait en contrarier, en gêner, en étouffer, enfin, le développement »[3]. Et s'il juge, en 1886, que le pessimisme de Jésus ressemble étroitement à celui de Çakya-Mouni, il se demande s'il n'est pas « plus logique »[4] de « tirer »[4] de ce même pessimisme « la *Béatitude chrétienne* que le *Nirvana bouddhique,* la continuation de la vie que son anéantissement »[5]. Déjà Pascal l'emporte sur Burnouf dans l'esprit de Brunetière et, trois ans plus tard, son premier point de vue sera presque entièrement renversé.

Pas tout à fait cependant. Lorsque, vers 1889, quelqu'un lui demande son avis sur le christianisme, il répond qu'il est en train d'«étudier »[6] la question. « Et ce n'était pourtant pas ce qu'on appelle une échappatoire, écrit-il quelques années plus tard... J'admire toujours, sans leur porter envie, ceux qui ont une opinion sur le christianisme, sans l'avoir étudié. Pour moi, comme presque tous les jeunes « intellectuels » de ma génération, je connaissais beaucoup mieux, et j'avais bien plus étudié le bouddhisme »[7].

Un article, publié en février 1889, sur l'*Histoire d'Israël* de Renan[7], nous donne la curieuse impression qu'il veut alors se convaincre de l'unicité du christianisme mais ne peut dissiper une certaine hésitation à ce sujet. Renan, dit-il, a eu raison d'affirmer que « pour un esprit philosophique, c'est-à-dire pour un esprit préoccupé des origines, il n'y a vraiment, dans le passé de l'humanité, que trois histoires de premier intérêt : l'histoire grecque, l'histoire d'Israël, l'histoire romaine »[8]. Il a montré — comme Bossuet, du reste, l'avait fait avant lui — « que nous ne devons rien à la Chine ou à l'Inde »[9] l'histoire même du bouddhisme étant « en quelque sorte extérieure à notre histoire universelle »[9], mais en revanche il a mis en lumière toute l'importance de notre dette envers les Juifs. Et ce sont, en effet, ceux-ci qui ont créé ce qu'il y a de plus durable dans notre civilisation. « Les Grecs ont trop aimé la vie, l'ont conçue trop riante, n'ont pas imaginé qu'elle eût d'autre objet qu'elle-même : ils ont manqué du sens de l'au-delà »[10]. Parmi les peuples de l'antiquité, seuls les Hébreux avaient une conception élevée du monothéisme et de la Providence, seuls leurs prophètes avaient su « faire entrer la morale dans la religion »[11]. Précisément, l'originalité « du judaïsme et des religions qui en sont issues »[12] était de mêler, de confondre et de solidariser dans un tout indivisible la morale et la religion »[12] et ce fait suffit pour ranger Israël « parmi les *unica* de l'histoire de l'humanité »[13].

Mais si Renan avait raison de ne reconnaître dans le

passé de l'humanité que « trois histoires de premier intérêt »[14], ne se trompait-il pas en n'y voyant qu'une religion, « celle d'Israël, de Jésus et de Mahomet ? »[14]. Ne
retrouverait-on pas « dans l'histoire des religions de
l'Inde. et. en particulier, dans la métaphysique ou dans
la morale du bouddhisme »[14], quelques-unes des idées
qu'il jugeait particulières aux Juifs ? Çakya-Mouni était
presque contemporain d'Amos et d'Isaïe et sa doctrine
ne différait guère de la leur. Cette solidarité de la morale
et de la religion, dont Renan attribuait l'invention aux
Juifs, était « en un certain sens, le bouddhisme lui-même
et le bouddhisme tout entier »[15]. On devait alors se
demander si la vocation religieuse d'Israël, « toujours
unique dans l'histoire de la civilisation occidentale »[2]
ne l'était pas un peu moins dans l'histoire de l'humanité et si quelques parties de la prédication des prophètes, « sans rien perdre... de leur grandeur ou de leur
originalité »[16] ne perdaient pas un peu de leur « singularité »[16]. Brunetière, évidemment arrivé à la croisée
des chemins, se contente de « proposer » cette question
mais il reproche à Renan de ne pas l'avoir résolue...
dans le sens favorable au judaïsme. « Si ces ressemblances, dit-il, moins étroites, plus illusoires peut-être
que nous ne les croyons, n'empêchent pas la morale judaï-
que de différer encore beaucoup de la morale bouddhique,
qui pouvait mieux que M. Renan, les réduire à leur juste
valeur ? »[16].

Peu à peu, Brunetière devient convaincu de l'importance primordiale du christianisme et, en 1891, n'éprou-
vant plus le besoin de le rapprocher du bouddhisme. il
voit dans son apparition un point de perspective indispensable pour l'interprétation de l'histoire. Même la
philosophie de Bossuet, dit-il, peut être acceptée
par un non-chrétien, à condition que l'on convienne,
d'abord, de « trois points »[17] — premièrement, que le
christianisme est sorti du judaïsme — secondement, que
son apparition demeure toujours, après dix-huit cents
ans, le fait le plus considérable de l'histoire de l'humanité — troisièmement, et enfin, qu'avant et depuis lui

toutes choses se sont passées « *comme si* son établissement en était la raison d'être »[17].

Comme nous le voyons, Brunetière juge le christianisme en historien et surtout en moraliste plutôt qu'en
croyant et son point de vue reste extérieur, impersonnel
et détaché.

Chapitre IV

LES PREMIERES ANNEES A LA

REVUE DES DEUX MONDES (Suite)

*L'attitude de Brunetière devant le positivisme et
le scientisme (De 1875 à 1890)*

Dès son premier article de la *Revue des Deux Mondes*[1]
Brunetière exprime la crainte que le positivisme ne
menace d'une « dégradante transformation »[2] l'avenir de
la métaphysique et, dès 1882[3], il s'élève contre le scientisme. Commentant alors les discours prononcés par
Renan et par Pasteur lors de la réception de celui-ci à
l'Académie, il remercie l'auteur de la *Vie de Jésus*
d'avoir un peu inquiété la « belle assurance »[4] de
« l'illustre chimiste », visiblement indifférent à « tout
ce qui se passe en dehors des quatre murs du labora-
toire de l'Ecole normale »[4].

A cette époque, Brunetière voit en Renan un idéaliste
qui, sous le masque d'un scepticisme artificiel, « croit...
à plus de choses qu'il n'en a l'air »[5]. « Si nous tâchions
dit-il, de dresser son *Credo*, que de choses auxquelles croit
fermement ce libre esprit ! et sous l'ironie de son dilettantisme, comme sous le masque de ce qu'on appelle sa
virtuosité, que le nombre serait petit des vérités vraiment nécessaires auxquelles nous le trouverions vraiment incrédule ou même vraiment indifférent ! »[6]

Sept ans plus tard[7], Brunetière est toujours prêt à reconnaître « le charme et la portée de tout ce qu'écrit M. Renan »[8] et n'hésite pas à qualifier l'*Histoire d'Israël* d'une « des plus belles généralisations historiques dont notre temps se puisse honorer »[9]. Mais envers la philosophie de Renan son attitude est devenue plus critique. Malgré tout ce que sa méthode a « de hardi et d'élégant, d'audacieux et de précis à la fois »[10] Renan, dit-il, n'a pas su éviter certains procédés qui frappent par « ce qu'ils ont d'excessif et, conséquemment, d'illusoire et de faux »[11]. Ses arguments contre la possibilité du miracle sont faibles et ses conclusions manquent « de netteté ou de fermeté »[12]. Sa conception de la religion, enfin, est si dépouillée que sous sa plume le mot n'a pas de sens. « Quoiqu'il soit d'un petit esprit de vouloir attacher aux mots des sens précis et déterminés, ce qu'il peut bien rester de la notion de *religion* quand on en a successivement éliminé, comme M. Renan, la notion du Surnaturel, celle de l'Immortalité de l'âme et celle, enfin, de la Providence — on ne le voit point »[13].

Il est évident que, malgré certaines réserves, sa « rééducation religieuse » a déjà amené Brunetière à prendre position contre l'auteur de la *Vie de Jésus.*

A l'égard de Taine, cet autre grand représentant de la philosophie positiviste et scientiste, l'attitude de Brunetière est plus complexe.

L'importance de Taine lui paraît incontestable. « De tous les *penseurs* contemporains, dit-il, il n'y en a pas un dont l'influence ait été plus considérable, dont les idées aient pénétré plus avant, se soient plus fortement emparées même de ceux qui ne les approuvent point ; et de la méthode enfin de qui... tous, tant que nous sommes, nous soyons plus profondément imprégnés ou imbus... »[14]. Rien ne peut enlever à la « réelle beauté — beauté savante, beauté sévère... mais beauté solide et durable — à la grandeur et à la vigoureuse originalité de son œuvre »[15]. Sur l'histoire de la littérature et de l'art personne, depuis Hegel « n'a jeté dans la circulation... plus d'idées nouvelles, fortes ou profondes »[15]

ni trouvé, pour traduire ces idées, un style d'une « précision », d'une « densité », et d'un « éclat » si « extra-
ordinaires »[15]. Son livre sur la littérature anglaise est l'un
des « plus beaux »[16] qu'il y ait sur ce sujet et, quant à
ses *Origines de la France contemporaine*, elles comman-
dent notre admiration par « l'étendue, la rigueur et la
minutieuse précision »[17] de la documentation dont elles
sont étayées. Enfin, à toutes ses autres qualités Taine
joint celle d'un désintéressement « assez rare en tout
temps, mais surtout de nos jours »[18]. Si sa sincérité
confine parfois à l'ingénuité et même à la partialité, il
faut reconnaître qu'elle l'a toujours amené à mettre
« l'amour de sa vérité au-dessus des approbations populaires, du succès même et, plus d'une fois peut-être, au-
dessus de ses propres inclinations »[19].

Cependant, pour être un des maîtres de la pensée contemporaine »[20], Taine n'en a pas moins de grands défauts. Il manque de modération et ne comprend nullement « cette notion banale et vulgaire de l'impartia-
lité »[21]. Si l'ingénuité « fait le fond » de son talent, la
violence en est « la qualité maîtresse »[23]. Il enfle la voix
« pour se mieux faire entendre »[23] et, de peur de n'être
pas compris « met *imbécile* où *médiocre* pouvait suffire,
énergumène où c'était assez que d'*exalté* ; *bête féroce,
tigre* et *chacal, sanglier dans sa bauge* et *porc dans son
bourbier,* où *criminel* enfin disait tout ce qu'il y avait
à dire ». Il entasse les contradictions et les répétitions,
et emprunte aux sciences naturelles « des comparaisons
ingénieuses, mais hasardeuses »[24]. Il se documente avec
beaucoup de conscience mais sans discernement. Du
reste, ses documents « ne lui servent point à établir
son raisonnement... mais il commence par faire son
siège ; et alors il consulte sa bibliothèque ou il se rend
aux Archives pour y trouver des documents qui corro-
borent ses raisonnements »[25].

Brunetière ne juge pas avec moins d'indépendance la
philosophie et les idées maîtresses de Taine et nous verrons, tout à l'heure, qu'en tant que critique, il se considère comme son successeur. Il lui sait gré de son assi-

milation entre les lois de l'esprit et celles de la nature
mais trouve, toutefois, qu'il accorde trop d'importance
aux « grandes pressions environnantes »[26] au détriment
de l'individualité.

Il lui reproche également sa conception trop pessimiste
de la nature humaine. Taine, dit-il, a montré que la raison
n'est qu'une illusion et que les beaux noms de liberté
et de vertu ont le plus souvent servi à « des œuvres de
sang »[27]. Mais si cette opinion est celle de M. Taine, « il
est permis d'en avoir une autre » car « quand on admettrait qu'il eût raison au fond, il aurait encore tort dans
la forme, pour n'avoir compté nulle part dans son analyse, avec ce que ces mots exercent et exerceront toujours sur les esprits des hommes de naturel, de victo-
rieux et d'irrésistible prestige »[28]. On a beau n'y voir que
des chimères, « toute société parmi les hommes n'en
continue pas moins de reposer sur le postulat de la raison
et de la liberté comme sur son unique fondement »[29].

Ce pessimisme excessif explique-t-il enfin la plus grave omission de l'historien des *Origines* ? Car on ne peut
nier que l'analyse de Taine ne soit, en fin de compte,
une analyse incomplète. Il a bien mis en lumière toutes
les principales caractéristiques de la Révolution... sauf
la seule qui lui était vraiment unique. « Dans sa conception totale de la Révolution, il a vu bien des choses...
que personne avant lui n'avait vues si clairement et si
profondément... mais il n'a pas vu (ce que l'on pourrait
appeler) d'après Michelet et Carlyle, ou d'après le sage
Tocqueville (son) caractère apocalyptique... »[30]. En un
mot, Taine était resté trop positiviste pour ce Brunetière
qui, vers la date où il écrivait ces lignes, conseillait « à
ceux qui viendront étudier Pascal et ses *Pensées*... de
commencer par étudier la religion même »[31].

En effet, les signes se multipliaient d'une réaction
générale contre le positivisme et d'une « renaissance de
l'idéalisme ». Depuis le choc des tragiques événements
de 1870-1871 les intellectuels français s'efforçaient
avant tout de fonder la morale sur une base solide et,

leur foi dans la Science étant sérieusement ébranlée,
ils revenaient à la philosophie idéaliste et même à la
religion traditionnelle. « Les temps ne sont plus, dit
Brunetière en 1890[32], du matérialisme et du positivisme,
ni même du rationalisme. On ne croit plus qu'il soit
ni permis ni possible à l'homme de se retrancher à
l'examen des seules questions qui l'intéressent à vrai
dire ; et chacun se rend bien compte qu'il ne lui importe guère, suspendu comme il est entre deux infinis ou
entre deux néants, qu'on découvre demain l'art de diri-
ger les ballons, ou qu'on ait achevé de percer l'isthme
de Panama »[33]. Tous les progrès de la « Science » ne nous
ayant pas fait avancer d'un pas « dans la connaissance
de notre origine, de notre nature et de notre fin »[34],
nous pouvons être sûrs qu'elle ne sera jamais, « comme
les religions qu'elle croit avoir remplacées »[34], que ce
que Pascal appelle un « divertissement ».

Mais, au fond, ce que Brunetière reproche à ces philosophes positivistes que sont les Taine et les Darwin
est d'être parfois infidèles à eux-mêmes en s'aventurant
dans le domaine des spéculations métaphysiques. De
telles spéculations, dit-il, ne sauraient être que vaines,
étant donné que la vérité est placée « au-dessus et en
dehors de nos prises »[35]. La seule métaphysique valable
est précisément cette « métaphysique positive »[36],
basée sur « des faits réels, authentiquement établis »[37],
dont Darwin a donné une illustration dans son *Origine
des Espèces* et sa *Descendance de l'Homme*. Mais Darwin lui-même et, à plus forte raison, « le fougueux Hæckel » ne se sont pas toujours gardés de mêler le « roman
à l'observation »[38] et leur conception de la concurrence
vitale comme loi fondamentale de notre vie est aussi
difficile à justifier scientifiquement que la doctrine
déterministe de Taine. Par définition, l'homme se distingue des autres animaux précisément par sa capacité
de réagir volontairement contre l'influence du milieu
environnant. Il est une créature libre et, à ce titre, unique dans la nature.

Cette idée, que nous avons déjà vue esquissée dans

ses articles de la *Revue Bleue*[39], se trouve au cœur même
des deux études qu'en 1889 Brunetière consacre au
Disciple de Paul Bourget[40].

LA QUERELLE DU DISCIPLE

C'est Anatole France[1] qui, le premier, dégage ce qu'il
est convenu d'appeler la thèse de ce roman. « Le livre,
écrit-il le 23 juin dans *Le Temps*[2], pose le problème :
certaines doctrines philosophiques, le déterminisme, par
exemple, et le fatalisme scientifique sont-elles par elles-
mêmes dangereuses et funestes ? Le maître qui nie le
bien et le mal est-il responsable des méfaits de son disciple ? »[3]. Il est évident que « certaines philosophies qui
portent en elles la négation de toute morale ne peuvent
entrer dans l'ordre des faits que sous la forme du crime »[3] et que, « dès qu'elles se font acte, elles tombent
sous la vindicte des lois »[3]. Mais, sans nier la gravité de
ce problème, France « persiste à croire... que la pensée a,
dans sa sphère propre, des droits imprescriptibles et
que tout système philosophique peut être légitimement
exposé »[3]. Pour lui, « les droits de la pensée sont supé-
rieurs à tout »[3].

Brunetière ne diffère point d'avis avec France sur le
sens du *Disciple* mais, à la différence de son confrère,
il affirme énergiquement « qu'il y a des limites à l'audace
de la spéculation philosophique »[4] et que « ce qu'il faut
maintenir en tous cas, comme une condition d'existence
aussi nécesaire à l'homme qu'une certaine quantité de
nourriture ou d'air respirable, c'est que c'est la morale
qui juge les métaphysiques »[5]. En premier lieu, dit-il,
nous sommes « dans l'absolue certitude... de ne jamais
résoudre l'énigme du monde »[6] et, même au cas où nous
le ferions, « la nécessité de l'institution sociale »[6] nous
convaincrait d'erreur. Un « sophisme »[7] comme celui
qui consiste à nier l'authenticité des catégories morales
ne saurait être maintenu puisque « la société ne peut pas
se passer de la théorie du bien et du mal »[7] et que nous

ne pouvons imaginer seulement ce que c'est que l'homme en dehors de la Société. Notre principale caractéristique étant précisément cette capacité de « vivre en société », il est évident que « toutes les fois qu'une doctrine aboutira par voie de conséquence logique à mettre en question les principes sur lesquels la société repose, elle sera fausse »[7].

Tel est le cas des doctrines déterministes et évolutionnistes. Il est peu probable qu'à l'instar des autres espèces animales nous soyons simplement les victimes d'inexorables lois naturelles. Mais, même si les savants arrivaient à nous en convaincre, leurs conclusions seraient nécessairement fausses « puisqu'elles sont dangereuses »[8]. Les théories déterministes et la loi de la concurrence vitale sont sûrement destinées à « rejoindre dans les profondeurs de l'oubli »[9] les « tourbillons »[9] du cartésianisme et les « quiddités »[9] de la scolastique[9]. Mais, « alors même qu'elles seraient démontrées vraies de tout ce qui nous entoure »[9] leur effort « viendrait expirer au seuil de l'institution sociale, puisque celle-ci périrait de leur triomphe et que sa raison d'être, sa cause première et sa cause finale est de nous en affranchir et de leur résister »[10]. Fût-on assuré que l'homme n'est pas libre ou qu'il n'est qu'un animal comme les autres « il ne faudrait pas le dire »[11] car « de suivre ces « vérités » dans leurs dernières conséquences[12] ce serait ébranler « l'institution sociale et la morale entières »[13] pour « ramener l'humanité à sa barbarie primitive »[13].

De toutes les erreurs du siècle aucune n'a été plus funeste que cette prétention de « ramener l'homme à la nature, l'y mêler ou l'y confondre »[14]. Par définition, et quoi qu'en ait dit ce « redoutable déclamateur »[15] de Rousseau, l'homme n'est homme qu'autant qu'il se distingue, qu'il se sépare et qu'il s'excepte de la nature »[16] et toutes ses caractéristiques proprement humaines représentent autant de conquêtes sur ses instincts animaux. Ceux donc, comme le « maître »[17] de « l'illustre Adrien Sixte »[17], qui confondent les phénomènes moraux

avec les phénomènes physiques tombent « dans l'un
des pires sophismes où la pensée d'un métaphysicien
se puisse laisser entraîner par le mirage des idées pures,
la séduction des grandes synthèses, et l'ivresse de l'unité »[17]. L'existence d'un règne humain est incontestable
et ceux qui parlent des droits imprescriptibles de la
« vérité feraient bien de se rappeler que « la vérité,
c'est d'être hommes d'abord »[18].

France ne tarde pas à accuser Brunetière d'avoir
livré la pensée « à la merci de la morale pratique »[19] et
à la domination qui lui paraît pire que tout autre, celle
des « mœurs »[20]. L'ancienne théologie, dit-il, etait du
moins une maîtresse « constante dans ses commande-
ments »[20] mais rien n'est plus variable que « les principes sociaux »[21]. Loin d'offrir à l'esprit « une base
solide » ils s'écroulent « dès qu'on y touche »[21]. Et ils
sont aussi dangereux qu'instables. En invoquant leur
prétendue inviolabilité, on pourrait justifier une coutume aussi barbare que celle qui consistait « jadis au
Malabar »[21] à « brûler les veuves de qualité sur le
bûcher de leur époux »[21].

Peut-être, dit France, Brunetière avait-il raison de
n'accorder qu'une confiance « très médiocre »[22] aux vérités « précaires et transitoires » de l'ordre scientifique,
mais il allait sûrement trop loin en craignant que le
déterminisme ne nous ramène un jour à « la barbarie
primitive »[23]. Loin de soumettre la pensée à notre
morale, nous devrions lui soumettre « tout ce qui n'est
pas elle »[24]. Ce sont les idées qui conduisent le monde
et, en voulant entraver leur libre développement, nous
risquons, non seulement d'entraîner « la ruine de toute
spéculation intellectuelle » et « le silence éternel de
l'esprit » mais d'arrêter du même coup « le progrès des
mœurs » et « l'essor de la civilisation »[24].

Brunetière, qui trouve inacceptables les arguments de
France, lui écrit[25] pour préciser, de nouveau, son point
de vue. Tout ce qu'il avait voulu démontrer, dit-il, était
la nécessité de séparer la morale de la « cosmologie »[26]
et, à plus forte raison de la « théologie ». Les questions

sociales sont, *a priori* susceptibles de toutes les solutions qu'on pourrait proposer, « à la seule condition » que l'on n'y mêle « ni la métaphysique ni l'anthropologie ». Précisément, ce qui est dangereux c'est de vouloir fonder l'ordre social « dans l'ordre religieux ou métaphysique ». Les conceptions métaphysiques sont, par définition, « hypothétiques » et, lorsqu'elles « affichent la prétention de gouverner la pratique » « d'oiseuses qu'elles étaient, c'est dangereuses qu'elles deviennent »[26]. « L'amplitude de leurs oscillations est limitée à la circonférence de l'intérêt social ».

Or dit Brunetière, de toutes ces hypothèses, celles des darwiniens sont les plus néfastes. « Quoique tout nous crie la liberté de l'agent humain » et « conspire » à « différencier » l'homme de la nature, les darwiniens proclament que la concurrence vitale est la loi de l'univers et, au nom même de la science, prétendent substituer le droit du plus fort à « notre pauvre petite justice humaine déjà si chancelante ». C'est vraiment faire trop d'honneur à Darwin et à Hæckel de se laisser imposer par ces théories qui ne valent pas mieux que les « mensurations », la « statistique » et les « contes à dormir debout » des anthropologues. « De la nature à l'homme », il faut le réaffirmer, on n'a nullement le droit de conclure « du même au même ».

Dans cette lettre comme dans son premier article, Brunetière, on vient de le voir, s'attache principalement à prouver l'existence d'un règne humain fondé sur une capacité pour la vie sociale. Dans un deuxième article[27], publié en septembre, il reprend le même thème, tout en le présentant sous une autre forme.

« La vérité, dit-il, n'est pas « une » pour nous mais « fragmentaire, multiple et diverse »[28] et il en résulte « que les vérités ne sont pas solidaires ; que d'un ordre de vérités à un autre il n'y a pas de passage et que même elles peuvent non seulement s'opposer mais encore se contredire »[29]. Ce qui plus est, « le caractère de la vérité même change avec les objets dont on l'affirme ou dont on l'entrevoit » et, à mesure que nous passons de « l'ordre physique ou naturel » à « l'ordre humain » sa « *nécessité* » décroît et sa « *contingence* » ou sa « relativité » augmentent. Les lois de la vie ne sont déjà plus celles du mouvement et les lois de la morale ne sauraient jamais être celles de la physiologie.

Deux conséquences découlent de ce principe fondamental : la nécessité d'établir une hiérarchie entre les différentes « espèces » de penseurs et, deuxièmement, la certitude que les conclusions des différentes sciences ne sont nullement interchangeables.

Exposant la première de ces conséquences, Brunetière proteste que, malgré les insinuations de France, il n'avait jamais préconisé « un 24 août ou une Saint-Barthélemy des « penseurs »[30] « ni même demandé » qu'on jetât les anthropologistes dans un cul de basse-fosse »[31]. Il maintenait, pourtant, que la responsabilité d'un penseur est, dans une grande mesure, fonction du degré d'anthropocentricité de ses préoccupations. « Ainsi, dit-il, je ne crois pas qu'un géomètre ou qu'un chimiste ait à se préoccuper des conséquences que l'on tirera de ses *pensées* sur l'isomérie ou sur l'accélération séculaire du mouvement de la lune. Mais, déjà, sur la question de l'égalité des races humaines... l'anthropologiste ne saurait être trop prudent... Et pour les *penseurs* dont les spéculations, comme celles du moraliste ou de l'économiste roulent, pour ainsi dire, sur la conduite humaine... plus j'y songe, et moins je vois comment ils pourraient se soustraire à la considération des conséquences de leurs doctrines »[32]. Si les géomètres, les astronomes et les chimistes ont le droit de donner leurs « doctes élucubrations »[33] pour « des rêves de leur imagination échauffée »[33] les philosophes, les théologiens et les jurisconsultes ne l'ont certainement pas. La charge de traiter les questions « d'où dépend toute la conduite humaine »[34] leur enlève « la liberté du paradoxe et le droit de chercher la vérité sans souci des applications qu'elle comporte »[34].

Et si les savants ont le droit de réclamer « la pleine liberté de l'erreur » en histoire naturelle ou en physio-

logie, ils n'ont pas celui d'attaquer « les principes de
l'ordre social » avec des arguments tirés « de l'embryo-
génie de l'amphioxus ». De telles approximations sont
illogiques — dans chacune de ces deux sciences, celle
de la nature et celle de l'homme, il y a « quelque chose
d'irréductible à l'autre »[35] — et elles sont aussi et surtout
contraires aux intérêts mêmes de l'humanité. Aucune
« acquisition scientifique » ne saurait jamais valoir
« la déshumanisation d'une âme »[36].

C'est ainsi qu'en prenant de nouveau le parti de la
morale contre celui de la science, Brunetière termine
son deuxième article sur *Le Disciple*. Au cours d'une
polémique qui avait duré trois mois et dont on a pu
dire qu'elle fit sortir « tout le dix-huitième siècle »
qu'Anatole France portait « dans le sang »[37] il avait
essayé d'interpréter fidèlement la pensée de Bourget.

Il est donc d'autant plus curieux de constater que
Bourget le désapprouvait. Certes, il n'a pas manqué de
le remercier de son « bel article »[38] mais, au mois d'octobre, il a dû avouer à Taine que, tout en le touchant par
une bonne foi évidente, l'article en question lui avait
fait mal[39]. Et, en 1912, après la mort de Brunetière, il
rédigea à l'intention de M. Victor Giraud une longue
note exposant les raisons de son désaccord à la fois avec
France et avec Brunetière[40].

« Dans la pensée de son auteur, écrit-il dans cette
note, *Le Disciple* posait ainsi la question de la responsabilité du psychologue : « Si vous avez la vérité, c'est-
à-dire si vous possédez réellement les lois de la méca-
nique mentale, vous devez pouvoir la remonter, donc
la guérir. Si vous ne le pouvez pas, c'est que vous ne
possédez pas ces lois. Donc vous n'avez pas le droit de
donner comme science ce qui n'était qu'opinion ».
La douleur de Sixte n'était pas un *remords* moral mais
une évidence de faillite scientifique. Encore aujourd'hui,
je crois que le sens profond de ce livre est là ; Brunetière ne me paraît pas plus y avoir vu juste que France.
Ils ont discuté une thèse qui n'a jamais été la mienne.
Jamais je n'ai admis de limites à la science. Mais je

veux qu'elle soit de la science et non de l'hypothèse à type scientifique ».

Quelle que soit notre opinion de cette explication, il est certain que celle-ci aurait paru peu probante en 1889. Brunetière et France n'étaient pas les seuls à débattre à propos du *Disciple* le problème des rapports entre la science et la morale et les contemporains de Bourget voyaient effectivement dans la douleur de Sixte un « remords moral » et non une « évidence de faillite scientifique ». Quoi qu'en ait dit son auteur par la suite, on s'accordait alors pour trouver que le « sens profond » du livre était « là ».

LES SUITES DE LA POLEMIQUE

Irrité par le dernier feuilleton de France, Brunetière riposte en s'en prenant à la critique impressionniste de son adversaire[41].

« Que d'ailleurs cette manière d'entendre la critique ait de grands avantages, je n'en disconviens pas »[42], dit-il, « elle souffre, ou plutôt encore, elle autorise toutes les complaisances et toutes les contradictions. La « relativité » des impressions changeantes explique tout et répond à tout. En ne nous donnant pas ses opinions comme vraies, mais comme « siennes », la critique impressionniste se ménage le soin d'en changer — et l'on sait qu'elle ne s'en fait point faute. Elle dispense avec cela d'étudier les livres dont on parle et les sujets dont ils traitent, ce qui est parfois un grand point de gagné »[42].

En prétendant qu'il nous est impossible de « sortir »[43] de nous-mêmes pour voir l'univers « avec l'œil à facettes d'une mouche »[44] ou « avec le cerveau rude et simple d'un orang-outang »[44], France n'a fait que confondre adroitement des idées distinctes. Quant aux « mouches et aux orangs-outangs » il ne les a mis que pour « brouiller » et « nous n'en avons que faire ». En tant qu'hommes nous avons tous la capacité de « sortir de nous-mêmes pour nous chercher, nous retrouver, et nous reconnaître chez les autres »[45]. Notre jugement peut être objectif et il nous est donc possible de fonder la critique sur cette base. « Le jugement littéraire est un rapport complexe de trois termes inégaux. Dans une œuvre littéraire... nous y trouvons d'abord ce que nous y apportons de nous-mêmes... nous y trouvons ensuite... ce que le temps y a comme ajouté de qualités ou de défauts, qui n'en étaient point pour les contemporains... Mais ne faut-il pas enfin que nous retrouvions dans *Cléopâtre* et dans *Tartufe* et dans *Candide* quelque chose aussi de ce que La Calprenède, et Molière, et Voltaire y ont mis ? Quels que nous soyons, pour provoquer en nous des impressions déterminées. ne faut-il pas enfin qu'il y ait dans *Candide* ou dans *Tartufe* des qualités, qui les déterminent ou qui les provoquent ?... Il n'en faut pas davantage pour fonder la critique objective »[46].

Or, la critique objective — et « il n'y en saurait avoir qui ne soit *objective* »[47] — a une triple fonction. Elle est chargée de juger, de classer et d'expliquer les œuvres. Ces trois obligations sont inhérentes « à la notion même de la critique »[48] et, malgré leurs protestations, les impressionnistes n'ont pas su s'y dérober complètement. Leur doctrine n'en est pas moins pernicieuse et elle met en danger jusqu'au « sentiment de la solidarité qui lie les générations les unes aux autres »[49]. Ce n'est qu'en se débarrassant de l'illusion impressionniste que la critique pourra s'acquitter de sa vraie fonction.

La riposte de France[49] est énergique et spirituelle. Protestant qu'il n'avait rien fait pour mériter cette attaque, il admet sa « très haute estime »[50] pour les « fortes constructions critiques » de son adversaire. Dans la série de leçons professées par Brunetière à l'Ecole Normale, la marche des idées « pesante mais sûre » rappelle, dit-il, « cette manœuvre fameuse des légionnaires s'avançant serrés l'un contre l'autre et couverts de leurs boucliers, à l'assaut d'une ville ». Il s'étonne pourtant que si peu de temps après avoir repoussé

« les idées darwiniennes au nom de la morale immuable »[51], Brunetière ait voulu fonder « la critique nouvelle sur l'hypothèse de l'évolution ». Non pas, dit France,
que Brunetière se soit démenti ou contredit. Il a simplement voulu « soutenir fortement des opinions extra-
ordinaires et même stupéfiantes ». Réfutant alors la
théorie de la critique objective, France prétend n'y voir
que l'expression du tempérament « autoritaire » de son
rival. « Qu'il juge donc dit-il, puisqu'il est judicieux !
Et qu'il pousse ses arguments serrés dans l'ordre
effrayant de la tortue, puisqu'enfin il est un critique
guerrier ! ».

L'affaire ne pouvait en rester à ce point et Brunetière
saisit toutes les occasions pour se venger. En novembre
1892 il fait allusion aux « grâces péniblement appri-
ses »[52] de l'auteur de « *la Rôtisserie de la Reine Pédau-
que* ». Quatre ans plus tard, dans sa préface à la *Critique
Littéraire* de Ricardou[53], il défend de nouveau sa théorie
de la critique objective en attaquant les idées des impressionnistes et des dilettantes. Puis, en 1897, au cours de
son voyage aux Etats-Unis[54], il évoque, une fois de plus,
les arguments de France.

« M. Anatole France, dit-il à son auditoire, m'a fait
observer que cette prétention de sortir de moi-même
était insoutenable. Nous ne connaissons jamais que nous-
mêmes, m'a-t-il dit, et les autres hommes sont une énigme perpétuelle pour nous. Que vous prétendez les expliquer, les classer, les juger, vous ne nous faites jamais
voir que vous-mêmes et vous seul. Shakespeare seul a
connu Shakespeare. Victor Hugo a emporté le secret de
Victor Hugo dans la tombe et ni vous ni personne ne
nous direz jamais ce que c'est qu'*Othello, Macbeth, Le
roi Lear,* mais uniquement ce que vous en pensez »[55].

Précisant son propre point de vue, il continue :

« J'ai répondu à M. France que si nous ne pouvons
pas sortir de nous-mêmes, nous ne le pouvons pas plus
à l'égard de (la) nature que de (l')homme, et ainsi que
son scepticisme s'étendrait à la science entière, que si

nous en croyions (le) témoignage de nos yeux et de
(notre) expérience (le) Soleil tournerait autour de la
terre. Nous savons cependant le contraire, et il y a donc
(des) vérités que (nous) pouvons atteindre. Nos impress-
sions ne sont pas la mesure des choses. Nous pouvons
les subordonner à quelque chose qui les dépasse.

J'ai ajouté, à mon tour, que l'un des hommes du
monde qui (a) le moins connu Victor Hugo (c'était) V.
Hugo lui-même et (que) cette ignorance de soi fait partie de la définition du génie. L'homme de génie ne sait
pas d'où viennent ses idées et là est son génie »[56], [57].

Chapitre V

BRUNETIERE PROFESSEUR A L'ECOLE NORMALE :
SA DEFINITION DU CLASSICISME
ET SON COURS SUR L'EVOLUTION DES GENRES

LA CONTREPARTIE LITTERAIRE
DE SON EVOLUTION MORALE ET PHILOSOPHIQUE

L'évolution de ses idées morales et philosophiques, ainsi que la préparation de ses cours à l'Ecole normale, amènent Brunetière à approfondir un certain nombre de problèmes de l'ordre esthétique et, notamment, à définir les conditions de l'art classique et celles de l'évolution des genres. Vieil admirateur des Bossuet et des Pascal[1], il s'efforce, à mesure que s'accentue son mécontentement du scientisme et de l'individualisme, d'exposer méthodiquement les raisons de la supériorité du dix-septième siècle, tant sur son successeur immédiat que sur les époques romantique et contemporaine, alors qu'en même temps, et sans éprouver à ce sujet la moindre impression d'inconséquence, il souhaite utiliser au profit de la critique littéraire les plus récentes théories de Darwin et de son école.

A vrai dire, sa première définition du classicisme littéraire remonte à l'année 1883[2]. Tenant alors à réfuter le « trop brillant, trop habile »[3] et « trop agréable »[3] paradoxe d'Emile Deschanel, suivant lequel « un *romantique* serait tout simplement un classique en route pour parvenir ; et, réciproquement, un classique ne serait rien de plus qu'un romantique arrivé »[3], il affirme qu'au contraire, et bien plus simplement, les classiques sont des écrivains ou des artistes « qui vivent dans un temps donné »[4] « Ce qui constitue proprement un classique, dit-il, c'est l'équilibre en lui de toutes les facultés qui concourent à la perfection de l'œuvre d'art »[5]. Et cet équilibre, cette « pondération de toutes les facultés »[6], dépend tout autant des circonstances environnantes que de « la constitution propre du sujet »[6] Il ne suffit pas à un écrivain « d'apporter en naissant les aptitudes qui font le classique »[6] : il faut encore « que ces aptitudes soient comme invitées, ou sollicitées au développement par la faveur d'une rencontre heureuse »[6] ou, en d'autres termes, que la vie d'un écrivain coïncide avec « le point de perfection »[7] de sa langue, avec la période d'indépendance de sa littérature « à l'égard des littératures étrangères »[8] et, finalement, avec « le temps de perfection »[9] du genre dont il se sert[10]. Or, en France, dit Brunetière en conclusion, ces conditions ne se sont réunies que sous le règne de Louis XIV et « les quarante ou cinquante années de notre histoire où se pressent l'œuvre de La Fontaine, de Molière, de Racine, de Boileau d'une part, et, de l'autre, de La Rochefoucauld, de Mme de Sévigné, de Pascal, de Bossuet, sont comme le midi d'une grande journée dont l'œuvre de Rabelais et celle de Montaigne auraient signalé l'aurore et dont le déclin verra paraître encore l'œuvre de Diderot et celle de Rousseau »[11].

Avec le passage des années, cette insistance sur l'importance primordiale du dix-septième siècle deviendra de plus en plus caractéristique de l'œuvre critique de Brunetière[12] et, à plusieurs reprises entre 1885 et 1900, il mettra en relief la valeur de ses grands écrivains et, en particulier, de ses grands moralistes. En 1891, par exemple, il consacre à *la philosophie de Bossuet* un important article qui éclaire une phase capitale de son

évolution religieuse et auquel, du reste, nous avons déjà
fait allusion. Deux ans plus tard, il fait à la Sorbonne,
devant une assistance particulièrement nombreuse, un
cours sur Bossuet qui est des plus marquants[14]. Et, par
la suite, dans des conférences prononcées en France et
à l'étranger[15] ainsi que dans les pages de son *Manuel*[16],
il revient sur « l'éloquence »[17] et les idées de ce grand
prédicateur qui, au fond, l'attire peut-être moins que
Pascal[18], mais qu'il admire néanmoins pour la « modernité »[19] de son apologétique comme pour « l'éclatante
supériorité » de son génie oratoire.

La contrepartie de son apologie pour la littérature
classique se trouve dans les cours, professés par Brunetière à l'Ecole normale et à la Sorbonne entre 1887 et
1893, sur *la littérature du dix-huitième siècle*[22], *l'œuvre
de Voltaire, l'évolution de la poésie lyrique en France*[23]
et la littérature du dix-neuvième siècle[24]. Devenu hostile
envers le scientisme[5], il rejette les négations systéma-
tiques des voltairiens et des positivistes alors que, toujours soucieux de dénoncer les dangers de l'individualisme[25], il juge hâtivement, et dans l'ensemble avec beaucoup de sévérité, l'œuvre des romantiques et des symbolistes[27].

BRUNETIERE THEORICIEN DE LA CRITIQUE LITTERAIRE : LE SUCCESSEUR DE TAINE ET LE DISCIPLE DE DARWIN

Ce n'est que peu après son entrée à la *Revue des
Deux Mondes* que Brunetière révèle, pour la première
fois, un intérêt pour l'existence et les caractéristiques des
genres littéraires. Ces genres, dit-il en 1879, « ont leur
fortune et cette fortune est changeante. Comme toutes
choses de ce monde, ils ne naissent que pour mourir. Ils
s'usent à mesure qu'ils enfantent leurs chefs-d'œuvre...
et quelque effort que l'on fasse, dès qu'ils ont atteint
un certain degré de perfection, ne peuvent plus que
déchoir, languir et disparaître »[28].

Or pour comprendre cette évolution, rien n'est plus révélateur que l'étude attentive des époques de transition. Car il y a des œuvres de transition « en littérature comme en histoire naturelle » et de même que certains naturalistes « donneraient volontiers toutes les espèces vivantes pour une seule de ces espèces de transition, épreuve affaiblie d'un modèle ancien, ébauche confuse d'un type nouveau, qui leur offrirait les moyens de combler une lacune de la généalogie des êtres »[29], la critique, pour sa part, « devrait consacrer le meilleur de son attention »[29] aux équivalents littéraires de ces espèces. Dès 1880, par conséquent, Brunetière esquisse une théorie de l'évolution des genres et, détail qui n'est pas moins significatif, il rapproche les méthodes de la critique de celles des sciences naturelles.

L'idée de ce dernier rapprochement n'était pas entièrement nouvelle. Alors que, d'un côté, les œuvres maîtresses de Sainte-Beuve laissaient entrevoir la possibilité de cette « histoire naturelle des esprits »[30] que ne faisait qu'ébaucher leur auteur, chez Taine, précurseur immédiat de Brunetière dans cet ordre d'idées, l'histoire littéraire était devenue un véritable « prolongement de l'histoire naturelle »[32]. L'auteur de l'*Intelligence* avait même précisé que sa méthode consistait « à considérer les œuvres humaines comme des faits et des produits dont il faut marquer les caractères et chercher les causes, rien de plus »[33]. « Ainsi comprise, ajoutait-il, la science ne proscrit ni ne pardonne : elle constate et elle explique... Elle fait comme la botanique qui étudie avec un intérêt égal, tantôt l'oranger et tantôt le sapin, tantôt le laurier et tantôt le bouleau : elle est, elle-même, une sorte de botanique appliquée, non aux plantes, mais aux œuvres humaines »[33].

En 1889, Brunetière avoue savoir gré à Taine de « la justesse et la fécondité »[34] de cette assimilation car, dit-il, « la connaissance des lois de la nature ne saurait manquer de jeter une grande clarté sur l'intelligence des lois qui gouvernent le développement des œuvres de l'homme »[34]. Il refuse pourtant de souscrire à toutes les conclusions de son prédécesseur et il en commente quelques-unes assez sévèrement.

En premier lieu, il ne peut accepter la subordination, longtemps considérée par Taine comme fondamentale, du point de vue esthétique au point de vue documentaire. « S'il se peut, dit Brunetière, que la littérature ou l'art soient *l'expression de la société,* ce n'est pas là leur objet ; ou du moins ils en ont un autre... ils ont en eux-mêmes leur raison d'être... Phidias n'a point sculpté les frises du Parthénon, Michel-Ange n'a point peint les voûtes de la Sixtine, Shakespeare n'a point écrit *Macbeth* ou *le Roi Lear,* pour qu'après de longues années la curiosité des érudits traitât leurs chefs-d'œuvre comme un document d'archives... La réalisation de la beauté, voilà où ils ont tendu »[35]. Brunetière reconnaît pourtant que, sur ce point, Taine lui-même avait évolué et qu'après avoir commencé par ne vouloir étudier les œuvres « que pour connaître les hommes »[36], il en était venu à admettre la nécessité de « juger »[37] ces œuvres et de les « classer »[37].

La divergence entre les deux critiques est plus profonde en ce qui concerne la modalité de l'évolution littéraire. Au rebours de Taine, Brunetière donne plus de place au principe de la contingence qu'à celui du déterminisme et il juge trop schématique la célèbre loi de l'influence de la race, du milieu et du moment, comme facteurs de l'évolution littéraire.

Taine lui paraît exagérer l'importance de la race et celle du milieu. Les différences ethniques, dit-il, sont plus superficielles que Taine ne le prétendait et, si la pression du milieu est incontestable, des exemples éloquents attestent notre capacité de lui résister. En revanche, Brunetière se chargerait d'expliquer « avec le *moment...* et rien qu'avec le *moment* »[38] « tout ce qu'il y a dans l'œuvre littéraire de réellement explicable par les causes générales »[38]. Car « la grande action qui opère, dit-il, est celle des œuvres sur les œuvres. Ou nous voulons rivaliser, dans leur genre, avec ceux qui nous ont précédés... ou nous prétendons faire autrement qu'ils

n'ont fait...[38] ». De cette conception du rôle du moment,
conception non moins féconde qu'originale, Brunetière,
nous allons le voir, tirera d'importantes applications
par la suite.

Il juge, cependant, que tout facteur d'ordre général,
que ce soit la race, le milieu ou le moment est, par la
nature des choses moins déterminant que l'individualité des écrivains. Seule son individualité, dit-il, donne à
un homme de génie sa valeur propre et, en méconnais-
sant cette vérité fondamentale, Taine lui paraît avoir
négligé le principal élément du problème qu'il tenait à
résoudre. Déjà, en 1884, il écrit à propos de l'*Essai sur
Racine*[39] qu'il ne suffisait pas, comme l'avait dit « M.
Taine »[40], « que d'inviter ceux qui veulent comprendre
Racine, à commencer par se faire une âme du dix-septième siècle »[41]. C'était même faire tort à Racine « de
la moitié de son génie »[41] car, en le lisant ou le voyant
jouer, ce n'est pas seulement l'Orient, la Grèce ou Rome
qu'il faut que l'on oublie d'abord, mais c'est Versailles
surtout et avant tout »[41]. On n'a pas besoin d'être l'auteur de *Britannicus* et d'*Athalie* pour traduire « l'esprit
général »[41] du dix-septième siècle. Celui qui écrivit
Bellérophon le faisait aussi bien, peut-être mieux, et
quoi qu'en ait dit Taine, « l'imitation fidèle des mœurs et
du ton de la cour » est précisément « la partie faible,
la partie caduque, la partie morte même de l'œuvre de
Racine »[41]. La vraie valeur des Racine et des Shakespeare
réside dans la partie durable et éternellement humaine
de leur œuvre, en ce qu'ils y mettaient d'unique et d'ini-
mitable.

Et, pour Brunetière, cette individualité, cette qualité
d'unicité ou de génie, est le principe essentiel de
l'évolution littéraire. Car, dit-il, si « les grandes pressions environnantes »[42] — « dont l'action est certaine
mais obscure »[42] — expliquent bien le génie des nations
ou le caractère des siècles »[42], elles expliquent moins
« le caractère et le génie des individus »[2]. Comment, en
effet, comprendre la différence énorme qui sépare un
Molière d'un Scarron, ou un Pierre Corneille de son

frère, en ne voulant tenir compte que des grandes causes »[42] ? Tous ces écrivains étaient de la même race, ils
étaient nés presque au même moment, ils appartenaient,
pour ainsi dire, au même milieu. Et si l'on objectait
que cette individualité n'était, au fond, qu'un produit
de la race, du milieu et du moment, il n'en resterait pas
moins vrai qu'elle modifie, « rien qu'en s'y mêlant »[43],
l'action de ces grandes causes et qu'après le « passage »[43]
d'un Dante ou d'un Shakespeare, celles-ci diffèrent « de
tout ce qu'ils y ont ajouté qui n'y était point contenu
avant eux »[43].

Héritier de la conception tainienne du rôle de la critique, mais différant de son prédécesseur sur des questions fondamentales, Brunetière cherchait maintenant
une doctrine qui, tout en tenant compte du principe de
l'évolution, lui permettrait, en outre, d'expliquer scientifiquement le vrai caractère de ces irruptions de l'individualité dans l'histoire littéraire. Or, comme il l'a
admis plus tard [44], « c'est sur ces entrefaites » [45] qu'il lut
ou relut Darwin. « *L'Origine des Espèces* » avait été
l'une de ses premières lectures et nous avons constaté
qu'il admettait déjà en principe l'assimilation de l'histoire littéraire à l'histoire naturelle. Il ne restait donc
qu'un pas à faire : « pousser jusqu'au bout »[45] et introduire dans la critique « le principe d'évolution »[45]. Même
si la théorie de l'évolution n'était qu'une simple hypothèse elle avait incontestablement de grands avantages
pour l'historien littéraire. D'une part, elle expliquait
les variations des genres littéraires, et en deuxième lieu,
« elle proclamait les droits de l'Individualité »[46]. Darwin
n'avait-il pas démontré irréfutablement que l'idiosyncratie était le commencement de toutes les variétés ? En
étendant sa méthode au domaine des lettres et des
beaux-arts, on réintroduirait dans l'histoire même « des
choses mortes »[46] « un principe de mouvement ou de
variation qui lui donne vraiment de l'intérêt ou de la
vie »[46] et l'on rendrait cette histoire dans sa réalité et
dans sa complexité. Ce sont, en effet, conclut Brunetière,
les Michel-Ange, les Shakespeare, les Beethoven et les

Victor Hugo qui, « mieux doués »[46] que leurs contemporains, « font école »[46] et puis « on les imite... leurs
qualités deviennent banales et la musique ou le théâtre en sont révolutionnés jusqu'au jour où dans (le)
même genre on voit apparaître un autre individu »[46].

Ainsi, pour justifier scientifiquement sa conception du
rôle de l'individualité et pour étayer sa conviction de
l'importance primordiale du moment par rapport à la
race et au milieu, Brunetière invoque-t-il contre Taine
l'autorité de Darwin. Sur toutes les questions posées par
Taine il aura, dit-il, « à revenir »[47] et il les prendra
« au point où M. Taine les a laissées »[47]. C'est ce qu'il
s'efforce de faire dans le célèbre cours, professé en 1889-
1890 à l'Ecole normale, sur l'*Evolution des genres*.

LE COURS SUR « L'EVOLUTION DES GENRES DANS L'HISTOIRE DE LA LITTERATURE ».

Long de cinquante-cinq leçons, le cours sur l'évolution des genres est divisé en quatre parties : une esquisse
de l'histoire de la critique en France, une exposition de
la doctrine de l'évolution des genres, une étude détaillée
de trois applications de cette doctrine et, finalement, un
examen des conclusions qui se dégagent de l'ensemble
du cours. Dans une première « leçon d'ouverture »
Brunetière résume ce programme et précise ses buts.

Après avoir annoncé qu'il se propose de traiter trois
questions, toutes relatives à l'évolution des genres littéraires, il déclare que « l'introduction naturelle, et même
nécessaire »[48] d'une telle recherche serait « une *Histoire
sommaire* ou une *Esquisse de l'évolution de la critique
en France* depuis ses origines jusqu'à nos jours »[48]. Cette
histoire, que Brunetière entend diviser en sept ou huit
périodes « caractérisées par des traits bien précis »[49]
aboutirait à la critique tout à fait contemporaine et ser-
virait ainsi à faire ressortir l'originalité de sa propre
tentative. « Arrivés alors au bout du vestibule »[50] ses

élèves pourront « entrer dans les appartements, et traiter la question de l'*Evolution des genres* »[51].

En réalité, poursuit Brunetière, cette question se compose de cinq autres, connexes mais distinctes : celles de l'existence, de la différenciation, de la fixation, des modificateurs et de la transformation des genres. Il se demandera d'abord si les genres existent véritablement « dans la nature et dans l'histoire »[52] et s'ils vivent d'une vie « qui leur soit propre, et indépendante des besoins non seulement de la critique, mais du caprice même des écrivains ou des artistes »[52] ; en deuxième lieu il cherchera à établir comment les genres se dégagent de « l'indétermination primitive »[52] et comment s'opère en eux « la différenciation qui les divise d'abord, qui les caractérise ensuite et enfin qui les individualise »[52] ; troisièmement, il s'efforcera de déterminer les conditions qui leur assurent une existence « non plus seulement théorique, mais historique »[53] et à quels signes on reconnaît leur jeunesse, leur *maturité* et leur épuisement : quatrièmement, il cherchera à identifier les « forces mal connues qui agissent sur les genres »[54] pour les modifier, soit en renforçant, soit en diminuant leur stabilité : enfin il verra s'il y a lieu de postuler « une loi générale de l'évolution des genres »[55] et « s'il se rencontre, dans l'histoire de la littérature et de l'art, quelque chose d'analogue à ce qu'on appelle, en histoire naturelle, des noms de *concurrence vitale,* de *persistance du plus apte,* ou généralement de *sélection naturelle* »[56].

Quant à la première de ces questions, celle de l'existence des genres, Brunetière estime qu'elle ne saurait comporter qu'une solution affirmative. Les genres, dit-il « doivent exister, comme répondant... à la *diversité des moyens de chaque art...* à la *diversité de l'objet de chaque art...* (et) à la *diversité des familles d'esprits* »[57]. Et pour éclairer la modalité de leur évolution il les rapproche des espèces biologiques. « Sans doute », dit-il, la différenciation des genres s'opère dans l'histoire comme celle des espèces dans la nature, progressive-

ment, par transition de l'un au multiple, du simple au
complexe, de l'homogène à l'hétérogène, grâce au principe qu'on appelle de la *divergence des caractères* »[58].
Leur fixation aussi admettrait, selon lui, une explication analogue, et, quant aux facteurs tendant à leur
modification, il trouve probable que, comme dans la
nature, « l'idiosyncratie » plutôt que « l'Hérédité » ou
la « Race », « serait le commencement de toutes les variétés »[59].

Toutefois il n'entend pas dès cette étape porter jusqu'au bout son analogie entre l'histoire littéraire et
l'histoire naturelle et, avant de décider si la « concurrence vitale » est effectivement la loi de l'une comme de
l'autre, il préfère vérifier sur des exemples « la vraisemblance ou la justesse »[60] de ses théories. En attendant il
aura posé certaines questions fondamentales — celles
de la fixation des genres, par exemple, implique la définition du classicisme [61] — et il aura en outre contribué
dans une importante mesure à leur solution définitive.

Les trois exemples proposés par Brunetière et dont
il parle ensuite sont tirés respectivement de l'histoire
de la tragédie, de l'évolution de l'éloquence sacrée et sa
transformation en poésie lyrique, et, enfin, de la genèse
du roman. Le premier exemple, dit-il, montrera « *comment un genre naît, grandit, atteint sa perfection, décline
et enfin meurt* »[62] ; le second permettra de préciser
« *comment un genre se transforme en un autre* »[63] ; et
le troisième comment « *un genre se forme du débris de
plusieurs autres* ».[64] A cette étape cependant Brunetière
se contente d'indiquer l'intérêt de ces illustrations sans
prétendre les examiner dans le détail.

Il ne précise pas davantage la portée de ses conclusions générales et, arrivé à la fin de son résumé, il
annonce à ses élèves que ces conclusions seront pour
eux tous le résultat de leur année d'étude. « En enseignant, leur dit-il, on apprend toujours soi-même ; et je
ne veux point, en m'engageant dès à présent à conclure
de telle ou telle manière, perdre le bénéfice de ce que
mon enseignement m'apprendra[65]... ayant toute une an-

née devant moi pour y songer avec vous, je les laisse encore quelque temps et volontiers flotter dans le vague »[46]. Il s'attend seulement, dit-il enfin, à trouver quelque chose « d'*utile* pour la solution ou la position de quelques questions très générales et très importantes »[66]. Peut-être son enquête lui permettra-t-elle de déterminer « l'objet de l'art en général, et particulièrement de l'art d'écrire »[66] ; peut-être l'amènera-t-elle aussi et surtout à préciser la vraie nature des rapports entre la critique et la science.

Et ce dernier problème n'est pas moins actuel que « litigieux »[66]. Même si, au sens propre du terme, la critique ne saurait légitimement passer pour une science, elle a incontestablement adopté des méthodes scientifiques et tout porte à croire que cette innovation sera durable et féconde. En effet « les mêmes raisons, absolument les mêmes »[67] rendent d'un intérêt égal une comparaison entre, par exemple, l'ornithorynque et le kangourou d'une part ou entre le drame de Shakespeare et la tragédie de Racine de l'autre, et c'est seulement en se rendant à l'évidence de cette assimilation que la critique a finalement appris à faire dériver ses jugements « de quelque source plus haute que son caprice et que sa fantaisie »[68]. La science est sa meilleure alliée dans sa recherche de l'objectivité.

Ayant ainsi fait le tour de son sujet, Brunetière reprend et développe ses arguments dans les cinquante-cinq leçons de son cours proprement dit.[69] Il retrace d'abord en neuf leçons toute l'histoire de la critique en France depuis Du Bellay jusqu'à Taine, examine longuement ensuite toutes les implications de sa théorie et la signification de ses trois exemples, en vient enfin à l'exposé de ses conclusions définitives concernant la nature, l'objet et la fonction de la critique. Or, dit-il — et ainsi s'achève ce cours si curieux et si caractéristique auquel le nom de Brunetière restera toujours attaché — cette nature est pareille à celle de l'histoire naturelle, bien qu'il convienne toutefois de marquer les « limites »[70] de cette « assimilation »[70] ; cet objet est de juger,

de classer et d'expliquer les œuvres suivant des principes « scientifiques »[70] et « esthétiques »[70]; cette fonction
enfin est « de donner des directions à l'art »[71].
    Dès 1890 Brunetière publie les dix premières leçons
de son cours et il reçoit à cette occasion les félicitations
empressées de Taine. « Vous vous proposez, lui écrit
l'auteur de L'Intelligence, vous vous proposez un autre
but que le mien et probablement vous ouvrirez une voie
nouvelle. Votre comparaison des genres littéraires et
des espèces animales et végétales vous conduira sans
doute très loin, et j'attends avec une vive curiosité vos
prochains volumes. Sur beaucoup de points et d'avance,
je suis d'accord avec vous... A Paris, cet hiver, j'espère
causer avec vous de ces grands sujets ; on ne trouve
presque personne à qui on en puisse parler... Soyez sûr
que les découvertes que vous ferez dans ce champ presque vierge et si vaste n'auront pas de lecteur plus attentif que votre très obligé et très dévoué serviteur... »[72]
    Cependant, et malgré cette marque d'encouragement,
Brunetière n'a pas poursuivi la publication de son cours
et ses « prochains volumes » n'ont jamais vu le jour. Il
est revenu, dans des conférences prononcées à l'Odéon
et à la Sorbonne, sur « les époques du théâtre français »[73] et « l'évolution de la poésie lyrique »[74] mais il
n'a jamais exposé au grand public le détail de sa théorie
essentielle. Peut-être sentait-il qu'alourdie par son arma-
ture de termes scientifiques, l'exposition qu'il en avait
déjà faite devant ses élèves manquait de clarté et de
netteté ou peut-être avait-il l'impression que sa comparaison entre les genres littéraires d'un côté et les espèces
animales et végétales de l'autre était plus séduisante que
vraiment utile. Qu'elle qu'en fût la raison, Brunetière
a paru avec les années attacher moins d'importance à
l'aspect proprement naturaliste de sa théorie et en 1897,
dans la préface de son Manuel[75], il déclare préférer dans
l'histoire littéraire une division par « époques » à une
division par genres, celle-ci étant à son sens tout aussi
artificielle et arbitraire que ne le serait une division par
siècles. Seule, dit-il dans cette préface, une division par

époques datées « de ce que l'on appelle les événements littéraires — l'apparition des *Lettres provinciales,* ou la publication du *Génie du christianisme* »[75] serait « conforme à la réalité »[75] et permettrait d'imprimer à l'histoire d'une littérature « cette continuité de mouvement et de vie, sans laquelle... il n'y a pas d'histoire ».[76]

A vrai dire, la théorie de l'évolution des genres a vite paru désuète et nous devrions reconnaître que la vraie contribution de Brunetière à la théorie de la critique est ailleurs. Elle réside plutôt dans sa reconnaissance de l'importance du moment et de l'individualité comme facteurs de l'évolution littéraire,[76] dans son insistance sur la valeur intrinsèque des œuvres[76], dans ses définitions du classicisme et de l'objectivité critique, enfin dans l'impulsion que donnait son autorité à l'essor du comparatisme[77]. Ce sont ces titres qui, bien plus qu'une théorie par trop hasardeuse, assurent à Brunetière sa place parmi les précurseurs de la critique moderne.

BRUNETIERE A LA VEILLE DE SA VISITE A ROME

Sa polémique avec Anatole France, son cours sur *l'évolution des genres* et ses conférences sur le théâtre français, l'œuvre de Bossuet et l'évolution de la poésie lyrique, sont les événements les plus marquants de la vie de Brunetière pendant les années 1889-1893. Mais, bien que solidement établie, sa réputation de critique et de professeur devait encore recevoir la consécration des honneurs officiels et c'est en 1894 seulement que les actionnaires de *la Revue des Deux Mondes* l'invitent à prendre la succession de Charles Buloz[78] et qu'il devient membre de l'Académie française[79]. Cette même année enfin, il obtient au Vatican l'important entretien avec Léon XIII qui marque en quelque sorte l'apogée de sa carrière et dont les répercussions ne seront guère moins profondes sur toute une partie de l'opinion française que sur sa propre évolution morale.[80]

Chapitre VI

« L'ESPRIT NOUVEAU » ET LA VISITE AU VATICAN

Vers 1893 Brunetière commence à s'intéresser à un
tout autre aspect du christianisme, sa doctrine sociale.
C'était en effet l'époque où, sous l'impulsion de son grand
pape Léon XIII, l'Eglise s'appliquait avec une attention
toute particulière à mettre cette doctrine en lumière et
en France comme dans toute la chrétienté de nombreux
symptômes témoignaient de l'importance de ce mouvement. Alors que des laïcs influents comme Jacques Piou,
Albert de Mun, La Tour du Pin ou Marc Sangnier
créaient des associations de jeunesse ou des cercles populaires une importante fraction du clergé était disposée
à accepter la politique dite du Ralliement. Certes, cette
politique avait ses adversaires dans la hiérarchie elle-
même. L'évêque d'Angers, Mgr Freppel, faisait remarquer qu'alors qu'en Suisse et aux Etats-Unis la République était « une simple forme de gouvernement »[2], en
France elle constituait une doctrine « radicalement et
foncièrement hostile à la doctrine chrétienne »[2]. « Nous
ne sommes pas en République, disait à son tour Mgr
Gouthe-Soulard, évêque d'Aix, mais en maçonnerie »[2].
Néanmoins l'exemple des catholiques américains paraissait démontrer à quelques-uns qu'il pouvait y avoir
une parfaite compatibilité entre le catholicisme et la forme républicaine de gouvernement. Déjà en 1887 Eugène-
Melchior de Vogüé[3], un des amis les plus intimes et les
plus fidèles de Brunetière, opposait aux « vieux pays

latins où, il faut bien le reconnaître, la religion traverse
une phase ingrate »[4] la vie de ses coreligionnaires d'ou-
tre-Atlantique qui, dit-il « chérissent leur pays, leur
gouvernement, leur temps[4] et parlent avec un respect
sincère des droits de leurs concitoyens d'une autre foi »[4].
S'adressant quelques années plus tard à un public français, Mgr Ireland, archevêque de Saint-Paul, reprend ce
thème en le développant[5] et en 1893 le Vicomte de
Meaux écrit dans *le Correspondant :* « Quand le dégoût
des hommes et des choses envahit les nobles âmes,
quand un doute inquiet sur l'avenir du genre humain
les désole et les affaiblit, il est bon de trouver et de saisir
des motifs d'espérance, fallût-il les chercher par-delà
l'Atlantique »[6]. Malgré la sérieuse hostilité de certains
milieux catholiques, l' « américanisme », comme on
l'appelle, gagne de nombreux adhérents et, en 1894, sous
le titre *l'Eglise et le siècle,* les conférences de Mgr Ireland
sont publiées en France.

Cette année marque également l'apogée de l'œuvre de
réconciliation et de pacification poursuivie par Léon XIII.
Grand ami de la France, le pape, en conseillant aux catholiques d'accepter la République, s'était maintes fois
efforcé à combler le fossé creusé par la Révolution et en
1894 ses efforts paraissaient enfin couronnés de succès.
Le 3 mars un des fondateurs de la Troisième République,
le ministre Spüller, déclara, en effet, qu'un « esprit nouveau » était né et il ajoutait que désormais la République devait cesser sa guerre « mesquine »[7], « tracassière »[7]
et « vexatoire »[7], contre l'Eglise pour « apporter dans
l'étude des questions qui touchent à la religion et dans
la solution des difficultés qu'elles peuvent faire naître,
une largeur de vues, une inspiration d'humanité, de
justice, et de charité sociale »[8].

L'influence personnelle du pape dans le développement de la démocratie chrétienne ne fut pas moins
décisive et sa célèbre encyclique *Rerum novarum* suscita
presque autant d'enthousiasme en dehors de l'Eglise
que parmi les catholiques eux-mêmes. Dans son livre
sur *le Pape, les Catholiques et la question sociale,* Geor-

ges Goyau[9] témoignait de ses profondes répercussions et
lorsque Léon XIII lui-même se plaignait à Brunetière
de ceux qui résistaient à ses « directions »[10] ce dernier
répondit que, malgré la réticence de certains catholiques
vis-à-vis des « directions politiques » du souverain pon-
tife, « en France, comme ailleurs, il n'y avait qu'une
opinion sur ses « directions sociales »[10]. « S'il est vrai,
écrira plus tard Georges Goyau, s'il est vrai que la morale de l'Evangile, que les masses depuis longtemps
considéraient comme une gêneuse, commence de leur
apparaître comme une protectrice, Léon XIII, propaga-
teur du catholicisme social, aura peut-être la gloire
posthume d'avoir donné l'essor à la meilleure et à la
plus vivante des apologies populaires »[11]. Dès 1894 déjà
ce titre de gloire devait impressionner l'auteur de *l'Evolution des Genres*.

L'intérêt porté par Brunetière au catholicisme social
se trahit cependant pour la première fois en 1893 quand
il publie dans *la Revue des Deux Mondes* un article sur
Lamennais. L'auteur de *L'Avenir* étant considéré comme l'un des premiers « démocrates chrétiens », il est
naturel que les années de « l'esprit nouveau » soient
caractérisées par un renouveau des études mennaisiennes
et en 1892 deux études[12], l'une de Spüller lui-même,
marquent cette renaissance. L'article où il rend compte
de ces deux travaux[13] est significatif par sa révélation
que Brunetière s'intéressait au catholicisme social non
seulement avant d'avoir conçu l'idée de se rendre à
Rome mais avant même qu'il ait abandonné son espoir
de constituer une morale laïque et autonome.[14] S'il prétend que c'est le Congrès de Chicago[14] qui l'oblige à
procéder à un nouvel examen de conscience nous pouvons toutefois constater que la doctrine sociale de
l'Eglise avait déjà attiré son attention.

Car pour Brunetière Lamennais est avant tout un
grand esprit social. « Son coup de génie, dit-il, avait été
de reconnaître dans l'individualisme — cet individualisme dont Benjamin Constant était alors le grand théoricien et Victor Cousin le prophète, — l'ennemi qu'il

fallait combattre et abattre, si l'on voulait reconstituer
la société « sur la base de la religion ». « Sous ce rapport » nul n'avait mieux montré ce qu'il y a « d'antiso-
cial, ou d'antihumain même, à faire de l'individu la
mesure de toutes choses. »[15]

Mais cette doctrine sociale est devenue aussi une doctrine socialiste et Lamennais a cru avec ferveur à une
« transformation universelle de la société sous l'action
du catholicisme »[16]. Il s'était sans doute trompé — « puisque Rome l'a condamné[17] » mais qui répondra que son
« erreur »[18] ne devienne pas « la vérité de demain »[18].
En tout cas, la question « est de celles qui ne sont pas
près de périr ; et, dit Brunetière, nous entrons dans un
temps où les occasions ne manqueront pas de la reprendre »[19]. En écrivant ces mots, le futur orateur des *Discours de Combat* ne se doutait guère du rôle que lui-
même serait appelé à jouer dans l'évolution du catholicisme social.

Ce n'est pourtant que d'une façon très intermittente
que Brunetière cherche alors dans le catholicisme un
remède contre la dangereuse « apothéose de l'individu »
et, le 31 juillet 1894, il proclame que la seule foi « qui
vaincra l'égoïsme et qui communiquera la fièvre généreuse de l'action »[21] est celle de l'individu « dans les
destinées de l'espèce »[21]. Il paraît se contenter de cette
philosophie un peu rudimentaire lorsqu'au mois de
novembre il part pour Rome.

LA VISITE A ROME

On a beaucoup écrit sur cette visite comme sur l'article que Brunetière écrivit à son retour et l'on a souvent
prêté au directeur de la *Revue des Deux Mondes* des
arrière-pensées qu'il ne nourrissait certainement pas.
Il disait lui-même qu'en se rendant à Rome il n'avait
eu d'autre motif que celui de « renouveler des souvenirs
déjà vieux de vingt-huit ans »[22] et rien ne nous permet
de croire qu'il ait eu l'intention de solliciter une audience

du pape. Peu de temps avant son départ il n'était même
pas décidé à faire le voyage jusqu'à Rome. « Je partirai
à Lyon le 28, écrit-il le 1er octobre à Mme Buloz[23], et
enfin, reprenant le chemin de la Méditerranée, c'est
alors qu'après quelques jours passés à Monte-Carlo, je
tâcherai de pousser jusqu'à Florence et Rome »[23].

Il y avait cependant parmi ses amis catholiques
quelques-uns dont l'influence discrète allait maintenant
se faire sentir. *La Revue des Deux Mondes,* dont Brunetière venait d'être officiellement nommé directeur, accordait, depuis quelque temps, une importante place à des
enquêtes comme celle de Vogüé sur « l'américanisme »[24]
ou comme celle de Leroy-Beaulieu sur *La Papauté, le
socialisme et la démocratie*[25] et il est incontestable que
la grande responsable de cette nouvelle orientation était
Mme Louise Buloz, veuve de François Buloz fils. Avec
Brunetière, qu'elle connaissait de longue date, elle entre-
tenait une correspondance[26] d'où les questions littéraires et même philosophiques n'étaient point exclues
et les lettres échangées lors de cette visite à Rome ne
sauraient donc manquer de nous intéresser. Une fois
arrivé, en effet, Brunetière fait part à Mme Buloz d'un
premier mouvement de nostalgie et de tristesse. Sa satisfaction, lui écrit-il, « ne va pas sans fatigue »[27] et « elle
ne va pas non plus sans quelque mélancolie quand je
songe qu'il y a vingt-huit ans écoulés que je parcourais
Rome pour la première fois ! Elle a bien changé depuis
lors, j'en conviens, mais j'ai encore bien plus changé
qu'elle, et ce genre de réflexions... ne m'afflige pas outre
mesure, mais il ne mêle pas non plus une gaîté folle
dans mes excursions. Vingt-huit ans, c'est beaucoup !
et à quoi les ai-je employés ?

On dit qu'il y en a qui se sentent à Rome comme eni-
vrés de je ne sais quelle ambition sans limites : ils y
respirent, pour ainsi parler, l'orgueil de l'empire du
monde. Tels autrefois les Empereurs, et tels après eux
les Papes, et tels encore les Italiens d'aujourd'hui ! Moi,
je m'y trouve surtout des dispositions à prêcher sur le
néant des choses et, en somme, c'est une manière com-

me une autre à en sentir la grandeur »[28].

C'est vraisemblablement à son grand ami de Vogüé[29] qu'il doit l'idée de visiter le Vatican où il est reçu le 27 novembre par le pape Léon XIII. L'audience, qui était privée, dura trois quarts d'heure et, pendant ce temps, Brunetière se prêtait « non sans quelque émotion », à « l'interrogeant... malicieuse et paternelle curiosité de ce grand vieillard »[30].

Nous savons, d'après une lettre qu'il a écrite à son élève Georges Goyau, que « la plus grande partie de la conversation... a roulé sur la joie qu'il (le pape) éprouvait d'avoir été l'intermédiaire de l'alliance francorusse »[31]. Ensuite, le pape aurait abordé d'autres sujets et, notamment, celui de « l'esprit nouveau »[31]. « Il me demanda, écrit Brunetière plus tard,[32] ce que je croyais qu'on en pût attendre. Il se plaignait avec un sourire, ce singulier sourire où il semblait que sa très grande bonté se masquât d'ironie, de ceux qui résistaient à ses « directions »... et il me demanda s'ils y résisteraient toujours. Je lui répondis que je le craignais, et comme je n'eus pas de peine à voir que la réponse lui déplaisait, je me hâtai de dire que je ne parlais que de ses « directions politiques », mais qu'au contraire, en France, comme ailleurs, il n'y avait qu'une opinion sur ses « directions sociales », et ce fut une occasion de parler de l'Encyclique *Rerum novarum*... J'avais compris, conclut Brunetière, qu'il aimerait qu'un écho de sa conversation lui revînt »[33].

Cet entretien avec Léon XIII marque certainement un tournant dans la vie de Brunetière et le problème religieux, qu'il « étudiait »[34] depuis quelques années déjà, prend désormais une nouvelle importance pour lui. Il faut bien se garder toutefois de parler d'une quelconque « conversion » et, malgré cette nouvelle orientation de sa pensée, il s'en faut de beaucoup que Brunetière soit rentré dans le giron de l'Eglise.

D'un autre côté, il convient de constater que plusieurs autres intellectuels français, et notamment son collègue à l'Ecole normale, Ollé-Laprune, venaient de faire le

même geste. Comme Brunetière en fait lui-même l'aveu,
il était « l'un des derniers »[35] à louer « la généreuse initiative ou l'audace apostolique de Léon XIII »[35]. Mais,
grâce à sa triple autorité d'académicien, de professeur
à l'Ecole normale et de directeur de la *Revue des Deux
Mondes*, l'article[36] qu'il publie à son retour ne manque
pas d'avoir un grand retentissement, et il nous appartient maintenant d'en faire l'analyse, d'indiquer son
importance pour une étude biographique sur Brunetière
et de déterminer sa place dans l'histoire de la pensée
française.

« APRES UNE VISITE AU VATICAN
OU
LA SCIENCE ET LA RELIGION »[37]

Cet article est divisé en trois parties assez mal reliées
entre elles. La première contient le fameux manifeste
contre le scientisme : la deuxième trace les progrès du
christianisme social et la troisième préconise les termes
d'une éventuelle entente entre les moralistes sociaux
d'un côté et l'Eglise de l'autre. Comme nous allons le
voir, cette structure est, en elle-même, significative.

A cette époque, le mouvement scientiste était déjà
pratiquement épuisé et, à l'exception de Berthelot, ses
représentants les plus qualifiés déjà disparus. Il venait
pourtant de recevoir une nouvelle et dernière impulsion
par la publication posthume, en 1890, de « *L'Avenir de
la Science* » de Renan. Rédigé quarante ans plus tôt,
en pleine génération positiviste, ce livre résumait toutes
les espérances que les hommes de 1848 avaient fondées
sur la Science et ne pouvait donc manquer de provoquer
une réaction de la part de ceux qui, comme Brunetière,
n'admettaient plus les prétentions de « la nouvelle idole ».

C'est, en effet, à « *L'Avenir de la Science* » tout autant
qu'aux livres de Berthelot que s'en prend Brunetière
dans la première partie de son article. Renan, dit-il,
avait même osé proclamer que la science « fournira tou-

jours à l'homme le seul moyen qu'il ait pour améliorer
son sort » et que son « audacieuse, mais légitime prétention »[38] était d' « *Organiser scientifiquement l'humanité* »[38]. N'aurait-on pas le droit de dire qu'à ces orgueil-
leuses promesses la science avait manqué ?

D'un autre côté, ajoute-t-il, les diverses sciences indi-
viduelles avaient manqué aux promesses faites par leurs
représentants qualifiés. Les sciences physiques avaient
promis de « supprimer le mystère »[39]. Or, il s'est avéré
qu'« elles sont impuissantes non seulement à résoudre
mais à poser convenablement les seules questions qui
importent »[39]. Malgré les « immortels travaux »[40] de
Darwin, l'humanité ne sait rien « de la question de ses
origines »[40]. En revanche, nous sommes obligés de reconnaître que, même si nous la trouvons difficilement acceptable, « l'hypothèse mosaïque de la création » nous four-
nit à tout le moins « une réponse à la question de savoir
d'où nous venons »[40].

Les sciences n'ont pas fait davantage pour éclaircir le
mystère de notre destinée ou celui de notre nature. La
physiologie, l'anthropologie et l'ethnographie ne s'étaient
pourtant pas proposé d'autre objet. Leur échec ne doit
pas nous étonner et, dès maintenant, nous pouvons être
assurés que cet échec ne sera pas racheté. Etant donné
que l'homme ne peut être conçu « sans la moralité, sans
le langage, ou en dehors de la société »[41], ce sont les
éléments même de sa définition qui échappent « à la
compétence, aux méthodes, à la prise enfin de la
science »[41].

On avait aussi prétendu constituer en sciences même
l'histoire et la philologie. Or, parmi les philologues, les
hellénistes avaient prétendu nous montrer « le christianisme tout entier »[42] dans « la philosophie de la Grèce
et de Rome »[42], les hébraïsants voulaient nous prouver
que la *Bible* était « un livre comme un autre »[43] et les
orientalistes avaient fait grand état de prétendues analogies entre le christianisme et le bouddhisme. En somme,
ils voulaient tous expulser de l'histoire du christianisme
« l'irrationnel »[44] ou le « merveilleux »[45].

Loin d'y être arrivés, ils n'ont fait que renforcer les arguments en faveur de la « divinité » du christianisme. Grâce surtout à leurs travaux, il n'est plus possible de méconnaître qu'il y a dans le christianisme « une vertu singulière »[46] et « une puissance unique de propagation et de vie »[46]. Les ressemblances mêmes qu'on avait cru signaler entre lui et le bouddhisme «pour être.. infiniment curieuses, ne sauraient masquer la différence intime qui les sépare ou qui les oppose »[47].

On pourrait donc conclure que « s'il est vrai que depuis cent ans la science ait prétendu remplacer la « religion », la science, pour le moment et pour long-temps encore, a perdu la partie. Incapable de nous fournir un commencement de réponse aux seules questions qui nous intéressent, ni la science en général, ni les sciences particulières... ne peuvent plus revendiquer, comme elles l'ont fait depuis cent ans, le gouvernement de la vie présente »[48]. Une réaction s'est inévitablement produite en faveur de la Religion et, bien que certains aspects de cette réaction soient pour dire le moins décon-certants, sa signification profonde ne saurait être mise en doute.

Ayant constaté ces « faillites » partielles de la Science, Brunetière change brusquement de terrain et dans la deuxième partie de son article dresse le bilan des inter-ventions de Léon XIII dans le domaine des problèmes sociaux. Ce grand pape, cet « illustre vieillard »[49], dit-il, a rendu « au catholicisme et, généralement à la religion, leur part d'action sociale »[50]. « Il a compris ce que l'on attendait du plus grand pouvoir moral qui soit parmi les hommes, et le plus ancien. Résolument, il a lancé la barque de saint Pierre sur la mer orageuse du siècle, et ni l'impétuosité des vents ni le tumulte des flots... ne l'ont un seul jour détourné de son but »[51].

Certes, la doctrine de l'Eglise avait toujours été sociale mais « d'autres soucis, plus pressants — et notamment celui de soutenir et de repousser l'assaut de la science laïque »[52], avaient préoccupé les prédécesseurs du pape actuel. Or, ces problèmes ne sont pas les nôtres. L'épo-

que de Renan est révolue — « qui se détacherait aujour-
d'hui de la communion de l'Eglise pour des « raisons
philologiques ? »[52] — et, d'un autre côté, nous avons établi que la science est impuissante à supprimer le mystère. Rien ne paraît donc plus logique que de présenter la
religion sous l'aspect qui est le plus susceptible d'attirer nos contemporains, c'est-à-dire de faire ressortir sa
« vertu sociale ». « Prouvons-la maintenant par le bien
qu'elle peut faire encore à ce monde inquiet et troublé »[53].

N'en croyons pas pour autant que le dogme lui-même
se soit modifié. La continuité et l'immutabilité du dogme constituent une des principales preuves de la vérité de
la religion. Mais, tout en restant identique à lui-même,
le dogme évolue. La distinction est fondamentale — et,
dès le cinquième siècle, le moine saint Vincent de Lérins
l'avait parfaitement résumée dans une formule heureuse
— « *Quod evolvitur... non ideo proprietate mutatur* »[54].

Et c'est justement à cause de cette évolution que les
problèmes qui préoccupaient la génération précédente
nous paraissent beaucoup moins urgents. D'« intellectuelle » la question religieuse est devenue « sociale » et
si le point de vue des Renan et des Huxley « ne nous est
pas devenu tout à fait indifférent, il nous est devenu
secondaire »[55]. « Autres temps, autres soins ! »[56].

Nous n'avons donc aucun intérêt à opposer la religion à la science. Quoi qu'elles aient prétendu jadis, nous
savons maintenant que « la physique ne peut rien contre le miracle même »[67] et que « l'exégèse ne peut rien
contre la révélation »[67]. La science et la religion ont
chacune « son royaume à part »[48].

Mais nous n'avons pas le droit de faire une distinction aussi tranchée entre la religion et la « morale ».
Schérer avait bien raison d'écrire : « Une morale n'est
rien si elle n'est pas religieuse... la morale, la vraie, la
bonne, l'ancienne, l'impérative, *a besoin de l'absolu* ;
elle aspire à la transcendance ; elle ne trouve son point
d'appui qu'en Dieu »[59]. Un jour peut-être, on arrivera à
instituer une morale « purement laïque » mais cette question n'est pas encore « mûre » et, en attendant, il nous

faut recourir à la religion traditionnelle et choisir entre
les formes du christianisme celle que nous pourrons
« le mieux utiliser à la régénération de la morale »[60].
Ainsi posée, la question ne comporte qu'une seule solution — il nous faut préciser les termes d'une entente
entre la morale et le catholicisme. Le protestantisme a
certainement une « haute valeur »[61] mais il fait du salut
individuel sa principale préoccupation. En revanche, le
catholicisme est, avant tout, une « sociologie »[62] et voilà,
« à l'heure critique où nous sommes, son plus grand
avantage »[62].

Nous n'avons, du reste, aucun besoin d'accepter toutes
les doctrines de l'Eglise catholique. Il suffit de constater que sur deux ou trois points importants nous pou
vons accepter son enseignement. L'Eglise proclame, par
exemple, la séparation des « sciences morales » et des
« sciences naturelles »[63]. Taine avait prétendu les « sou-
der » les unes aux autres mais il poursuivait une « chi-
mère »[63] et le refus de reconnaître ses erreurs donne à
ses derniers écrits une qualité pathétique. Nous savons
— en dépit de Taine et de son maître Spinoza — que
l'homme est « comme un empire dans un empire ». Or,
puisque l'Eglise nous l'enseigne aussi, pourquoi ne pas
nous ranger de son côté ?

Il en est de même pour le dogme du péché originel —
sur ce point l'Encyclique *Humanum Genus* ne diffère
guère des conclusions de l'évolutionnisme — et pour la
doctrine que toute question sociale est une question
morale.

La conclusion est donc évidente. C'est de toute urgence
que nous devrions conclure une entente avec l'Eglise.
Aucune hésitation ne devrait être tolérée car « ce n'est
ni le temps ni le lieu d'opposer le caprice de l'individu
aux droits de la communauté — quand on est sur le
champ de bataille »[64].

LA PORTEE DE L'ARTICLE

Parmi les idées exprimées dans cet article il y en a plusieurs que Brunetière accepte depuis longtemps. Nous avons déjà vu qu'à plusieurs reprises — et notamment dans ses articles sur *Le Disciple*[65] — il s'est montré hostile à l'égard des prétentions du scientisme. Les mêmes articles le montrent convaincu de la séparation entre les sciences de l'homme et celles de la nature[66]. Tout au moins depuis l'époque où il rédigea son *credo,* il est persuadé de la corruption de l'homme. Son article sur *Lamennais*[67] trahit déjà une certaine sympathie pour la démocratie chrétienne.

Mais dans son article *sur une visite au Vatican* toutes ces idées sont ramassées et mises au point. Les prétentions du scientisme sont soumises à une critique méthodique. L'action sociale de Léon XIII est célébrée dans des pages très élogieuses. Les rapports entre certains lieux communs de la morale laïque d'un côté et la doctrine catholique de l'autre, sont soulignés. En un mot, Brunetière s'est incontestablement rangé du côté de l'Eglise.

Il serait pourtant erroné de croire qu'il s'agisse d'une conversion et, en effet, certains théologiens s'empressent de signaler tout ce qui continue de séparer Brunetière de la foi. Parmi les jésuites, le Père Cornut, qui déjà en 1892 l'avait qualifié de « malfaiteur littéraire »[68], revient à l'attaque. Si les aveux de Brunetière sur les faillites de la science et l'utilité sociale du catholicisme n'étaient pas dépourvus d'intérêt et de valeur, dit-il, on pourrait cependant se demander si celui qui a fait et jeté « à tous les échos »[69] « tant de passages fâcheux sur l'existence de Dieu, sur la Providence, sur l'immortalité de l'âme, sur la liberté morale » les avait rétractés «même indirectement »[69]. Car si Brunetière n'admettait pas « l'autorité du Pape, l'Eglise, le symbole des apôtres, tout au moins la divinité de Jésus-Christ »[69] que nous faisaient « quelques éloges dont les pires ennemis de la

religion sont prodigues ? »[69]. Certes, tout catholique
avait le devoir d'être charitable « pour ceux qui
errent » et d'encourager « tous les efforts vers le bien »[69]
mais il lui incombait également de se rappeler que « la
vérité a ses droits et sa fierté »[69].

D'un autre côté, Mgr d'Hulst, après avoir défendu
contre Brunetière les titres de la science[70], lui reproche
de tomber dans l'erreur des fidéistes. La foi, avait
déclaré Brunetière, « n'est affaire ni de raisonnement ni
d'expérience... On ne démontre pas la divinité du Christ :
on l'affirme ou on la nie »[71]. Or, précisément, proteste
Mgr. d'Hulst, « *on démontre la divinité de Jésus-Christ* »[72]
et l'assertion contraire révélait chez un homme qui avait
tant fréquenté Bossuet une étonnante ignorance « de
la nature de la foi »[73]. Celle-ci, loin d'être un simple
« délire sacré comme celui de la Pythonisse »[73] est essentiellement « un assentiment libre de l'esprit sous l'action
d'une grâce divine »[73].

Brunetière, cependant, n'avait nullement la prétention
de faire œuvre de théologien et, lorsqu'une année plus
tard il analysait le livre de Balfour sur les *Bases de la
Croyance*[74], il tenait même à déclarer « loyalement »[75]
qu'il ne pouvait suivre son auteur « jusqu'au seuil du
temple »[75]. Même en rédigeant « *Après une visite au
Vatican* » il faisait bien des réserves intellectuelles et
nous devrions en reconnaître une d'abord dans la forme
même de l'article. N'est-il pas significatif qu'après avoir
cru prouver « l'impuissance » de la science il passe
immédiatement à des considérations sociales ?[76]. Il veut
démontrer que la physique ne peut rien contre le miracle,
que l'exégèse ne saurait ébranler les certitudes de la révélation. Mais il se garde bien d'affirmer une foi positive
et prétend que les changements survenus dans le monde intellectuel exigent un autre point de vue. Le problème, dit-il, n'est plus « philologique » mais « social »[77].

Néanmoins, une importante note qu'il ajoute à sa
brochure nous témoigne qu'il n'est pas encore en mesure
de trancher les problèmes soulevés par l'exégèse et que
ces problèmes continuent, malgré lui, de le préoccuper.

Les livres d'exégèse, dit-il, sont parmi ceux qu'il lit le plus volontiers : « l'un des plus beaux livres de ce siècle, où j'ai le plus appris, c'est celui d'Eugène Burnouf, l'*Introduction à l'histoire du boudhisme indien* et, de l'œuvre entière de Renan, je ne sais s'il est rien que je préfère à son *Histoire des Langues sémitiques* »[78]. L'exégèse ne sert, cependant, qu'à embrouiller la seule question vraiment capitale — « *Jésus-Christ est-il ou n'est-il pas Dieu ?* »[78]. A cette question, dit-il, il faut répondre « par oui ou par non »[78] et « aussi longtemps qu'on ne l'a pas tranchée, on n'a rien fait »[78]. Remarquons toutefois que Brunetière se contente de la poser en ces termes et de s'en prendre aux philologues qui l'avaient résolue dans un sens négatif. Plus tard, comme nous le verrons, ces scupules prendront plus d'ampleur.

CHAPITRE VII

BRUNETIERE ET BESANÇON
OU LES ETAPES D'UNE CONVERSION

Pendant les cinq années suivantes Brunetière, comme tant d'autres écrivains français de sa génération s'approche de plus en plus du catholicisme pour finir par s'y convertir.[1]

Toute cette période de la vie intellectuelle française[2] était en effet caractérisée par un vaste renouveau d'intérêt pour les problèmes moraux et religieux et par une renaissance générale de la philosophie idéaliste, renaissance susceptible à son tour de favoriser les progrès du catholicisme. La *Préface* du *Disciple* de Paul Bourget, *Le Devoir présent*[3] de Paul Desjardins et son « Union pour l'action morale », la publication en 1893 des œuvres complètes d'Alexandre Dumas fils[4], le théâtre de Paul Hervieu,[4] le néo-christianisme d'Henry Bérenger, le nouvel essor du spiritualisme, le symbolisme même, étaient tous à leur manière symptomatiques de ce mouvement si divers, si complexe et si amorphe auquel Brunetière est, par la force des choses, amené à s'intéresser de près. Comme du reste l'avait fait Paul Bourget[5], il commente dans des termes d'approbation chaleureuse le théâtre de Dumas fils[6]. Il félicite Paul Hervieu d'avoir rétabli le prestige du théâtre d'idées[6]. Tout en trouvant surfaite la réputation des Verlaine et des Mallarmé[7] il reconnaît comme justifié le mouvement symboliste[7]. Dans diverses manifestations néo-chrétiennes enfin il voit bien quelque

chose « de bizarre », d' « inquiétant »[8], voire de « mor-
bide »[8] mais n'y décèle pas moins « une intime protes-
tation de l'âme contemporaine contre la brutale
domination du fait »[8].

En même temps des amis personnels, comme de
Vogüé, Denys Cochin et Henri Lorin l'encouragent à
suivre le chemin de la foi et leur influence renforce
celle, nettement plus décisive, du Père Dagnaud, professeur et théologien, dont Brunetière fait maintenant
la connaissance.[9] C'est en effet grâce au Père Dagnaud
que Brunetière reçoit une première invitation à Besançon,
ville qui jouera désormais un rôle capital dans son évolution spirituelle. Le Père Dagnaud était professeur de philosophie au Collège catholique de la ville et y dirigeait en
outre une importante association d'étudiants, dite la
Conférence Saint Thomas d'Aquin. De nombreux ora-
teurs éminents étaient déjà venus prendre la parole
devant cette association et le Père Dagnaud, impressionné par l'article « *après une visite au Vatican* »[10] conçoit l'idée d'inviter Brunetière. Encouragé par Ollé-
Laprune[10], il se rend au bureau de la *Revue des Deux
Mondes*, déclarant à l'huissier : « Ma carte est inutile,
je suis inconnu de M. Brunetière. Annoncez un prêtre
tout simplement et demandez à M. le Directeur s'il veut
bien le recevoir. »[10] L'entretien est de courte durée et
au Père Dagnaud qui l'invite à venir à Besançon « pour
que nous vous fêtions », Brunetière répond immédiatement : « Monsieur l'abbé, je suis tout à vous ! »[10]. Le
2 février il prononce devant l'association Saint Thomas
d'Aquin une conférence sur *la Renaissance de l'idéalisme.*[11]

Dans son discours il fait un vaste tour d'horizon, passant du déclin du scientisme à la musique de Wagner,
puis du théâtre de Dumas fils au socialisme chrétien du
Cardinal Manning. Ce ne sont là pour lui qu'autant de
manifestations d'un seul « idéalisme »[12] dont il préfère
ne pas préciser le caractère en termes rigoureux car, dit-
il, « s'il y a des définitions qui ne sauraient être trop

strictes, il y en a d'autres dont il est bon, nécessaire
même, de laisser un peu flotter les termes ».[12] En effet,
pour avoir un plan un peu trop compréhensif, ce discours manque peut-être de fermeté dans sa conclusion.
Néanmoins en 1900 Brunetière considérera cette visite
comme le point de départ de sa conversion.[13]

En septembre 1896 Brunetière accepte, du reste avec
allégresse, une invitation de faire une tournée de conférences aux Etats-Unis. « Qui m'aurait encore dit l'année dernière, écrit-il à Mme Buloz,[14] qu'on me propo-
serait d'aller faire des conférences à Baltimore, et que
bien loin d'en repousser l'idée, j'accepterais d'en faire
à Boston et à Philadelphie ?... Maintenant, je répondrais
presque que nous ferons un jour, en caravane, chère
Madame et amie, le voyage de l'Inde ou celui du
Japon ».[14]

En principe le voyage ne devait être consacré qu'à
des conférences littéraires mais il ne manquera toutefois pas de suggérer à Brunetière d'intéressantes
réflexions sur la situation du catholicisme américain. La
question religieuse sera en effet l'une de ses principales
préoccupations et il compte visiter Rome après son retour. Peu avant son départ, le cardinal Rampolla lui
envoie une lettre d'approbation et d'encouragement.

« J'ai appris avec beaucoup de plaisir, lui dit-il, que
vous devez vous rendre en Amérique pour faire une série
de leçons à Baltimore. Connaissant vos sentiments et
l'excellent désir que vous avez d'être un auxiliaire des
vues du Saint Siège, je suis sûr d'avance que votre
voyage en Amérique va vous offrir l'occasion de rendre
de nouveaux services à la bonne cause. Je vois avec
plaisir que vous pensez de passer par Rome à votre
retour de l'Amérique. Vous m'obligerez beaucoup par la
visite que vous avez déjà la bonté de m'annoncer. En
attendant je vous remets ci-jointes deux lettres de recom-
mandation pour Son Eminence le Cardinal-Archevêque
de Baltimore et pour Monsgr. le Délégué Apostolique à Washington... »[15]

Arrivé vers la fin de mars, Brunetière parle successivement à Baltimore, à New-York et à Québec[16] et il est
très favorablement impressionné par l'accueil qu'on lui
fait. « Je n'ai *nulle part* été mieux reçu, écrit-il de Baltimore, ils me comprennent et ils s'intéressent aux choses que je leur dis »[17]. Il trouve que New-York est une
ville « amusante »[18]... « pour s'y déplaire, dit-il, il faudrait
avoir le caractère mal fait »[18], et que la civilisation américaine en général « avec beaucoup d'assez vilains côtés
a ses bons côtés aussi »[19]. Son voyage lui permettra de
dire « des choses intéressantes »[19] et qui « ne seront
décidément pas celles que l'on a dites ».[19]

C'est surtout à Baltimore qu'il se documente sur la
situation du catholicisme américain. Muni des lettres de
Rampolla, il se fait présenter au Cardinal Gibbons et à
l'Archevêque Ireland[20], deux prélats qui étaient célèbres
en France pour avoir affirmé qu'il peut n'y avoir aucune
incompatibilité entre le catholicisme et la forme républicaine de gouvernement. Brunetière, qui admirait déjà
l'encyclique *Sur l'origine du pouvoir civil*[21], se laisse
gagner par leurs arguments et à son retour il les reprend
pour son propre compte dans un article publié dans *la
Revue des Deux Mondes*.[22]

L'expérience américaine, dit-il, a été « loyale »[23] et
« complète »[23] et elle prouve d'une manière décisive que
« le catholicisme n'a rien à craindre de la liberté, ni la
liberté du catholicisme »[24]. Et l'on pourrait même dire
que la discipline imposée par la morale catholique garantit la liberté en l'empêchant de dégénérer et de
s'altérer.

D'un autre côté les catholiques américains doivent
une partie de leur éclatant succès à l'originalité d'une
apologétique dont le P. Hecker[25] est le meilleur représentant. En essayant de montrer que chaque dogme du
catholicisme répond à un besoin essentiel de notre nature, celui-ci ne faisait que suivre l'exemple déjà donné
par Pascal, Bossuet et Chateaubriand. Mais il s'était
néanmoins « habilement servi »[26] de l'argument pour
« établir l'accord de la vérité catholique avec les exigen-

ces et les besoins eux-mêmes du siècle »[26]. En un mot il
avait jeté les bases d'une apologétique « moderniste ».
Les dangers d'une telle apologétique ne devraient pas
être sous-estimés. « A vouloir « naturaliser le surnaturel »
on risquerait de le faire évanouir ». « On peut bien naturaliser » le surnaturel général, on ne « naturalisera »
jamais le surnaturel particulier »[26]. Mais, en dépit de
ces dangers, nous pouvons dès maintenant affirmer
« qu'en recourant à ce moyen de promouvoir le catholicisme à l'avant-garde, pour ainsi parler, du mouvement
de la pensée contemporaine... les catholiques d'Amérique ne se sont pas trompés. »[26]

Le « modernisme », on le voit, exerce déjà sur l'esprit
de Brunetière une séduction dont il n'arrivera pas à se
dégager ; toutefois la publication de cet article
précède de quelques mois seulement la condamnation
pontificale des erreurs du Père Hecker.[27] Dès l'origine
les « américanistes » avaient rencontré des adversaires
parmi les catholiques français. Le Père Portalié, par
exemple, trouvait équivoque l'attitude adoptée par le
cardinal Gibbons et Mgr Ireland à l'égard du Congrès
de Chicago.[28] Plus acharnés étaient les rédacteurs de *La
Vérité Française*, publication peu favorable à la politique du Ralliement, qui voyaient dans *la Vie du Père
Hecker* « une machine de guerre, une sorte de cheval
de Troie portant dans ses flancs la phalange tout entière
des chefs de l'américanisme »[29]. Même après l'intervention de Léon XIII, ils s'abattent sur l'article de Brunetière, déclarant que son auteur avait confondu « l'Eglise
catholique officielle des Etats-Unis »[30] avec « l'américanisme soi-disant catholique, prôné et propagé par certains catholiques très en vue ».[30]

Si âpre qu'elle fût pourtant, toute cette polémique ne
prenait qu'une importance tout à fait relative à côté de
la nouvelle vague d'anticléricalisme qui commençait à
déferler sur la France. A la fin de son article sur la
situation de l'Eglise aux Etats-Unis Brunetière avait
montré que, malgré leur « modernisme », les catholiques américains s'intéressaient vivement au sort de

leurs coreligionnaires français. « Si la France faiblit
dans sa mission, déclarait Mgr Ireland dans un discours
cité par Brunetière, si la France faiblit dans sa mission,
l'Eglise catholique souffre, et on nous dit à nous : « Eh,
quoi, vous voulez que l'Amérique soit catholique. Et
qu'est-ce qu'on fait dans ce pays de la France, la fille
aînée de l'Eglise ? »[31]. Mais quatre ans seulement après
le discours de Spüller sur « l'esprit nouveau » la tradition religieuse du pays de saint Louis et de Jeanne
d'Arc se trouvait menacée par un « stupide anticléricalisme ».[32] Avec le remplacement de Spüller, d'abord par
Waldeck-Rousseau et ensuite par Combes, le principe de
l'enseignement libre était mis en question et les congré-
gations frappées d'expulsion.

Cette nouvelle poussée d'anticléricalisme provenait en
grande partie des violentes passions déchaînées par
l'Affaire Dreyfus. Portée devant l'attention du grand public en janvier 1898 par la publication de « *J'accuse* »,
cette affaire, à l'origine purement judiciaire, n'a pas
tardé à avoir des répercussions très considérables. L'opinion publique en est troublée, profondément divisée. On
constitue d'un côté la Ligue des Droits de l'Homme, de
l'autre cette Ligue de la Patrie Française qui réunit des
écrivains aussi différents les uns des autres que Barrès,
Coppée, Jules Lemaître et Brunetière. Avec ces derniers
Brunetière devient membre du comité directeur de la
Ligue mais, lors de l'élection de Loubet à la présidence
de la République, il trouve inacceptable l'attitude sub-
versive adoptée par certains de ses collègues, notamment
Jules Lemaître, et donne sa démission.[33]

En tant que directeur de la *Revue des Deux Mondes*,
il ne pouvait guère éviter de prendre position sur l'Affaire et dans une série de neuf lettres envoyées au *Siècle*[34]
il justifie son opposition à toute révision du procès. Con-
sacrant d'autre part deux articles[35] aux révisionnistes, il
s'en prend aigrement à son vieil ennemi Zola. « C'est
ainsi, dit-il, qu'un intellectuel intervient souverainement

dans les choses qu'il ignore. »[36] La révélation du faux
Henry le fait pourtant changer d'avis et dans une dixième lettre au *Siècle*, très différente dans ses conclusions
des neuf autres, il déclare qu' « on ne va pas à la justice
par l'injustice ».[37]

Mais le rôle de Brunetière dans l'Affaire n'est pourtant
qu'un rôle de troisième plan et, dans cette année si mou-
vementée ses articles ne pouvaient avoir qu'un faible
retentissement. En revanche, l'Affaire tient une place
très importante dans son évolution religieuse et il ne
serait pas exagéré de dire qu'en lui révélant toute la gravité du danger individualiste et en l'amenant à associer
la cause de la patrie avec celle du catholicisme, elle pré-
cipite sa conversion. Dans ses articles et discours de
cette époque[38] on ne trouve, il est vrai, presque pas
d'allusions directes à l'Affaire. Tous au contraire dégagent une haine violente à l'égard des individualistes et
tous sont imprégnés d'un esprit qu'il faudrait qualifier
de « traditionaliste », voire de « nationaliste ».

C'est le 22 avril, peu après le premier procès de Zola
et la fondation de la Ligue des Droits de l'Homme,
que Brunetière prononce un long réquisitoire « contre
l'individualisme. » [39] Prenant la parole à Bordeaux, où
l'avaient invité les membres de la « Société Ozanam »[40]
ce grand individualiste manqué dénonce une philosophie
qu'il juge funeste pour la famille, la société et la patrie.

Esquissant d'abord l'histoire de l'individualisme il
précise que celui-ci ne date que de l'époque de la Renaissance. Peut-être existait-il dans les sociétés antiques,
mais nous ne pouvons en être sûrs. Les hommes de la
Renaissance, et plus particulièrement ceux de la
Renaissance italienne, sont les premiers grands individualistes au sens moderne du terme.

Au dix-septième siècle l'individualisme reçoit comme
sa consécration philosophique grâce aux efforts de cet
esprit « singulier »[41], « personnel, dédaigneux et mépri-
sant »[41] que fut Descartes. Son mot célèbre « Ne recevoir
aucune chose pour vraie qu'on ne la connaisse évidemment être telle » — mot « hardi » et « téméraire »[41] —

fonde du même coup l'individualisme, le rationalisme
et l'intellectualisme.

Au dix-huitième siècle, grâce surtout à l'influence de
Rousseau, la doctrine gagne en ampleur. La Révolution
« achève »[41] « couronne »[41] et « consolide »[41] ses progrès, et les romantiques l'élèvent « à la hauteur d'un
véritable dogme »[41]. Hugo, Michelet, Sainte-Beuve même,
ne nous livrent jamais que l'histoire de leurs variations
d'opinion.

D'autre part, dit Brunetière, on se tromperait lourde-
ment en croyant que le déclin du romantisme ait entraîné celui de l'individualisme qui, à l'heure actuelle, vient
de trouver une nouvelle expression encore plus audacieuse dans l'œuvre des Renan et des Nietzsche.

Terminant ainsi un exposé historique qui ne manque
peut-être pas de quelque arbitraire — la doctrine
de Nietzsche, par exemple, n'est-elle pas essentiellement
différente de celle de Descartes ? — Brunetière en vient
à la définition de l'individualisme. « On n'aurait peut-
être pas tort, dit-il, d'accepter la définition nietzschéenne
et de voir dans l'individualisme « la revendication de
l'autonomie du moi, l'affirmation de sa souveraineté, sa
glorification... ou même son apothéose ».[42] Mais une définition plus restreinte suffirait et nous pourrions le
caractériser comme « la revendication de la somme de
libertés qui nous sont nécessaires à chacun pour accom-
plir notre destinée ».[42]

Mais cette conception implique une contradiction manifeste car « notre destinée ne peut s'accom-
plir qu'au moyen de la société ».[43] Avec toutes ses im-
perfections, seule la société garantit « la liberté de nos
vies et le développement de nos facultés »[43]. La conséquence est évidente : en attaquant « dans leurs principes
et dans leur essence les fondements de la société, la
patrie, la famille » l'individualisme marche « contre
son propre but »[43] et empêche ce même perfectionnement « qu'il prétend assurer »[43].

En effet, la société ne subsiste que grâce à un ensemble de conventions que veulent révoquer en doute les

individualistes. Ceux-ci légitiment « la théorie mons-
trueuse de la concurrence vitale »[43], proclament « la hi-
deuse religion du succès[43] et veulent nous faire croire
que « l'objet final de la civilisation » est de produire
« de loin en loin un Ernest Renan ou un Frédéric Nietzsche.[43] Leurs doctrines, qui nous ramèneraient au niveau
des brutes, menacent la société « dans son principe,
dans son organisation, et dans son objet ».[43] Bien loin
de favoriser « le développement intellectuel de chacun
de nous » l'individualisme « finit par lui nuire »[43].

Il est évident que le perfectionnement individuel exige
d'une part « une perpétuelle défiance de soi »[43] et d'autre part des rapports normaux avec les semblables. « Dès
qu'on a confiance dans ses propres lumières, et vivre
(sic) de son fonds, on se condamne par là même... à ignorer beaucoup de choses. On s'expose à découvrir tous
les jours la Méditerranée ou l'Amérique »[44]. De même
que le chêne a besoin du sol et de l'atmosphère, « l'individu que nous sommes »[44] ne peut se passer de la
société.

Les problèmes posés par les progrès de l'individualisme ne sont pas insolubles et nous pouvons employer
plusieurs remèdes. Mais essentiellement ces remèdes se
ramènent à un seul — travailler constamment à dominer
nos instincts égoïstes par des mobiles altruistes. Ne
cherchons pas à nous distinguer des autres hommes,
comme le faisait le trop célèbre citoyen de Genève mais, à
l'instar de Montaigne, apprenons « combien il y a peu
de chose en nous qui soit vraiment nôtre, combien nos
individualités sont des dépendances, ou comme disent
les mathématiciens, des fonctions de celles de nos semblables ».[44] Nous ne triompherons des excès de l'individualisme qu'en développant l'esprit de la solidarité et
celui de l'association[44] et en réalisant ainsi « la seule
forme de progrès qu'il y ait peut-être au monde... le
progrès social, le progrès moral et le progrès religieux »[45].

Cette phrase, par laquelle Brunetière termine sa conférence, ne devrait pas nous induire en erreur. Ce n'est
pas dans la religion mais plutôt dans la morale « laïque »

de l'altruisme ou de la solidarité qu'il cherche un remède à l'individualisme. Il a développé les idées qu'il esquissait déjà sous une forme embryonnaire dans son article sur *George Eliot*[46] et qu'il consignait dans son *credo* : il ne les a pas essentiellement modifiées.

Parmi les idées qui sont particulièrement menacées par la doctrine individualiste se trouve en premier chef celle de la patrie. « Sachez bien, déclare Brunetière dans son discours de Bordeaux, qu'en France il n'y a guère d'idées plus obstinément attaquée que celle de la patrie ».[47] Elle est, dit-il, attaquée par les internationalistes, par les anarchistes et par « de certains savants qui la déclarent étroite et surannée ».[47] L'âme française elle-même risque d'être mortellement atteinte.

Or, les principaux ennemis de cette « âme française »[48] sont justement ceux qui veulent discréditer les plus belles traditions de notre pays, et surtout nos traditions militaires et religieuses. « Quand nous avons formé *la Ligue de la Patrie française*, et annoncé notre ferme propos de maintenir... les traditions qui sont... celles de ce pays de France, on nous a demandé, dit-il, ce que c'étaient que ces traditions ? »[49] Or, la réponse est simple car nous avons « une tradition militaire »[49] ; et nous avons aussi... « une tradition religieuse ».[50] C'est ainsi que, sans parler ouvertement des dreyfusards, Brunetière prend sur lui la défense de l'armée française et de l'Eglise... nationale.

Car en France l'Eglise catholique est vraiment une institution nationale. « Partout où j'ai passé, dit-il à Besançon en février 1898[51], — c'est-à-dire en pleine Affaire Dreyfus — « partout où j'ai passé, j'ai pu constater que le catholicisme c'était la France, et la France c'était le catholicisme... j'en suis convaincu maintenant, et je voudrais... dans le seul intérêt de la grandeur du nom français, que tout Français en fût convaincu comme nous... Tel est, aujourd'hui, l'état du monde civilisé, qu'un Français ne saurait rien faire contre le catholicisme, qu'il ne le fasse au détriment de la grandeur de la

France »...[51] On ne peut donc être ensemble « Français et anticatholique ».[52]

Brunetière tient à préciser que, tout en voulant défendre les traditions nationales, il entend repousser « avec énergie »[53] la doctrine nationaliste. Une telle attitude ne pouvait que choquer son collègue, Maurice Barrès, et la divergence entre leurs points de vue allait encore s'accentuer.[54] En 1902 Brunetière prétendra même distinguer le « nationalisme de Barrès »[55] du vrai nationalisme. « Ils n'ont à la bouche, écrit-il dans ses papiers inédits, que la continuité de la tradition française qu'il leur faudrait commencer par définir, ce qu'ils se gardent bien de faire, et, en attendant, ils ont l'air d'ignorer que cette *centralisation* contre laquelle ils déclament a été l'objet de toute l'histoire de France. »[55]

Mais bien qu'il ne soit pas « nationaliste » au sens barrésien de ce terme, Brunetière défend jalousement — et surtout à cette époque — les intérêts de la patrie. Estimant que la grandeur française est inséparable de l'influence du catholicisme il se demande si les Français vraiment patriotes n'ont pas le devoir de proclamer leur adhésion à l'Eglise. D'un autre côté il n'est pas convaincu que la morale de la solidarité constitue le meilleur rempart contre les ravages de l'individualisme. Il lui faut un point d'appui plus sûr, plus solide, et seul le catholicisme est en mesure de le lui donner. « Je l'ai trouvé, et je ne l'ai trouvé que dans le catholicisme », déclare-t-il à Besançon le 25 février 1900[55] « Oui, je n'ai trouvé qu'en lui l'aide et le secours dont nous avons besoin contre l'individualisme ; c'est à la lumière de ses enseignements que j'ai compris aussi, à voir, dans le présent et dans le passé, comment le catholicisme et la grandeur de la France étaient inséparables l'un de l'autre, que nous n'avions pas de plus sûre protection ni d'arme plus efficace contre les progrès de cet internationalisme dont vous parliez tout à l'heure. »[57]

En admettre autant c'est déjà se ranger définitivement du côté de l'Eglise et Brunetière n'hésite donc pas à ajouter : « Indépendamment de toute idée personnelle, ce sont là des faits certains, ce sont des vérités qui s'imposent, et du jour où l'évidence m'en est entièrement apparue, c'est de ce jour que je me suis déclaré catholique »[58].

Le geste décisif, qu'il avait laissé prévoir une année et demie plus tôt,[59] était maintenant accompli et c'est avec une réelle émotion que Brunetière avoue sa reconnaissance à la Conférence Saint Thomas d'Aquin. « Il m'est doux, dit-il, que d'une évolution commencée à Besançon, voilà tantôt quatre ans, ce soit à Besançon que j'en ai trouvé le terme ».[60].

Au premier abord cette déclaration ne paraît laisser aucun doute sur l'état d'esprit de Brunetière. Sa position, dirait-on, est nette, ferme, tranchée. Il est loin pourtant d'avoir levé tous ses scrupules, d'avoir maîtrisé toutes ses hésitations. Naturellement inquiet, se sentant plus proche de Pascal que de Bossuet, il n'atteindra jamais la pleine sérénité de la foi qu'il enviait à ce dernier.

L'année 1900 elle-même — qui marque, comme nous l'avons vu, son retour à l'Eglise catholique — est déjà pour lui une année troublée par l'inquiétude. La rapide détérioration de sa santé, qui n'avait jamais été bonne, le plonge dans un profond désespoir qu'il n'essaie pas de cacher à son amie Mme Buloz.

Il s'était d'abord efforcé de plaisanter à ce sujet. « On prend comme on peut, lui avait-il écrit le 26 avril, sa part du congrès de la tuberculose ! »[61] et en août il avait même osé croire à « un temps d'arrêt »[62] dans sa « décadence ».[62] Mais le 15 septembre il ne se permet plus d'illusions : « En ce moment, écrit-il à cette date,[63] je suis plus sombre et plus désespéré que jamais, sans en avoir de raison particulière, ce qui est le comble du pessimisme, et tout simplement parce qu'en avançant en âge je ne trouve point la vie plus gaie. Après tout, ces accès dont je ne puis moi-même me rendre compte ne sont peut-être, dirait la médecine, que les prodromes

du mal encore latent qui m'emportera quelque jour.
Voilà, je pense, un paragraphe assez gai, et c'est bien
la peine de vous écrire pour vous dire de ces choses !... »[64]
Cette angoisse physique est doublée d'incertitudes intellectuelles. Brunetière, qu'on pourrait maintenant croire
un allié aussi fidèle du Vatican qu'il était incontestablement un ami loyal de Léon XIII, est « irrité »[65] et
« obsédé »[65] par « le secret de Calvin »[65]. Six mois après
sa déclaration de Besançon il regarde « du côté de
Genève ».[66].

En effet, ses rapports avec le Vatican paraissent extrêmement cordiaux et, au mois de janvier, le Saint-Siège
l'invite même à faire une conférence « en territoire pon-
tifical ».[67-68] Nombreux sont les prélats qui, en cette
occasion, l'entendent parler de « *la Modernité de Bossuet* » et « peu s'en était fallu »[69] que le pape ne fût venu
l'écouter.

Bossuet, dit-il, est un moderne par « la nature même
de son style et l'accent poétique de son éloquence »[70]
mais il l'est surtout en tant que « préoccupé des grandes questions qui nous occupent toujours et, particulièrement, de la question si délicate et si grave de la réunion des Eglises »[71]. On pourrait croire qu'il a échoué
dans cette œuvre mais de nos jours « on a recommencé
et heureusement, de sentir le prix de l'unité. On a compris que ce qui fait en tout genre la valeur de l'individu,
c'est le coefficient social. »[72] Peut-être comprendra-t-on
aussi que nous avons besoin d'une Eglise qui, grâce à
son immutabilité soit en mesure de garantir les fondements mêmes de notre société. Une seule Eglise, celle
de Bossuet, pourra répondre à cette espérance.

A la suite de cette conférence, Brunetière reçoit les
félicitations de plusieurs membres de la hiérarchie[73] où
il commence à compter des amis influents. Il est donc
d'autant plus surprenant qu'à peine dix mois plus tard
il paraisse s'entendre très mal avec Rome. Peut-être y
rencontrait-il trop d'opposition au rôle d' « apôtre
laïc » qu'il entendait jouer.

Quoi qu'il en soit il commence à s'intéresser à Calvin

auquel il consacre le 15 octobre un article particulièrement élogieux.[74] « *L'institution chrétienne* », dit-il, est
« un des grands livres de la prose française »[75] et, à
quelques égards, son auteur mérite d'être rangé au-dessus de Bossuet et de Pascal eux-mêmes. « A la dangereuse illusion de la bonté de la nature, nul n'a opposé
plus franchement, ni Pascal, ni Schopenhauer, en termes plus énergiques ou plus durs... la doctrine de la
perversion ou de la corruption foncière de l'humanité.
Nul, pas même Bossuet ou J. de Maistre, ... n'oppose plus
hardiment ni plus éloquemment la doctrine de la Providence... à la doctrine encore informe, mais déjà visiblement naissante, de l'indépendance ou de la souveraineté
de la nature. »[76]

On pourrait lui faire de graves reproches. Sa morale
est « arbitraire », « inquisitoriale et tyrannique »[77], le
principe de sa théologie est aussi « vacillant »[78] qu'il est
« ruineux »[78] et sa religion est avant tout une religion
« individualiste ». Néanmoins son hérésie n'a pas été
inutile « à l'Eglise même »[79] et, sans Calvin, ni Pascal ni
Bossuet ne seraient « tout ce qu'ils sont »[80].

Cet article, qui n'a pas manqué de surprendre ses
amis, reflète la réelle sympathie que Brunetière éprouvait en ce moment à l'égard du protestantisme. Mais,
pour sincère qu'elle fût, cette sympathie était teintée
d'opportunisme et, lorsque son ami de Vogüé l'interrogeait sur ses intentions, Brunetière lui aurait répondu :
« Il n'est pas mauvais que l'on sache à Rome que je
regarde aussi du côté de Genève »[81].

En tout cas il ne tarde pas à proclamer d'une manière
retentissante sa soumission à l'autorité de Rome — « Ce
que je crois, déclare-t-il le 18 novembre à Lille, ce que
je crois... allez le demander à Rome ! »[82] — et lorsque
l'année suivante il parle à Genève même de Calvin, c'est
pour le critiquer sévèrement d'avoir « intellectualisé »[83],
« aristocratisé »[83] et « individualisé »[83] le concept même
de la religion.

Sa deuxième profession de foi catholique constitue le
point culminant d'un important discours dans lequel

Brunetière expose ce qu'il appelle les « raisons actuelles de croire »[84]. Expliquant le sens de ce titre, il précise que de tout temps il y a des raisons de croire qui sont plus conformes que d'autres « aux exigences de l'heure présente »[85] et que c'est précisément en s'adaptant à ces exigences constamment modifiées que l'apologétique évolue.

Brunetière estime que pour ses contemporains de 1900 il y a « trois sortes »[86] de « raisons actuelles de croire »[86] : celles qui sont « de l'ordre philosophique »[86], celles qui sont « morales ou sociales »[86], celles enfin qu'on pourrait qualifier « de critiques ou d'historiques »[86].

Les soi-disant « raisons philosophiques » sont négatives plutôt que positives. « Réduite à ses seules ressources »[87], la philosophie, dit Brunetière, est incapable de résoudre une seule des questions qui ont pour l'homme un intérêt vital. « Cela la passe et la dépasse »[87]. Les hommes, qui ont « besoin d'une autorité qui décide »[87], se voient donc obligés de faire appel à la religion.

Reconnaissant que ces raisons pourraient paraître « entachées ou suspectes au moins de fidéisme »[88], Brunetière tient à préciser qu'elles sont valables pour prouver « l'utilité »[88] mais non la « véracité »[88] d'une religion donnée. Son deuxième argument, tiré de la convenance entre le catholicisme et la démocratie, lui paraît beaucoup plus probant.

La devise républicaine, dit-il, n'a de sens « qu'à la lumière de l'idée chrétienne »[89]. C'est au christianisme que nous sommes tous redevables des idées de liberté, d'égalité et de fraternité. Toutes les sociétés païennes de l'antiquité étaient fondées sur l'esclavage et « non seulement l'idée de liberté n'est entrée dans le monde qu'avec le christianisme, mais la notion ne s'en est réalisée que dans les sociétés chrétiennes »[90]. Il en est de même pour les idées d'égalité et de fraternité, deux conceptions auxquelles l'homme ne peut s'élever « naturellement ». Pourquoi donc ne pas avouer franchement notre dette envers le christianisme et reconnaître tout

ce que lui doivent nos légitimes aspirations sociales ?
« Le christianisme est le christianisme, social donc à ce
titre... (et) la démocratie ne pouvant trouver qu'en lui
son principe et sa justification... tout ce qu'il a jamais
gagné sur les esprits des hommes, c'est la démocratie
elle-même qui l'a gagné... »[91].

Vers la fin de son discours, Brunetière avoue que sa
propre conversion devait beaucoup à cet argument. Certes, il avait eu d'autres raisons — « de plus intimes et
de plus personnelles »[92] — de s'incliner. « Il y a, dit-il,
bien des chemins qui mènent à la croyance, et j'en ai
exploré, j'en ai parcouru, j'en ai suivi plus d'un... »[93].
Mais parmi les raisons générales, celles de l'ordre social
avaient été « les plus décisives »[94] pour lui. Comme le
Père Hecker[95] il s'était fait « catholique »[96] pour pouvoir
être ou demeurer impunément « démocrate »[96].

Remarquons toutefois que cet aveu s'accorde mal avec
la déclaration qu'il avait faite en février à Besançon[97].
Il cherchait alors un « point d'appui » pour combattre
l'individualisme et l'internationalisme[97]. Maintenant il
croit trouver dans le catholicisme « la justification »[98] de
la devise à laquelle il « continue de croire »[98]. Ses raisons
de croire ne sont donc plus tout à fait les mêmes.

En effet, sa « conversion » est plus complexe qu'on
ne l'a souvent prétendu et au moment même où il affirme hautement l'autorité de l'Eglise « en matière de
dogme et de morale »[99] il laisse entrevoir d'importantes
réserves intellectuelles. Aucun passage n'est plus significatif à cet égard que celui qu'il consacre aux progrès
de l'exégèse.

Ces progrès, dit-il, constituent une troisième catégorie
de « raisons actuelles de croire » car « le plus grand
effort que l'on ait tenté pour nous dissuader de croire »[100]
n'a réussi finalement qu'à mettre hors de doute l'unicité
du christianisme.

L'exégèse avait fait « la joie et le tourment »»[100]
de ce lecteur si assidu de Renan, de Strauss et de Burnouf. « Sur la parole de ceux qui ne savaient pas l'hébreu »[101] il avait failli croire à « la modernité des pro-

phètes »[101] et « sur le témoignage de ceux qui ne savaient
pas le grec »[101] il avait admis « que la vérité des mystères dépendît d'une interpolation dans un verset de saint
Jean »[102]. Mais il était revenu de ces erreurs de sa jeunesse et comprenait maintenant « qu'en tant que l'exégèse et la critique ont eu pour objet... de jeter du doute
sur les vérités de la religion, elles y ont décidément et
finalement échoué »[103]. Elles n'ont pas prouvé « que la
propagation du christianisme ne fût pas l'œuvre des
apôtres » et que, malgré leurs discordances, les quatre
Evangiles « ne fussent pas tous les quatre, en substance,
la biographie mortelle et l'enseignement du même
Jésus »[103].

Nous devrions même leur être reconnaissants de nous
avoir permis de poser nettement cette question capitale :
« Croyons-nous ou ne croyons-nous pas que Dieu se soit
incarné dans la personne de Celui qui s'est dit le Fils de
Dieu ? »[104]. Grâce à l'exégèse nous n'avons plus qu'à nous
prononcer sur ce seul point et le reste suivra « de soi »[104].

Ne nous y méprenons pourtant pas. Si elle est maintenant « simple à poser »[104], cette question n'en reste pas
moins « la plus grande, la plus troublante qui se soit
jamais élevée parmi les hommes »[104] et nous ne pouvons
nous y dérober. « C'est ici, qu'une fois au moins dans
notre vie, tous tant que nous sommes, il nous faut
répondre »[104].

Brunetière n'est pourtant pas encore prêt à se prononcer sur « ce seul point ». Il se contente de poser la
question, telle qu'elle se présente à son esprit, et de sou-
haiter que la croyance lui apporte la certitude qu'il désire. Arrivé au point où « se termine le domaine de l'apologétique »[104] et où commence « l'opération individuelle
et mystérieuse de la foi »[104] il demeure dans l'expec-
tative.

CHAPITRE VIII

L'ŒUVRE APOLOGETIQUE DE BRUNETIERE :
L'UTILISATION DE L'EVOLUTIONNISME

A partir de ce moment, et bien qu'il n'ait pas répudié tous les scrupules qui l'empêchent d'adhérer pleinement au catholicisme, Brunetière entreprend une importante œuvre apologétique. Elle prend parfois un caractère épisodique et au besoin Brunetière défend la cause de l'enseignement libre[1], célèbre les progrès du catholicisme social[2] ou proteste contre une éventuelle séparation de l'Eglise et de l'Etat[3]. Mais il conçoit également le projet d'écrire un vaste ouvrage sur « *les chemins de la croyance* », ouvrage qu'il a longuement préparé du reste, bien qu'il n'en ait effectivement publié que le premier volume.[4]

Son effort personnel s'encadre dans un mouvement généralisé vers la fin du dix-neuvième siècle, de renouvellement des méthodes d'apologétique. De même que dans le domaine philosophique le rationalisme positiviste avait essuyé un échec, ainsi les preuves théologiques basées sur la validité de la raison raisonnante ne paraissaient-elles plus universellement acceptables. Dès 1895 Fonsegrive, directeur de la nouvelle revue *La Quinzaine*, constate que plusieurs de ses jeunes contemporains ont « contre la métaphysique objective et démonstrative tous les préjugés accumulés à la fois par les disciples de Comte et les disciples de Kant »[5], et au

début du vingtième siècle l'abbé Denis et le P. Laberthonnière mènent dans *les Annales de philosophie
chrétienne*, malgré l'opposition de *la Revue Thomiste*,
toute une campagne pour « la raison de fait, la raison
de constatation et d'expérience qui caractérise la méthode moderne »[6]. Brunetière pour sa part verra dans
l'acceptation de cette « raison de fait » une défense très
efficace contre les ratiocinations équivoques de Renan.[7]
Les « modernistes » se déclaraient en général partisans de la preuve dite « morale » et basaient leur apologétique sur l'affirmation que seul le catholicisme est
à même de satisfaire à nos diverses exigences spirituelles.
Ollé-Laprune et son élève Fonsegrive[8] étaient parmi les
principaux représentants de cette tendance mais Brunetière préférait reprendre pour son compte la définition
qu'en avait donnée le Père Hecker. « Traitant chaque
point de notre doctrine »[9] celui-ci avait « tout d'abord »[9]
considéré « à quel besoin de notre nature chaque dogme
se rapportait et s'adressait spécialement »[9] et, dans un
passage cité par Brunetière, il concluait que seule la
religion catholique donnait des réponses « adéquates et
satisfaisantes »[9] aux « légitimes exigences »[9] de ces
besoins. En 1901, sans mentionner le Père Hecker,
Brunetière revenait sur cet argument et, dans un curieux
schéma qu'il a laissé inédit[10], admettait que les conve-
nances naturelles »[10], la « valeur morale »[10] et les « vertus sociales »[10] du catholicisme constituaient les trois
principales preuves de sa vérité. En revanche, ajoutait-il
dans le même endroit[10], on pourrait prévoir contre cette
vérité quatre objections éventuelles, constituées respectivement par l'exégèse, la constitution de l'Eglise, le
« dogme »[11] et « la quantité de surnaturel nécessaire à
(la) définition chrétienne ».[11] Pour répondre à l'avant-
dernière d'entre elles on aurait recours au « livre de
Newman »[11], pour réfuter la deuxième à « l'argument
de Bosuet »[11].

Nous verrons tout à l'heure le parti qu'il a tiré
du « livre de Newman » mais il est intéressant de cons-

tater qu'après 1901 ce converti de Pascal et de Bossuet
n'a guère eu recours aux *Pensées* et aux *Oraisons Funèbres* pour les besoins de son apologétique. Ses notes inédites nous prouvent que s'il avait l'intention de le faire
cette intention est restée à l'état de projet. Les références à Bossuet y sont très rares[12] et si le nom de
Pascal revient plus souvent une petite note nous permet
de songer que Brunetière est bien moins admiratif à son
égard qu'il ne l'avait été vers 1890. « Pascal. Le Trépied,
écrit-il en 1904[13] : Pessimisme moral : Détresse intellectuelle : Angoisse métaphysique : *Quare me dereli-
quisti* ? Religion de Pascal trop personnelle... »[13].

Quant à la preuve tirée des « vertus sociales » du
catholicisme Brunetière, lié d'amitié avec les Sangnier[14],
les Albert de Mun[15] et les Jacques Piou,[16] revient volontiers là-dessus. Il consacre de nombreux articles et conférences à l'action sociale du christianisme » et se montre toujours prêt à faire l'éloge d'un Flandrin[17] ou d'un
Manning.[18] Mais au fond sa propre contribution dans ce
domaine n'est ni très précise ni très originale. Entraîné
par l'enthousiasme général il se contente de proclamer
qu' « à l'individualisme révolutionnaire, c'est l'action
sociale chrétienne qu'il nous faut opposer ».[19]

Son apologétique devient plus personnelle lorsqu'à
l'instar de certains théologiens modernistes[21] il essaie
d' « utiliser » au profit du catholicisme les doctrines de
Comte, de Spencer et de Darwin.

Son discours sur « *les raisons actuelles de croire* »[22]
constitue pour lui un « essai »[23] de cette méthode d'apologétique « non moins hasardeuse que nouvelle »[23] mais
dans l'avenir de laquelle il met « non moins d'espoir
que de confiance ».[23] La méthode, dit-il, consiste notamment à « utiliser » au profit du catholicisme les systèmes
de ces grands penseurs dont on ne fera pas « qu'ils
n'aient renouvelé la pensée du dix-neuvième siècle »[24]
— Comte et Darwin. Il y a, dit-il à Lyon une année plus
tard, « du bon dans le positivisme et dans l'évolutionnisme ; il doit y en avoir ; il ne se peut pas qu'il n'y en
ait pas ! »[25] Il n'y a peut-être que les « morceaux »[26] de

ces systèmes qui sont bons. Que l'on ramasse donc ces « morceaux »[26] pour les faire servir « à l'édification ou à la restauration de la vérité ».[27] Si la philosophie n'a guère fait que « laiciser » des idées catholiques nous n'avons qu'à « récatholiciser » les emprunts qu'elle nous a faits. C'est ainsi qu'en conformité avec toute l'histoire de l'Eglise catholique, l'hérésie même servira à avancer la cause de la vérité.

Il n'est pas impossible qu'à l'origine de cette tentative d'apologétique se trouve l'influence lointaine de cet Emile Beaussire qui, vingt-cinq ans plus tôt, avait guidé les débuts de son jeune parent et ami.[28] Ce nouvel effort de réconciliation entre la pensée contemporaine et la théologie classique ne lui aurait certainement pas déplu. Mais Brunetière déclare simplement que la méthode qu'il entend employer fut « jadis indiquée »[29] par le cardinal Newman, théologien et évolutionniste, dont le nom désormais reviendra très souvent sous sa plume, plus souvent peut-être que le nom de Darwin.

En effet, Newman jouissait alors en France d'un prestige qui était déjà ancien[30] et qui, grâce surtout à l'influence de Thureau-Dangin[31], de Georges Goyau, d'Ollé-Laprune[32], un peu plus tard de Lucie Félix-Faure[33] et de l'abbé Brémond[33] devait encore augmenter. Nous savons que Brunetière possédait plusieurs des ouvrages de Newman et qu'il en annotait quelques-uns et il est possible que, même avant sa visite à Rome, il ait entrevu l'utilité que pourrait avoir pour un apologiste du catholicisme les arguments exposés dans l'*Essai sur le développement de la doctrine chrétienne*. De toute manière il les emploiera souvent au cours des cinq dernières années de sa vie.

Comme nous l'avons déjà vu, Brunetière était évolutionniste de longue date[34] et en 1890[35] il avait même essayé de fonder la critique littéraire sur de soi-disant bases darwiniennes. Sa préoccupation du problème de l'évolution du dogme religieux était presque aussi ancienne et quelques références éparses nous prouvent

qu'il y réfléchissait déjà en 1881[36]. Mais c'est seulement
vers 1894 que, grâce sans doute à son collègue Ollé-Laprune,[37] il étudie l'*Essai sur le développement de la doctrine chrétienne* et se rallie aux principales thèses de
son auteur. Convaincu désormais que le dogme évolue
de son propre fonds sans pourtant être essentiellement
modifié, et que ce processus n'est pas sans analogies avec
la croissance d'un chêne ou la transformation d'un œuf,
il n'admettra plus qu'il puisse y avoir une opposition
fondamentale entre l'évolutionnisme et l'enseignement
de l'Eglise.

Déjà en mai 1895[38] il constate que la doctrine évolutive « est venue donner en quelque sorte une base phy-
siologique au dogme du péché originel »[39] et qu'ainsi elle
a rendu celui-ci plus acceptable à l'homme moderne.
« Ce que Pascal déclarait « inconcevable » ou « incom-
préhensible », dit Brunetière, la théorie de la descendance en a fondé la recevabilité sur la base même de
l'histoire naturelle ».[40]

En 1898,[41] revenant sur la question des rapports entre
l'évolutionnisme et la théologie, il fait remarquer que si
Mgr d'Hulst s'était cru obligé de condamner sévèrement
et en bloc la théorie de Darwin, d'autres et notamment
un certain prêtre de la Louisiane, le Père Zahm, avaient
démontré qu'elle pouvait devenir « l'utile et la puissante
alliée du dogme catholique »[42] Et l'exemple de Newman,
ce darwinien d'avant l'heure,[43] ne doit-il pas suffire à
nous en convaincre ?

Mais au moment où Newman publiait son célèbre
Essai la doctrine évolutive dont il fut justement l'un des
précurseurs[44] était « fort éloignée de l'ampleur et de la
précision qu'on l'a vue prendre depuis lors »[45] D'autre
part, les théologiens de son époque ne tenaient plus
compte du développement du dogme mais concluaient
arbitrairement qu'il avait « varié »[46]. N'y aurait-il donc
pas lieu, demande Brunetière en 1900, « de reprendre la
question des deux côtés à la fois... en s'aidant ensemble
de l'histoire du dogme mieux connue et de l'évolution
mieux comprise ? »[47] Puisqu'on a déjà essayé de nous

montrer comment les dogmes « finissent »[48] et comment
ils « *renaissent* » ne serait-il pas opportun de montrer
tout simplement comment ils « durent »[49] et « à mesure
de leur durée, s'enrichissent de tout ce qu'il y avait de
vertu latente et de substance cachée dans leur contenu
primitif ».[50]

Dans sa conférence sur « *les motifs d'espérer* »[51], Brunetière précise sa pensée sur cette question et, d'après
Newman, qu'il cite à deux reprises[52], s'efforce de définir
les caractères d'un « développement légitime »[52] du
dogme. Or, la thèse essentielle de l'auteur de *l'Essai sur*
le développement de la doctrine chrétienne se résume,
dit Brunetière, dans cette idée qu' « en raison de la
nature de l'esprit humain, le temps est nécessaire pour
l'intelligence complète et le perfectionnement des grandes idées, et que les vérités les plus élevées, encore que
communiquées au monde une fois pour toutes par des
maîtres inspirés, ne sauraient être comprises tout d'un
coup par ceux qui les reçoivent. »[62] Loin donc de l'exclu-
re, le caractère éternel de la vérité chrétienne se concilie
parfaitement avec la possibilité du progrès dans le
christianisme.

La révélation, il est vrai, est « d'abord complète en sa
substance et totale en son fond »[53] mais elle est « succes-
sive en ses manifestations et mesurée par son auteur au
progrès successif de l'intelligence humaine »[53]. Tout en
restant « identique en son fond »[53] elle s'est « éclaircie,
précisée, développée dans sa forme » du *Pentateuque*
aux *Prophètes* et des *Prophètes* à l'*Evangile* ». Aujour-
d'hui même certains passages de l'Evangile restent
obscurs et sans toutefois vouloir se prononcer sur ce
point, Brunetière se demande si « l'autorité du siège de
Saint Pierre »[54] n'a pas été instituée précisément pour
les éclaircir. Remarquons en passant que cette conception de la révélation se concilie difficilement avec l'idée,
déjà chère à Brunetière,[55] de l'unicité du christianisme.
Si la révélation est toujours restée « identique en son
fond » depuis l'époque de Moïse, le christianisme ne
serait plus qu'un développement du judaïsme.

D'un autre côté, les dogmes eux-mêmes sont « toujours en substance tout ce qu'ils seront, et cette substance ne variera pas ».[56] Mais, les hommes qui les reçoivent étant des êtres « contingents »[57] et « successifs »[57], ces dogmes doivent être perpétuellement « adaptés »[57] à des exigences nouvelles. A l'instar de la chrysalide qui devient papillon[58] ils réalisent le plein développement de leur être sans pourtant changer de nature. On serait tenté de parler de leur « évolution »[59] mais, « de peur d'être mal compris »[59] il vaudrait mieux ne parler que de leur « vie »[59]. Ayant été accusé par certains théologiens[60] d'avoir montré trop de sympathie pour le « modernisme », Brunetière choisit maintenant ses termes avec une grande circonspection.

L'année suivante, traitant la question de nouveau dans un discours sur « *le progrès religieux dans le catholicisme* »,[61] il insiste davantage sur le rôle de l'infaillibilité pontificale. Le dogme, dit-il, n'évolue pas moins dans le protestantisme que dans le catholicisme mais dans celui-ci son évolution n'est jamais livrée « à l'inspiration individuelle d'un moine saxon ou d'un curé de Picardie »[62]. Newman avait parfaitement compris que le christianisme doit « humainement parlant, avoir un organe infaillible »[63]. Quoi qu'en ait dit Renan[64], le dogme vit d'une vie intérieure « intense »[65] et « ininterrompue »[65] et « la richesse de son développement »[66] pourrait mettre en péril son immutabilité même. Il faut donc qu'il y ait dans le christianisme une autorité dont le rôle, analogue, si l'on veut, à celui de la Cour suprême des Etats-Unis ou de la Cour de Cassation en France, « soit de démêler, ou de décider, parmi les développements du dogme, lesquels sont légitimes et lesquels ne le sont pas ; lesquels étaient contenus implicitement dans sa formule et lesquels ne l'étaient point; lesquels enfin élargissent sans le dénaturer, l'enseignement de l'Eglise, et lesquels, comme au seizième siècle, en prétendant l'épurer, le déforment »[66].

Brunetière, on le voit, accepte maintenant sans réserves la doctrine de l'infaillibilité pontificale et ce chan-

gement dans son attitude est dû sans aucun doute à
l'influence d'un théologien dominicain le Père Lepidi,[67]
qu'il avait déjà consulté à ce sujet et auquel il avait envoyé en août 1900 « un travail... sur l'*Evolution du
dogme* ».[67] Peu de temps avant de prononcer son discours sur « *le progrès religieux* » Brunetière s'était
rendu à Rome dans l'espoir de pouvoir mettre sur quelques-unes de ses paroles « un plus fort accent de
certitude »,[68] et il y avait vu — du reste pour la dernière
fois — le pape Léon XIII et s'était entretenu avec le
Père Lepidi de certaines questions de doctrine qui
« l'inquiétaient ». Il est fort probable que leurs conversations ont porté notamment sur le rôle du Saint-Siège
dans la définition du dogme. Désormais Brunetière est
de ceux qui tiennent « pour entièrement décidée »[69] la
question de l'infaillibilité pontificale. Celle-ci résulte
nécessairement, dit-il dans un de ses derniers articles,
« de la nature de la tradition telle qu'on la conçoit dans
le catholicisme, et telle qu'on ne la pourrait autrement
concevoir sans qu'il cessât d'être le catholicisme ».[70]
   A partir de 1900 Brunetière, on vient de le voir, asso-
cie surtout le nom de Newman à la théorie de l'évolution du dogme et même à celle de l'évolution tout
court. Certes, il ne manque pas de rendre hommage aux
grandes qualités de Darwin mais il estime qu'« en allant
plus loin »[71] que Newman il avait faussé la doctrine, et
qu'en y superposant « des généralisations plus vastes »[72]
ses disciples en avaient compromis « jusqu'à la vérité »[72]. « En y mêlant la question de l'origine ou de la
transformation des espèces »,[73] les Darwin et les Spencer, dit-il, faisaient dépendre la doctrine « d'une démonstration que la science naturelle n'a pas fournie »[73] et
la rendaient ainsi « plus contestable »[73]. Sans s'être
aventuré sur un terrain si périlleux Newman avait
« plus qu'entrevu toute la fécondité de l'idée »[74] et cela
quelques années avant la publication de l'*Origine des
Espèces*[75].
   Parmi les précurseurs de Newman le plus important
était sans aucun doute ce saint Vincent de Lérins qui, au

cinquième siècle de notre ère, avait non seulement
« reconnu et défini la possibilité du développement du
dogme »[76] mais avait le premier parlé de son évolution[76].
À partir même de 1895[77] Brunetière fait de nombreuses allusions à saint Vincent de Lérins et en 1905, à l'invitation de Pierre de Labriolle, il écrit la préface pour
une nouvelle édition de son *Commonitorium*.[78] C'est pour
lui une occasion de parler de « l'évolutionnisme »[79] de
cet « ancien père »[79] dont le « mince opuscule »[79] lui
paraît « un livre essentiel dans l'histoire de la pensée
chrétienne »[79] justement parce que son auteur y a su
concilier l'idée de l'évolution du dogme avec celle de
son immutabilité. L'originalité du *Commonitorium*, dit-
il, est « dans la position même de la question ». Vincent
de Lérins était le premier à voir « d'une vue claire et
pénétrante »[80] que « l'affirmation de « la vie du dogme »
était en quelque sorte impliquée dans la notion même
de « tradition »[80]. D'autre part il avait su trouver « la
vraie formule de l'évolution du dogme »[81] et bien mis
en lumière son interdépendance avec « la production de
l'hérésie »[79].

Il était en effet venu à ses conclusions après avoir
longuement réfléchi à l'existence des hérésies. Méditant
le mot de l'apôtre, « oportet hæreses esse », il avait
reconnu qu'il faut « qu'il y ait des hérésies : pour éprouver la solidité de la croyance : pour l'obliger à se rendre
compte de ses raisons d'être ; pour qu'en se déterminant,
plutôt qu'en se fixant, elle progresse »[82]. Le dogme lui-
même ne peut vivre « que de ce que le changement et la
fermentation de ces hérésies »[83] l'obligent « de trouver
en lui-même, pour leur résister, de ressources inaperçues,
de profondeur et de fécondité ».[83]

Mais bien que l'hérésie soit un « élément nécessaire »[84]
du développement doctrinal dans l'Eglise catholique il
est néanmoins nécessaire d'opposer à sa « redoutable
fécondité »[85] un critérium qui soit aussi sûr que souple.
Ce critérium on ne le trouvera pas dans l'Ecriture, car
« c'est à interpréter fallacieusement l'Ecriture que l'hérétique excelle ».[86] On ne le trouvera pas non plus dans

l'Eglise, certaines hérésies consistant précisément à demander « où est l'Eglise ? »[86] Mais Vincent de Lérins a montré qu'il existe en dehors de l'Eglise des preuves « objectivement et éternellement subsistantes »[87] de la vérité catholique, celle-ci se définissant tout simplement comme « ce qui a été cru en tous lieux, en tout temps, et par tous : *Quod ubique, quod semper, quod ab omnibus* »[88].

Newman estimait que cette règle était d'une application difficile et reprochait à son auteur « d'avoir comme emprisonné d'avance dans un cercle d'airain ceux qui prétendraient y conformer leur foi ».[87] Or, prévoyant cette objection, Vincent de Lérins avait notamment déclaré qu'à l'instar des organismes vivants, le dogme chrétien doit nécessairement évoluer. S'il est vrai que « la vérité venue de Dieu a d'abord toute sa perfection »[88] cette vérité ne s'éclaircit que progressivement et à mesure que s'y opposent des erreurs « nouvelles ». Le catholicisme n'a donc point attendu, dit Brunetière, « que la notion moderne de « Progrès » fût devenu le grand argument de la libre pensée contre la religion »[89] mais un moine du cinquième siècle, dans une de ces pages « qui consacrent un nom dans l'histoire »[89], en avait « reconnu l'existence, et démontré la réalité ».[89]

Chapitre IX

L'ŒUVRE APOLOGETIQUE DE BRUNETIERE (*suite*) :
L'UTILISATION DU POSITIVISME

Brunetière ne s'est guère intéressé à l'œuvre d'Auguste Comte qu'à partir de 1900[1]. Estimant alors que « la France, depuis Descartes, n'a pas eu de penseur plus original ou plus profond »[2], il conçoit le projet d'utiliser son système au profit de l'apologétique. « Il y a du bon dans le positivisme, dit-il dans sa conférence sur les « *motifs d'espérer* »[3], et comment d'ailleurs n'y en aurait-il pas, si... Joseph de Maistre n'a pas moins contribué que... Condorcet à la formation de la pensée d'Auguste Comte ?[4] Si le positivisme a pu faire son profit des principes de J. de Maistre, pourquoi n'en ferions-nous pas le nôtre, à notre tour, des principes du positivisme ? »[5].

Brunetière entend toutefois faire une distinction entre ce qu'il appelle le « vrai positivisme »[6], c'est-à-dire celui de Comte, et celui qui — pour citer ses termes peut-être un peu trop vigoureux — avait été « rétréci »[6], « mutilé »[6] et « travesti »[6] par cet « excellent lexicographe et pauvre philosophe de Littré »[6]. Le soi-disant positivisme de ce dernier n'était, dit-il, que du matérialisme à peine déguisé. Et même dans « ce grand et massif édifice de la *Philosophie positive*, »[7] il y a lieu, dit Brunetière, « de faire un choix de matériaux »[7] car, si cer-

taines conclusions de Comte sont « dignes d'être rete-
nues »[8], d'autres nous paraissent à bon droit « inacceptables »[8]. Il ne nous appartient donc pas de reconstituer
son système dans son intégrité — une telle tâche ne
serait digne que de « l'érudition rétrograde »[9] des
professeurs de philosophie — mais plutôt d'en présenter un « extrait »[10] susceptible d'être « utilisé ». On
pourrait croire que nous ferions ainsi un retour à l'éclectisme cousinien. Précisons donc que notre méthode sera
entièrement objective et qu' « aucune intervention ne
s'y mêlant de notre part, le discernement s'opère de lui-
même ».[11]

En effet, l'éclectisme cousinien, « prétendûment ou
faussement spiritualiste »[12] n'est qu'une forme de ce
subjectivisme qui précisément est « l'une des grandes
erreurs que nous devrions combattre ».[13] En rétablissant
contre Cousin le caractère « extérieur »[14] ou « objectif »[14] de la vérité, Comte avait rendu aux catholiques
un très grand service. « Nous ne pouvons pas, dit Brunetière, avoir de meilleur allié que lui dans la lutte
nécessaire contre le subjectivisme... et en attaquant le
positivisme, c'est d'abord ce que l'on n'a pas assez dit »[15].

Dans sa conférence sur « *les motifs d'espérer* » où il
s'étend longuement sur ce thème, Brunetière enveloppe
dans une même condamnation particulièrement sévère la
philosophie des éclectiques et celle de Renan. « Comment
l'Eglise n'a-t-elle pas vu, demande-t-il, que tout ce spiritualisme n'était au fond que du subjectivisme, du Kant
greffé sur du Descartes, et tous les deux défigurés d'ailleurs par la grandiloquence de V. Cousin ou la subtile
bonhomie de J. Simon. Le positivisme a essayé de
substituer son « autorité spirituelle » à celle de l'Eglise,
et sa religion de l'humanité à la religion du Christ :
l'éclectisme, plus perfide ou plus hypocrite, a feint de
s'incliner devant l'Eglise, pour travailler plus tranquil-
lement à mettre les intellectuels en état de se passer de
toute religion... il nous faut toujours nous défier de
l'éclectisme (qui) existe toujours. La philosophie de
Renan, si toutefois Renan eut une philosophie, ne dif-

fère pas essentiellement de celle de Victor Cousin, qui
en est à peine une, mais plutôt... une tactique ou une
politique. A la base de tout cela, c'est toujours le *subjectivisme* que l'on retrouve... »[16]

Le rapprochement de Cousin et de Renan a de quoi
nous surprendre. Mais ce dernier, comme Strauss et
comme Littré, n'a fait après tout qu'abonder dans son
sens individuel quand pour rejeter les miracles de Jésus
il a voulu opposer les soi-disant « lois de la nature »[17]
à « des faits avérés, et de certitude historique certaine ».[17] Il a « outrageusement défiguré »[17] le principe du
positivisme qui consiste à « ne jamais conclure au-delà
du fait même, et, par conséquent, à retenir le fait avéré,
quoiqu'il semble en contredire un autre, ou que soi-
même on ne le comprenne pas ».[18] Nous n'avons donc
qu'à utiliser la méthode positiviste « pour faire écrouler
l'élégant édifice des *Origines du christianisme* ! »[19]

L'auteur du discours « *contre l'individualisme* », on le
voit, n'a pas changé de préoccupation et dans son livre
sur « *l'Utilisation du Positivisme* »[20] il insiste de nouveau sur le danger constitué par un subjectivisme qui
équivaut à « la négation, non seulement de la science,
mais de la société même »[21]. En déclarant qu'un fait
« n'est un fait qu'à la condition d'être le même pour tout
le monde »[22], Comte fondait une théorie de la connaissance objective et cette théorie le révèle comme « le plus
sûr allié »[23] qu'auront jamais » dans leur lutte éternelle
contre le subjectivisme, les croyants, tous les croyants,
à quelque croyance qu'ils s'arrêtent ».[24] La victoire du
positivisme sur le subjectivisme sera celle de « la vérité
vraie sur ce que nous avons en nous, et autour de nous,
de puissances ennemies qui conspirent à la méconnaître,
ou à la défigurer, ou à l'altérer »[24].

D'autre part les positivistes avaient conçu toute une
métaphysique objective. Nous nous en rendons difficilement compte car les deux termes « métaphysique » et
« positiviste » paraissent contradictoires. Mais « au fond
et par delà les apparences »[25] il y avait « une métaphysique d'impliquée »[25] dans les « affirmations premiè-

res »[25] du positivisme. C'est peut-être Spencer qui en a
donné la meilleure preuve dans sa théorie de l'Inconnaissable.

Les idées du grand agnostique anglais, dont le livre
des *Premiers Principes* venait d'être traduit pour la
cinquième fois[26] en 1888, étaient alors très répandues en
France.[17] Sa théorie « que la puissance dont l'univers est
la manifestation pour nous est complètement impénétrable » était favorablement accueillie dans les milieux
intellectuels et en 1889 Bourget pouvait écrire, dans sa
préface du *Disciple* : « La science d'aujourd'hui, la sincère, la modeste, reconnaît qu'au terme de son analyse
s'étend le domaine de l'Inconnaissable ».[28] Aux yeux de
Brunetière la reconnaissance de ce « domaine » équi-
valait à une déclaration de foi religieuse.

Spencer avait en effet déclaré, dans un passage cité
par Brunetière, que « dans l'affirmation même que toute
connaissance... est relative, est impliquée l'affirmation
qu'il existe un non-relatif... à moins d'admettre un non-
relatif réel, le relatif lui-même devient absolu, et nous
accule à la contradiction. Il nous est impossible de nous
défaire de la conscience d'une réalité cachée derrière les
apparences et... de cette impossibilité résulte notre indé-
fectible croyance à cette réalité. »[29] Or pour Brunetière
cette « réalité cachée » pourrait très bien être le « Deus
absconditus » de l'*Ecriture* et « voilà, dit-il non sans
arbitraire, grâce à la science elle-même, la porte rou-
verte non seulement à la métaphysique, mais à la théologie... la théorie de l'inconnaissable donne... une base ou
un fondement scientifique à la religion ».[30] Ce raisonnement était sans doute trop aventureux et de nombreux
critiques, dont son ami Faguet[31] et un jésuite allemand,
le Père Grüber[32], le lui reprochèrent.

Il a peut-être été plus heureux dans son exposition
des idées morales et sociales de Comte bien que là encore
ses conclusions soient parfois surprenantes pour un
apologiste du catholicisme.

La soi-disant religion de l'Humanité, dit-il, ne peut

être appelée une religion car le mot de religion perd son
sens « si nous nous proposons à nous-mêmes comme
l'objet de notre adoration ».[33] Mais elle est du moins une
« sociologie »[34] et cela est déjà « considérable »[34] car
« explication du monde, discipline pratique, ou préparation au *Nirvana* — ce que toute religion est toujours et
ne peut pas ne pas être, c'est une « sociologie »[35] ou
« une société de croyances »[35]. « Par définition, il ne saurait y avoir de « religion individuelle »[36] ces deux termes étant contradictoires et toute religion qui cesse d'être
une société « cessant nécessairement d'être une religion »[37]. Sachons donc gré à Comte d'avoir « solidement
établi »[38] cette vérité essentielle même s'il l'a parfois
conçue d'une manière trop rigide.

Soyons-lui également reconnaissants d'avoir montré
qu'il ne peut y avoir de vraie sociologie « sans une religion qui la fonde en nature, qui la sanctionne en fait, et
qui la couronne en raison »[39]. Car à la différence des
encyclopédistes, dont il ne se lassait pas de critiquer
« l'erreur mère et maîtresse »,[10] Comte avait compris
que les questions sociales « ne sont ni des questions
politiques, ni des questions économiques ».[41] Les seuls
« économistes » exceptés, tous les penseurs du dix-
huitième siècle croyaient en effet que les questions morales se réduisaient à de simples questions sociales, susceptibles d'être résolues par des réformes législatives.
Cette erreur, dit Brunetière, était peut-être « la pire »[42]
qu' « on ait jamais commise en matière de philosophie
sociale, puisque la conclusion dernière en est l'autonomie
de l'individu, ou — moins pompeusement, et en meilleur
français, mais surtout plus clair — son entière irrespon-
sabilité ».[42] Elle se ramenait en un mot à l'apologie de
l'individualisme.

Mieux que personne Comte avait su démêler cette
erreur et sa célèbre formule : « Nul ne possède plus
d'autre droit que celui de faire toujours son devoir »[43]
était même la contrepartie exacte de cette autre, inventée
par Condorcet ; « pour détruire les mauvaises mœurs, il
en faut ôter la cause... Et quelle est-elle ? Il n'y en a

qu'une : les mauvaises lois ». Comte avait « parfaitement vu »[44] que la question sociale est « principalement,
et d'abord, une « question morale »[45] et voilà précisément ce qu'il « plaît »[46] à Brunetière de « retenir du
positivisme ».[46]

Il tient même à faire un pas de plus et à montrer
« après »[47] Comte que « les questions morales »[47] sont
« des questions religieuses ».[47] Dans son *Système de
politique positive* Comte avait en effet déclaré que
« lorsque la croyance à une puissance extérieure se
trouve incomplète ou chancelante, les plus purs senti-
ments n'empêchent jamais d'immenses divagations ni
de profondes dissidences »[48], et Brunetière ne manque
pas de signaler toute l'importance de ce passage. « C'est,
dit-il, une chose capitale que d'entendre ici le fondateur
du positivisme affirmer, avec cette autorité, ce que l'on
appellerait aujourd'hui l'interdépendance de la « question religieuse » et de la « question morale »[49]. Les
encyclopédistes avaient beau s'acharner à dissocier la
morale de la religion. Il existe entre les deux « une liaison de fait »[50] et « cette liaison est de telle nature que la
qualité de cette morale nous apparaît dans un rapport
constant avec les enseignements de cette religion ».[50]

Rien n'est plus démonstratif à cet égard que les efforts
qu'on a faits pour constituer une morale indépendante
de la religion. Les uns ont parlé d'une morale « fondée
sur la science »[51] mais « qu'est-ce que pourrait bien être
une morale fondée sur la chimie, voire organique, ou
sur la géométrie à n + 1 dimensions ? »[51]. La connaissance de nos devoirs ne pourrait pas bien dépendre « de
l'état de nos connaissances en microbiologie ».[52] Quant
à la soi-disant « morale de la solidarité »[52] reconnais-
sons une fois pour toutes « qu'on ne saurait fonder une
morale sur la solidarité toute nue »,[53] celle-ci ayant besoin d'être elle-même « moralisée » au moyen « d'un
principe qui lui soit extérieur »[54]. Elle ne devient morale
« qu'en se faisant religieuse »[55]. Et il en est de même
pour tous les autres systèmes de morale. Aucun d'entre
eux n'est valable à moins qu'il ne soit « l'application à

la conduite humaine d'une conception religieuse »[56].

Ayant ainsi établi d'une part que les questions sociales sont des questions morales et d'autre part que les questions morales sont des questions religieuses, Brunetière trouve tout à fait logique la conclusion qu' « il n'y a pas de question sociale qui ne soit dans son fond une question religieuse »[57]. Et cette « équation » lui paraît tellement « fondamentale »[58] qu'il ne répugne pas à l'exprimer par la formule que voici :

« Sociologie   =   Morale
Morale   =   Religion,

d'où : Sociologie = Religion »[59].

Chapitre X

BRUNETIERE DEVANT TAINE ET RENAN
DE 1897 A 1905

A vrai dire Brunetière n'avait pas la formation philosophique nécessaire pour écrire un ouvrage marquant sur Auguste Comte. Critique littéraire avant tout, il se sent plus à l'aise en parlant de ces deux grands écrivains qu'il aime du reste opposer l'un à l'autre, Taine et Renan.

Cette comparaison il la fait pour la première fois à l'Ecole Normale dans son cours, professé pendant l'année scolaire 1892-1893, sur « *la littérature du dix-neuvième siècle* »[1]. Les deux grands pontifes du scientisme venaient alors de mourir et Brunetière tenait à porter un jugement d'ensemble sur leur œuvre.

En 1897, quand il est lui-même en pleine crise religieuse, il revient sur ce jugement et à trois reprises — dans son *Manuel*, dans ses conférences aux Etats-Unis, et dans deux manuscrits qu'il laisse inédits[2] — il refait la comparaison.

Parlant en Amérique il décrit Taine comme « le très grand historien des « Origines de la France contemporaine ».[3] C'était, dit-il, « le plus honnête homme du monde et (un) très grand, (un) très vaste esprit, (un) profond penseur, (et un) vigoureux écrivain ».[4] Mais en tant qu'historien il s'était attaché non « aux grandes lignes de la Révolution française »[4] mais à de « petits faits »[4] auxquels il accordait une importance exagérée. Chez lui, «les arbres ont caché (la) forêt. »[5] D'un autre côté il avait voulu mettre « trop de littérature »[5] dans son *Histoire*. Ses vrais maîtres étaient Stendhal, Balzac et Théophile Gautier. « Il fait, dit Brunetière, du *Stendhal* quand il essaie de lire dans un petit fait une loi d'Esprit (*sic*) humain et considère (la) Bataille de Waterloo du point de vue (du) soldat ; du *Balzac* lorsque dans (les) portraits (de) Marat, (de) Danton, (de) Robespierre, (de) Napoléon il accumule traits sur traits, détails sur détails, lorsqu'il y mêle ensemble la Physiologie et (la) Psychologie ».[5] Et il fait enfin du Gautier « lorsqu'il donne à son style une vigueur de relief, (une intensité de coloration, un éclat aveuglant dont le moindre défaut n'est pas de reporter sur l'écrivain l'attention qu'on voudrait donner tout entière à ce qu'il conte. »[5]

Sa véritable originalité consistait en trois choses : « la sincérité de son admiration pour (les) choses d'Angleterre »[5], « sa conception pessimiste de l'histoire »[5] et « la noblesse de son effort pour trouver (une base morale à (la) vie d'humanité (*sic*)[5].

« Taine a passé sa vie, dit Brunetière, à regretter que la France ne fût pas (l') Angleterre ! et par contraste (cette) admiration l'a aidé à mieux comprendre (la) Révolution française. Cromwell a éclairé Bonaparte. Le caractère pratique de la Révolution de 1688 l'a aidé à comprendre (le) caractère utopique de (celle) de 1789 »[6]. « Moins familier avec (l') Angleterre, moins imbu d'esprit (*sic*) anglais, il n'aurait ni si bien montré (les) dangers de (la) démocratie, ni trouvé (la) formule « translation de propriété »[6]. »

Brunetière trouve plus discutable le pessimisme de Taine et refuse de croire avec lui que les hommes « ne sont qu'un troupeau d'imbéciles ou de coquins »[6] ou que la vertu, la raison et la probité sont « des combinaisons réalisées une fois sur mille, une fois sur dix mille, une fois sur cent mille »[6].

Cette vue de la nature humaine, dit-il a conduit Taine à « mal juger »[6] la Révolution française. « S'il en a mis impitoyablement et utilement à nu... quelques-uns des pires excès et aussi des caractères essentiels... il ne lui

a tenu compte ni de la générosité de son premier élan,
ni des circonstances tragiques au milieu desquelles elle
a dû se développer, ni de la fécondité de quelques-unes
des idées qu'elle a répandues dans le monde »[7]. Pareillement, Taine a « mal jugé »[7] la France contemporaine ».
« Car il a bien signalé quelques-uns des défauts qui sont
malheureusement les nôtres. Mais il n'a tenu compte à la
race de presque aucune des qualités qui sont pourtant
les siennes ».[8]

Mais « du milieu de ce pessimisme »[9] Taine avait
« senti le besoin d'excepter la règle de la vie morale »[9]
et c'est pourquoi, dit Brunetière, « nul n'a mieux parlé
(de l') Honneur (et) de la Conscience ». Ce sont ces idées
morales qui donnent à son œuvre sa véritable valeur.
« Parce que cette idée de conscience préside à toutes
les parties de son œuvre ; parce que l'on sent bien que
lorsqu'il maltraite (la) révolution et (l') humanité c'est
au nom d'un idéal très noble et triste ; parce que ses
erreurs naissent d'un fond de Probité quelquefois un
peu ingénu ; parce que l'esprit de son œuvre est après
tout et en dépit de ses premières origines contraire (au)
hobbisme (et au) machiavélisme ; c'est pour cela que
son œuvre historique demeure de (sic) au premier rang
des contemporaines. »[10]

Quelques-uns prétendent signaler une contradiction
entre les premiers et les derniers écrits de Taine. Ils
méconnaissent ainsi l'unité fondamentale qui fait « la
grandeur »[11] de son œuvre. Quoi qu'il en ait dit lui-même, Taine n'a jamais abandonné un seul de ses premiers
principes et « les Origines de la France contemporaine
sont bien l'œuvre du même systématique et vigoureux
esprit que les Essais de critique et d'histoire ». Seulement, à mesure qu'il passait de l'histoire des « idées »
à celle des « œuvres » et de l'histoire des « œuvres » à
celle des « actes » Taine avait dû plier « la rigidité première »[12] de ses principes à de nouvelles exigences. De
même que ses recherches sur l'histoire de l'art lui avaient
montré la nécessité d'un critérium esthétique, « son
étude approfondie de l'époque révolutionnaire l'a amené

à reconnaître le caractère « propre et original » des « faits humains »[13]. C'est ainsi « qu'après avoir débuté par railler cruellement la subordination de toutes les questions à la question morale »[14] il a fini par s'y ranger lui-même.

En tant que penseur, dit Brunetière, Taine est « assuré de faire une époque »[15]. « Le mérite qu'on ne peut lui disputer, c'est d'avoir renouvelé les méthodes ; et il y en a d'autres dans l'histoire de la pensée, mais il n'y en a pas de plus grand. »[15]

Mais comment ne pas préférer à sa manière d'écrire « si forte et si drue »[15] mais « chargée de trop de couleurs et généralement trop tendue »[15] le « charme perfide »[15] d'un Sainte-Beuve ou la « grâce fuyante »[15-16] d'un Renan ?

Renan est en effet l'un des penseurs « les plus originaux »[17], l'un des historiens « les plus hardis »[17] et l'un des artistes « les plus consommés »[17] de son époque. A la manière des plus grands écrivains classiques il a su doter la littérature d'une nouvelle et riche province et ses « Origines du Christianisme » sont certainement « l'un des plus beaux livres de la langue française »[17]. Avec « un sens merveilleux de la diversité des époques »[17] et « une incomparable sûreté de tact historique »[18] il a fait entrer dans le cadre de sa composition toute l'atmosphère de l'époque. Grâce à son habileté, « tous ces vieux textes parlent, toutes ces vieilles pierres s'animent, tous ces vieux morts sortent du tombeau. Les voilà devant nous, Pierre et Paul, Jacques et Jean, Marie-Madeleine, Hérodiade, Agrippine et Poppée, Néron l'histrion couronné, Marc Aurèle... et le décor encadre le portrait. Voici le lac de Tibériade, et voici la Jérusalem de Caïphe et de Pilate, voici Rome, la Rome antique avec ses palais de marbre et ses quartiers populaires, avec ses catacombes où (les) chrétiens se réunissent, avec ses empereurs, ses courtisans et ses affranchis... et tout cela compose un tableau unique ».[19] Taine avait raison de dire qu' « on ne voit pas comment cela est fait »[19]. Rien en effet « ne paraît plus simple »[19] et rien n'est en réalité « plus savant ».[19]

Cette habileté n'en est pas moins « perfide »[20] et il suffit d'examiner sa méthode « d'un peu près »[20] pour découvrir tout ce qu'elle a « non seulement de hasardeux, de conjectural et d'arbitraire ».[20] mais aussi de « ruineux »[20]. Elle a du reste finalement tourné contre le dessein de Renan, et, bien que celui-ci ait tout fait pour « laïciser Dieu lui-même »[21] nul n'a montré mieux que lui que « l'Eglise est un édifice tiré du néant, une *création*, l'œuvre d'une main toute puissante ». « Par une ironie dernière, dit Brunetière, ce qu'il y a de meilleur et de plus durable dans son œuvre, c'est ce qu'il y a mis non pas précisément sans le vouloir, mais, mieux que cela, pour le combattre ; et ses plus belles pages ne le sont que pour être inspirées, pénétrées, imprégnées du sentiment de la grandeur et du prix de tout ce qu'il a travaillé quarante ans à détruire ».[22]

Les réelles qualités de Renan risquent pourtant d'être méconnues parce que lui-même « dans les dernières années de son existence »[23] avait tout fait « pour se discréditer »[24]. Du moment où « sa popularité s'égalait à sa réputation » son rôle devenait « celui d'un Caliban supérieur, d'un dilettante de la libre pensée, d'un flatteur de la foule, d'un très habile et très heureux courtisan du succès ».[24] Fatalement cette déchéance morale a entraîné un abaissement de la qualité de son art et l'auteur de *l'Avenir de la Science* a fini par écrire — « quelle dérision et quelle misère ! »[25] — *l'Abbesse de Jouarre*.

A cette époque, on le voit, l'attitude de Brunetière à l'égard de Taine et de Renan est en somme une attitude nuancée, mesurée et équilibrée. S'il admire Taine il fait une large part à ses défauts et s'il critique la méthode trop « laïque » et trop « rationaliste » de Renan, il ne pousse pas son attaque à fond.

Mais après 1900, c'est-à-dire après sa conversion, le contraste entre les deux penseurs lui paraît bien plus tranché. Reparlant en 1903 de la déchéance morale de Renan, il emploie des termes nettement plus durs que ceux dont il s'était servi en 1897. « Comme un vieil acteur, écrit-il, nous l'avons vu monter en scène aux applaudissements d'un public dont il ne semblait plus comprendre ce que le rire avait d'irrespectueux et de dérisionnaire... Renan s'est plus d'une fois mépris, dans ses dernières années, sur la qualité du rire qu'il excitait; et il n'a pas senti que ce n'était plus de ce qu'il disait qu'on riait, mais de lui qui le disait, et... de ce qu'il y avait de plus lamentable encore que de risible à le voir profaner, sous son masque de curé rabelaisien, tout ce qu'il avait jadis adoré ! »[26] Quel contraste entre Renan et Taine, « son rival de gloire et de popularité »[26]. Loin de blasphémer « dans la chaleur communicative des banquets »[26], celui-ci donnait à « sa courageuse et âpre recherche de la vérité »[26], un accent « de plus en plus voisin de la prière ».[26]

En effet, conclut Brunetière, l'évolution de ces « deux grands écrivains rivaux »[27] avait été non seulement « contradictoire »[27] mais « inverse »[27], et, « tandis que la pensée de Taine, de jour en jour plus maîtresse d'elle-même, s'était élevée pour ainsi dire avec l'objet de ses méditations, au contraire, celle de Renan, lui échappant de jour en jour, s'était abaissée comme insensiblement au niveau, nous ne pouvions plus dire de celle de Béranger, mais du pharmacien Homais ».[27]

L'orateur des *Discours de Combat* ne manque, on le voit, ni de netteté dans sa prise de position ni de vigueur acerbe dans les termes qu'il emploie.

En janvier 1902, Brunetière est invité par l'Université de Fribourg à faire une conférence sur « *l'œuvre critique de Taine* ».[28] Il esquisse de nouveau l'évolution intellectuelle de l'auteur des *Origines* et saisit l'occasion de rendre hommage au « solide et brillant » *Essai* que venait de lui consacrer M. Victor Giraud.[28]

Taine, dit-il, est un homme « qui n'a travaillé toute sa vie qu'à chercher le « *fondement objectif du jugement critique* »[29]. De ce problème qui est « l'un des plus ardus auxquels se puisse attaquer l'intelligence humaine »[30], la solution « fera certainement époque dans l'histoire de l'humanité ».[30] Taine ne l'a pas résolu mais il a tout au moins le grand mérite « de l'avoir conçu dans toute son ampleur, d'avoir cru qu'on pouvait le résoudre, et de s'y être quarante ans appliqué ».[31]

Et en poursuivant obstinément la solution qu'il croyait entrevoir il a donné « à l'histoire de sa propre pensée autant d'intérêt qu'en puisse offrir aucune biographie d'écrivain ou même d'homme d'action »[32]. Sa vie intellectuelle nous apparaît comme « un roman d'aventures héroïques »[32] à la recherche d'une vérité pour laquelle son amour « patient et méthodique »[32] « jamais ne se découragea d'une échec ».[33]

Parti « du pur positivisme »[34] ou tout au moins « de ce que l'on appelait le positivisme aux environs de 1850[34] il en était finalement venu à reconnaître — et c'est à ce point qu'il « s'est arrêté »[35] — « qu'il n'y a pas de « problème humain » qui ne se réduise, en dernière analyse, à un problème de l'ordre moral »[35].

La mort avait empêché l'architecte de couronner l'édifice qu'il laissait inachevé. Mais s'il avait vécu quelques années de plus, ne serait-il pas allé jusqu'au bout de son raisonnement ? Déjà il avait successivement retrouvé la psychologie, l'esthétique et la morale et tout nous permet de croire qu'il aurait aussi retrouvé Dieu et que « de l'influence démontrée du christianisme, il eût conclu... à l'impossibilité d'édifier la morale en dehors de la religion ; et, de cette solidarité de la morale à la religion, il eût conclu à « l'objectivité de l'idée religieuse »[36]. En tout cas il est « capital au point de vue de l'histoire des idées »[37] que l'examen de son œuvre critique « nous ait amenés à poser ce point d'interrogation ».[37]

Le plan de cette conférence, on le voit, ne diffère guère que dans sa conclusion de celui du manuscrit rédigé en 1897. Mais les expressions dont s'y sert Brunetière sont presque lyriques et il n'hésite pas à qualifier Taine « un des plus libres esprits qu'il y ait dans l'histoire de la pensée contemporaine, l'un des plus dégagés

que l'on puisse concevoir de toute espèce de préjugés,
l'un encore des plus vigoureux et des plus puissants
dont s'enorgueillisse la France du dix-neuvième siècle :
enfin l'un des plus encyclopédiques, et l'un de ceux dont
l'ardente curiosité ne s'est ni ralentie, ni lassée de connaître, et, tous les jours, pendant quarante ans, d'ajouter quelque chose au trésor de la science ».[37] Depuis sa
conversion, peut-être grâce à elle, Brunetière a redoublé
d'admiration pour celui qu'il considère maintenant comme un chrétien manqué.   .

En revanche, il est amené à combattre de front
l'influence de Renan et lorsqu'en septembre 1903 le gouvernement du soi-disant Bloc républicain décide d'inau-
gurer officiellement la statue du « grand penseur
breton »[38] Brunetière saisit l'occasion de juger sévèrement l'ensemble de son œuvre. Il le fait du reste avec
d'autant plus d'empressement qu'il détestait déjà « la
fureur persécutrice »[39] de « l'affreux Combes »[39] et que
ses vieux adversaires Berthelot et Anatole France, devaient participer à la cérémonie.
    Sa riposte prend la forme de cinq lettres, adressées au
journal « L'Ouest-Eclair »[40]. Dans la première il avoue
avoir « un peu hésité » avant d'accepter de les écrire.
Se trouvant en vacances, dit-il, il n'avait pas sous la
main les livres qu'il lui aurait fallu pour parler de l'un
des plus « livresques »[41] de ses contemporains. Peut-
être aussi n'avait-il pas toute l'indépendance d'esprit
nécessaire. Renan n'était mort que « depuis une dizaine
d'années »[41] et Brunetière l'avait « beaucoup et particulièrement connu »[41]. Son optimisme le « déconcertait »,
mais sa conversation, « très familière et agréablement
décousue » l' « amusait »[41]. Tous ces scrupules cependant
ressemblaient étrangement à des scrupules de poltron et,
ayant fini par les vaincre, Brunetière consentait à dire
quels furent « au vrai »[42] l'écrivain, le philosophe, le
moraliste, l'historien et — « puisque « penseur » il y
a »[42] — le penseur, qu'on allait « défigurer » à Tréguier.[42]
    En tant qu'écrivain, dit Brunetière, l'auteur de la *Vie*

de Jésus ne mérite guère que des éloges. On ne peut pas résister à la « séduction »[43] d'une de ses belles pages et si quelqu'un en notre langue « nous a rendu la sensation de cette abondance facile, de cette suprême aisance, de cette élégance familière et pourtant soutenue, de ce charme insinuant et quelquefois pervers, de cette ironie transcendante qui furent... les qualités du style de Platon »[44] c'est sûrement lui.

Mais pour être un « incomparable écrivain »[45] Platon n'en était pas moins « Le Roi des Sophistes »[45] et tel était aussi le cas de Renan. Son art « subtil et exquis »[45] recelait « une tare secrète ».[45] Il abusait trop de « l'équivoque »[46] et des « décevantes finesses »[47] et sa manière d'écrire, si elle n'était pas précisément « insincère »[47], était ordinairement « ondoyante et fuyante ».[47]

A vrai dire sa manière de penser était entachée des mêmes défauts. Quelle erreur que de voir en lui un assoiffé de vérité ! Renan n'aimait la vérité « qu'en dilettante et en épicurien, pour la beauté des choses qu'il en pouvait dire »[48] et son subjectivisme était la formule « du plus dangereux scepticisme »[48]. Il tenait même à entretenir « soigneusement »[49] ce vice congénital et, si parfois il arrivait à l'affirmation, ce n'était qu'à travers « un dédale infiniment compliqué de négations, de contradictions, d'hésitations et de doutes ».[50] Sa grande préoccupation était non de résoudre les questions qui « tourmentent »[51] les hommes mais plutôt de « les poser embarrassantes, et de s'amuser, et de nous amuser de son embarras ».[51] Sa façon de s'exprimer s'accordait donc admirablement avec la nature de son talent. Elle masquait aussi la réelle pauvreté de sa soi-disant philosophie et la nocivité de ses leçons de morale.

Car chez Renan le dilettantisme n'était pas resté un vice de l'esprit. Il l'avait amené « sur ses vieux jours »[52] affirme Brunetière dans l'un des passages les plus énergiques, sinon les plus injustes, qu'il ait consacrés à l'auteur de la *Vie de Jésus,* à abaisser la vertu au rang du vice et à parler « de l'une et de l'autre comme indifféremment, avec le geste incertain et la langue pâteuse

10

d'un Silène libidineux ».[53] On ne saurait, dit-il, trouver
un pire moraliste et il vaudrait mieux « mettre aux
mains des jeunes gens »[54] *Les Liaisons dangereuses*
elles-mêmes que « le petit volume in 18 relié en maro-
quin noir[54] où, joignant le blasphème à l'ironie, Renan
avait voulu « réunir quelques pages sincères pour ceux
ou celles à qui le vieux missel ne suffit plus ».[54]

Sa philosophie — qui n'est même pas originale, car il
la tient de Littré — ne vaut pas mieux que sa morale,
et elle se réduit à deux dogmes qui sont aussi contesta-
bles qu'ils sont simplistes : la négation du surnaturel et
l'affirmation de la souveraineté de la science.

Or, s'il est vrai qu'aucun miracle « n'a jamais été
attesté par une commission de l'Académie des Sciences [55],
« consigné aux procès-verbaux »[55] et « garanti par l'autorité de M. Berthelot »[55], il n'en est pas moins exact que
« scientifiquement et philosophiquement, on ne peut pas
plus établir la possibilité ou l'impossibilité du miracle
que l'on ne peut établir la réalité de la *création* »[56]. Loin
de résoudre la question du surnaturel, les Littré, les
Renan et les Berthelot n'ont fait que l'esquiver.

Quant au second article de cette soi-disant philosophie
il n'est ni « plus conforme à la vérité »[57] ni, par conséquent, « plus solide »[57] que le premier. Renan se formait
de la science une idée aussi naïve qu'injustifiée. Non
seulement il abandonnait tout son scepticisme » à la
porte des laboratoires »[58] mais il allait jusqu'à confondre
« les résultats toujours conjecturaux des sciences historiques avec ceux des sciences expérimentales »[59]. Son
« peu d'histoire »[59] et son « peu d'hébreu »[59] l'amenaient
à croire — et c'était même le fond de sa pensée — à
« *l'Autorité de l'Exégèse* »[59] et à « *l'Infaillibilité de la
philologie* ».[59] Il s'était convaincu que « l'empire du
monde pensant était promis aux philologues »[60] et quant
aux questions « que n'atteignaient point les moyens
de son exégèse »[61], il se dispensait tout simplement de
les approfondir. Jamais il n'aurait admis que ces soi-
disant « sciences philologiques »[62] ne se jouent « qu'à
la superficie des choses »[62] et qu'en réalité elles laissent

« tout entière »[63] la question fondamentale de la « révélation »[63].

Ce même « orgueil philologique » explique le caractère vraiment « féroce »[64] de ses idées politiques. Certes,
il avait commencé par être « démocrate »[65] mais, à mesure qu'il s'éloignait du christianisme, sa conception de
l'histoire était devenue de plus en plus « aristocratique ».[66] Avant Nietzsche il donnait de la théorie du Surhomme une expression aussi « complète »[67] qu'elle était
« cynique »[68] et « ingénue »[68] et, renchérissant sur Voltaire, il essayait de fonder l'antisémitisme « en linguis-
tique et en physiologie ».[69]

Et tout cela se ramenait à cet « orgueil de savoir le
syriaque ou le zend »[70] qui faisait le fond de son caractère et le rapprochait des humanistes du seizième siècle.
Car « il semble en vérité »[71] que ce mal « soit inséparable de la connaissance des langues anciennes »[72]. De
toutes les formes de « l'insolence intellectuelle »[73] il n'y
en a pas une qui « surpasse ou seulement qui atteigne
l'insolence philologique »[73] et cela est vrai « depuis
l'exemple qu'en ont donné »[73] les érudits de la Renaissance, les Valla, les Filelfe, les Pogge et les Scaliger.
L'orgueil de Renan, encore plus démesuré que le leur,
n'était dépassé à son tour que par celui de son disciple
Anatole France. Seul l'auteur de *Thaïs* donnait l'exemple d'un intellectualisme « plus aristocratique »[74], de
goûts « plus raffinés »[74] et d'un scepticisme « plus dédaigneux »[74].

Or ce disciple trop fidèle venait de déclarer — et il
avait certainement raison — que le livre essentiel de son
maître était la *Vie de Jésus*. En effet ce livre, « à lui tout
seul, résume, concentre, explique, rassemble, unifie
Renan »[75]. Il en est l'auteur comme Voltaire est l'auteur
du *Dictionnaire philosophique* et nous devrions donc
déterminer la véritable signification de ce livre avant de
juger son œuvre totale.[76]

Cachée par « le voile de l'équivoque »[77] et « le tissu
magique du style »[77], cette signification n'est pas facile
à dégager. L'auteur nous promène « parmi les enchan-

tements de l'idylle galiléenne ».[77] Il nous fait observer
« qu'en Orient le mensonge n'est pas le mensonge »[77].
Il excuse « en les dénonçant »[77] et a l'air de justifier
« en les condamnant »,[77] les « fraudes pieuses ».[77] Il
entremêle le blasphème « d'oraisons jaculatoires »[77] à
la catégorie de l'idéal »[77]. Il éblouit le public du jeu de
ses « paradoxes »[77] et de ses « contradictions »[78] proclame « qu'entre les fils des hommes il n'en est pas né de
plus grand que Jésus »[79], se fait enfin « l'éloquent, le
savant et le « sympathique » historien du christianisme ».[79] Il a tout fait, nous devrions le reconnaître, pour
nous tromper sur ses véritables intentions. Sa *Vie de
Jésus*, « moins et pis que du roman »[80], ne se ramène
pas moins à ces deux assertions : « Dieu n'est qu'un mot,
et Jésus n'est qu'un homme ! »[81] Et le labeur de toute
sa vie ne s'étant employé « qu'à essayer d'expulser le
christianisme de l'histoire et Dieu de la nature »[81], nous
avons le devoir de dégager son œuvre du réseau des sub-
tilités sous lesquelles son insincérité naturelle s'est
complu »[82] à les dissimuler et de nous prononcer
« pour »[82] ou « contre »[82] son influence.

Chacune de ces cinq lettres, on vient de le voir, contient
une sévère condamnation de l'œuvre de Renan et l'ancien
orateur du discours « *contre l'individualisme* » s'acharne
avec une vigueur toute particulière contre le dilettantisme et « l'orgueil philologique » de son adversaire.
Mais au fond le réquisitoire de Brunetière trahit une
certaine absence de conviction positive, du moins en ce
qui concerne la religion. S'il réfute les négations de
Renan, rien ne prouve qu'il croie lui-même aux miracles
et sur ce point, il se contente de citer les vers de Dante :

   « *Se'l mondo si rivolse al cristianesmo
   Diss'io, senza miracoli, quest'uno
   E tal, che gli altri no sono 'l centesmo* »[83].

D'autre part, si sa conclusion paraît nette et tranchée
il est significatif qu'il s'en soit tenu à une condamnation
de Renan et qu'il n'y ait pas ajouté une profession de

foi personnelle. Son attitude est réticente et nous avons l'impression que, comme il le « séduisait »[84] par « le tissu magique de son style »[85] Renan l'irritait par sa façon de poser des questions que lui, Brunetière, n'avait pas encore pleinement résolues. En réalité le débat n'était pas clos et en 1905 l'auteur des *Cinq Lettres* le reprendra... silencieusement mais énergiquement[86].

Ses *Cinq Lettres sur Ernest Renan* coûtent à Brunetière, — c'est en tout cas sa conviction personnelle — la déception de ne pouvoir réaliser une de ses plus chères ambitions de jeunesse.[87]. En 1904, ayant posé sa candidature à la chaire de littérature française laissée vacante au Collège de France par la mort d'Emile Deschanel, il se voit, au grand scandale de ses partisans,[88] battu par son rival, M. Abel Lefranc,et, commentant son échec dans des notes qu'il a laissées inédites, il écrit aigrement : « J'ai donc échoué : 1° parce que je me suis présenté trop tard ! ; 2° parce que je ne suis pas « le moins renté des beaux esprits » ; 3° parce qu'on ne touche pas à Renan ! »[89]

Ce déboire est du reste bientôt suivi par un autre car, au mois de novembre, lors de l'application d'un décret de réorganisation de l'Ecole normale, le ministre de l'instruction publique, Chaumié, prend prétexte de l'irrégularité[90] de la nomination de Brunetière pour le suspendre de ses fonctions, mais en omettant pourtant de lui envoyer la notification officielle de cette décision.[91] A un interlocuteur qui demande alors « textuellement »[92] : « *ce professeur est-il démissionnaire ou est-il révoqué ?*[92] le doyen aurait répondu « qu'il n'était pas préparé à traiter cette question, qu'il ne pouvait rien dire ».[92-93].

Chapitre XI

LES RESERVES INTELLECTUELLES
DE BRUNETIERE
ET SA POSITION RELIGIEUSE
A LA VEILLE DE SA MORT

En se soumettant à Rome, Brunetière avait espéré trouver toute la sérénité de la foi absolue mais, même dans les dernières années de sa vie, cette paix intérieure, qu'il avait tant désirée, continue de lui échapper.

Il est d'abord obsédé par les progrès croissants de cette maladie qui — il le sait déjà[1] — doit bientôt l'emporter. Certaines petites phrases glissées dans ses notes trahissent son état d'esprit intime. « Disposition où le cœur ne tient pas plus à la vie qu'une goutte d'eau à la paroi d'un verre »,[2] écrit-il quelque part. Plus loin il transcrit cette phrase qui l'avait frappé : « Si vous voulez vous perdre, faites-le d'un seul coup et subitement »,[2] tient à en souligner la deuxième partie et ajoute ce commentaire révélateur : « Ne pas périr Imperceptiblement... »[2]

Il ne manque pas d'ailleurs d'éprouver un réel sentiment d'isolement, de solitude morale. Il souffre de se voir destitué de ses fonctions à l'Ecole Normale, de voir repoussée sa candidature à une chaire au Collège de France. Il souffre davantage de reconnaître que, depuis la mort de Léon XIII, ses services d' « apôtre laïque » sont de moins en moins appréciés par l'Eglise.

Connaît-il enfin un malaise plus intime ? Certaines curieuses notes pourraient nous le faire croire. A l'âge de cinquante-quatre ans il se demande pourquoi « de cinq femmes »[3] qu'il a connues « honnêtement » il n'y ait pas « la moitié d'une »[3] avec qui il ait voulu renouer les rapports qu'il avait eus. Du reste, il est incontestable que tandis qu'il s'épanchait facilement dans ses lettres à Mme Buloz, il faisait preuve, en écrivant à sa femme[4] d'une sécheresse dont il ne pouvait que se rendre compte.

Tous ces facteurs, d'ordre physique comme aussi d'ordre moral, sont intimement liés à l'inquiétude intellectuelle qui, en 1904, l'amène à réexaminer la question religieuse. La condamnation par le Saint-Office des principaux livres de l'abbé Loisy[5] venait de donner une nouvelle actualité aux problèmes de l'exégèse et le même Brunetière qui jadis avait « lu et relu passionnément la *Vie de Jésus* du Dr Strauss »[6] retrouva les préoccupations de sa jeunesse. Les réticences qui se faisaient jour au moment même de sa conversion se transformèrent maintenant en de véritables « difficultés de croire ».

En 1898 Brunetière avait pensé s'entretenir avec Loisy au sujet de l'apologétique moderniste. Le félicitant de sa « belle conférence »[7] sur « *Le besoin de croire* »[8] celui-ci lui répondit :

« Je ne suis pas docteur en Israël, et peut-être, aurais-je le tort à vos yeux d'être un cousin, très éloigné, de Richard Simon. Mais je dois vous dire que votre conférence m'a beaucoup plu et que votre idée d'une démonstration positive presque positiviste de la religion est de celles que je cultive le plus volontiers dans la solitude. La foi condition de la vie, et la révélation chrétienne, le christianisme catholique seule forme absolument vivante de la foi, voilà le programme. Notez, Monsieur, que cette façon d'entendre la démonstration chrétienne est relativement nouvelle, et qu'on ne la trouve pas plus dans Bossuet que dans Richard Simon. Nous pouvons croire que Bossuet, s'il eût vécu de notre temps, l'aurait conçue avant nous pour l'opposer au subjectivisme et à la critique négative. Je ne sais si tous les théologiens catholiques, même en France, même ceux qui vous louent, voient clairement la ·nécessité d'orienter l'apologétique dans le sens que vous dites. J'en doute un peu... »[9]

Une fois converti, Brunetière devait trouver trop audacieuses les idées de Loisy sur la critique biblique mais, comme tant de ses coreligionnaires, il a néanmoins regretté l'intransigeance dont le Saint Office lui paraissait faire preuve en condamnant Loisy « pour ainsi dire en bloc »[10]. « Il ne m'appartient pas, écrit-il le 1er février 1904 à un cardinal de sa connaissance, il ne m'appartient pas d'entrer dans le fond du débat, et sur les cinq points visés par Votre Eminence dans sa lettre au Cardinal archevêque de Paris, nous ne pouvons, nous, laïques et chrétiens, que nous incliner devant le jugement de l'Eglise. Rome a parlé : nous n'avons qu'à nous taire, et si désireux que nous fussions d'avoir quelques explications, nous attendons respectueusement et patiemment, que le Saint Père, en sa sagesse, juge le moment venu de nous les donner ».[11] « Mais, continue Brunetière, comme témoin de l'état des esprits en France dans certains milieux, ce que je crois devoir dire à Votre Eminence en toute sincérité, c'est que la situation est grave, très grave, et que l'on ne saurait user de trop de ménagemens (sic)... *pour retenir l'abbé Loisy dans l'Eglise.* Je ne suis pas de ses amis... et je ne l'ai vu qu'une fois en ma vie, voilà quatre ou cinq ans. Je suis très éloigné de partager ses idées, et je me chargerais au besoin de les combattre... Mais... nous sommes plusieurs en France qui estimons qu'on devrait user à l'égard de l'homme et de ses doctrines, de toute l'indulgence compatible avec le maintien des principes... Je ne puis m'empêcher de me demander anxieusement s'il serait prudent de lui (à l'abbé Loisy) fermer dès à présent, toutes les issues, et d'exiger de lui une *rétraction* qui fût en quelque manière l'anéantissement des travaux de toute sa vie... Toute une direction de l'exégèse est engagée dans l'affaire de l'abbé Loisy, et en le condamnant pour ainsi dire en

bloc, Rome déclarera non seulement qu'il s'est trompé
— ce qui ne nous paraît en beaucoup de points que trop
évident — mais c'est toute une méthode et toute une
orientation des études bibliques qu'on atteindra du même coup. Nous nous demandons si c'en est le moment »[12].

Quelques mois plus tard cependant. Brunetière en
dépit de sa sympathie pour la tentative de Loisy, en
vient à réfuter nettement[13] les conclusions du « petit
livre »[14] sur « l'Evangile et l'Eglise »[14]. En discutant dans
ce livre la nature des Evangiles, Loisy, dit-il, avait fixé
l'attention sur l'une des principales « nouvelles »[15] difficultés de croire. Car en voulant contrôler l'authenticité
des livres bibliques et en refusant de les considérer
comme des textes à part, « inspirés »[16] ou « révélés »[16]
et soustraits de ce chef « à la juridiction des méthodes
qu'on applique à l'Iliade ou au Ramayana »[16] l'exégèse
rationaliste était effectivement « la grande ouvrière du
doute en matière de religion »[16]. Et ses ravages avaient
été d'autant plus considérables que l'on attribuait à ses
« fantaisies »[17], à ses « paradoxes »,[17] voire à ses « contradictions »[17] la même autorité « qu'aux conclusions
les plus assurées de la science ».[17] A vrai dire les « jongleries exégétiques »[18] sur les interpolations, les dépla-
cements de textes, et les infidélités des traductions
n'étaient jamais que l'expression d'opinions particulières et ne méritaient pas plus de respect que les conclusions « de la critique littéraire la plus impressionniste ».[19] Rejetons donc « absolument »[20] les procédés
« de l'exégète Interne (sic) comme étant du pur subjectivisme ».[20]

Or, l'erreur fondamentale de l'apologétique moderne
était de vouloir débuter par une biographie de Jésus,
d'étudier sa vie comme l'on aurait pu faire « les mœurs
des céphalopodes »[21]. Cette idée, qui ne datait du reste
que du dix-huitième siècle, était évidemment contradictoire et Strauss en avait déjà signalé l'inconséquence.
En effet, « l'intention même d'écrire une telle biographie
est une négation de la divinité de Jésus... Si le récit de
sa vie mortelle pouvait entrer dans le cadre d'une bio-

graphie Jésus ne serait plus le Christ, mais un homme, aussi supérieur qu'on le voudra d'ailleurs aux autres hommes, mais cependant un homme, et rien de plus... Une biographie suppose tout ce qu'exclut précisément la notion de la divinité ».[22]

D'un autre côté nous ne disposons pas des documents qui nous seraient nécessaires pour une telle entreprise. Ne croyons pas que les Evangiles puissent suffire. Leurs rédacteurs n'avaient même pas essayé de « rassembler les matériaux »[23] pour une vie de Jésus et leurs livres « ne sont pas des histoires, ni même, en un certain sens, de *l'histoire* »[23] puisqu'ils n'en sont que « subsidiairement »[23]. Au lieu de débuter par « une *Vie de Jésus* dont on emprunte un fait à Luc, un autre à Marc, un troisième à Mathieu »[23] on devrait remonter aux *Epîtres* de saint Paul, nettement antérieures aux *Evangiles*. « Saint Paul d'abord ! »[23]

En principe l'abbé Loisy avait respecté cette distinction, mais il aurait dû parler de saint Paul sans tenir compte des *Evangiles*. Sa perspective était fausse et en déclarant « textuellement »[24] que les *Evangiles* sont « la base de notre croyance »[24], il se trompait sur un article essentiel de la doctrine chrétienne. Pour un chrétien « les *Epîtres*, et notamment celles de saint Paul, ont exactement la même valeur que les *Evangiles* »[24] et pour tout exégète « même rationaliste » ou surtout rationaliste »[24] elles ont « ce mérite éminent d'être « plus voisines des faits qui s'y trouvent relatés ou visés ».[24] Riches enfin « d'une substance qui manque aux synoptiques »[25], elles constituent « le document primitif par excellence de l'histoire du christianisme ».[25] Leur authenticité ne saurait être mise en doute même par « la critique la plus négative et l'exégèse la plus rationaliste[25].

Or, de l'antériorité des *Epîtres* par rapport aux *Evangiles*, découle cette conséquence que « la constitution du dogmatique du christianisme »[26] est en quelque sorte « antérieure à sa propagande »[26] ou, en d'autres termes, « que l'Eglise est antérieure aux *Evangiles* »[26]. Et cette certitude n'a été qu'affirmée par « une exégèse aventureuse »[27] qui rapprochait de nous « les dates que l'Eglise assignait à la rédaction des *Evangiles*. »[27]

Ainsi qu'en témoignent ses notes[28], Brunetière tenait beaucoup à cette idée de l'antériorité de l'Eglise par rapport aux *Evangiles*. Pourtant il n'en a tiré aucun parti pour sa conférence sur « *les difficultés de croire* » et il a laissé inachevé[29] et inédit le seul manuscrit où ce thème se trouvait développé. Mais s'il n'a pas suivi son propre raisonnement jusqu'au bout, quelques phrases relevées dans ses notes nous permettent de croire qu'il le rattachait à l'idée de l'unicité du christianisme. « Nous n'admettons pas un instant l'identification du Livre avec les Livres » écrit-il quelque part.[30] Et plus loin : « Déclarer qu'on étudiera les documens (*sic*) de la révélation comme on examinerait les écrits d'Hérodote, c'est confesser qu'on ne possède rien dans sa vie qui ne fût déjà l'apanage du Paganisme »...[30] En combattant « *l'historicité* proprement dite », écrit-il dans un autre endroit, l'abbé Loisy avait raison car « ou les livres saints sont des livres *comme les autres,* ou ils n'en sont pas. »[31] Dans la première hypothèse « tout s'écroule, et le christianisme, comme le bouddhisme, n'est plus dans l'histoire que l'agglomération de ceux qui l'ont professé. »[31] Mais « s'ils n'en sont pas, la question est tranchée »[31] et « l'Eglise a sur eux un droit absolu ».[31] Pour suggestives qu'elles soient cependant, ces indications n'ont jamais été incorporées par Brunetière dans le cadre d'un développement suivi et dans son esprit même l'argument est resté interrompu.

A Amsterdam, au cours de sa conférence sur « *les difficultés de croire* »[32], il passe sans transition de la constatation de « l'antériorité de l'Eglise »[33] à un paragraphe capital sur « la grande question, la question des questions »[33] celle de la Résurrection de Jésus-Christ. Or, bien que « du récit des *Evangiles,* ce soit une entreprise étrangement délicate, ou plutôt téméraire, et peut-être même irréalisable, que de vouloir extraire une *Vie de Jésus* »[34], la certitude historique « des faits qui s'y trouvent rapportés »[35] est incontestable. L'authenticité de

la Résurrection nous est, en outre, garantie par les affirmations « précises formelles, non douteuses »[36] faites
par Saint Paul dans sa *Première Epître aux Corinthiens.*
Nous n'avons pas, dit Brunetière, de témoin « plus affir-
matif de la mort de César »[31] ni « des victoires d'Alexandre »[31] et, grâce à lui, le miracle de la Résurrection apparaît comme un fait historique du même ordre que ces
deux autres.

Il faut donc « le croire »[37] ou « ne pas »[37] le « croire »[37].
L'abbé Loisy avait prétendu « épiloguer »[37] et « distinguer »[37] et dans son « petit livre »[38] sur l'*Evangile et
l'Eglise,* il entassait des formules « sophistiques »[39],
déclarant que « l'entrée d'un mort dans la vie immortelle
se dérobe à l'observation »[40] « ou encore que « des impressions sensibles ne sont pas le témoignage adéquat d'une
réalité purement surnaturelle »[40]. Mais c'était là « passer
à côté »[41] d'une question qui se ramène en fin de compte
à l'appréciation non du caractère d'un fait mais de son
authenticité. En proclamant qu'il ne peut y avoir « d'histoire du surnaturel »[42] on change arbitrairement de
terrain mais on ne résout pas le problème de la Résurrection.

Les Strauss, les Littré et les Renan n'étaient nullement
justifiés en tirant de la prétendue immutabilité des lois
de la nature un argument contre la possibilité du miracle. Leur raisonnement mène tout droit à la négation de
l'idée de Dieu, étant donné que la liberté de Celui-ci est
« son essence même »[43]. Nous pouvons affirmer et sans
pour cela discuter « l'authenticité de tel ou tel miracle »[44]
que, comme « la science, la vraie science, expérimentale
ou mathématique, en est la négation »[45], « la religion,
toute religion — christianisme et bouddhisme — est
l'affirmation du surnaturel particulier »[45].

Remarquons qu'en croyant ici réfuter les arguments
des exégètes rationnalistes, Brunetière ne fait guère, en
somme, qu'indiquer les conclusions déjà impliquées dans
leurs prémisses. Loin de reculer devant la négation de
l'idée chrétienne de Dieu, les Littré, les Renan et les
Strauss prétendaient justement remplacer celle-ci, soit par

un déterminisme évolutionniste soit par l'athéisme tout
court.

D'un autre côté, Brunetière précise qu'il n'entend pas
discuter l'authenticité « de tel ou tel miracle »[46] et son
attitude, notamment au sujet de la Résurrection, reste
équivoque. Tout en déclarant qu'il s'agit de « croire » ou
de « ne pas... croire » les affirmations de saint Paul sur
cette « grande question... à laquelle on pourrait dire que
toutes les autres se ramènent »[47] il se garde de dire nettement que, pour sa part, il les croit. Il s'en tient à écarter les objections de l'abbé Loisy et des exégètes ratio-
nalistes et à renvoyer ses lecteurs aux études théologiques
de Louis Thomas[48] et du père Ottiger[48].

Est-il plus dogmatique quand il reparle de la « transcendance » du christianisme par rapport au bouddhisme
et aux autres grandes religions ? La question, nous le
savons, le préoccupait de longue date — d'après son
propre aveu, son admiration pour Burnouf avait retardé
sa conversion « de quinze ans »[49]. — et, vers cette date,
il tient à préciser de nouveau la vraie nature de cette
grave « difficulté de croire ».

Elle n'était née, dit-il, dans un manuscrit qu'il a laissé
inachevé[50], que des progrès de la science des religions
comparées. Les Européens du dix-huitième siècle étaient
fort mal renseignés sur les choses d'Extrême-Orient et,
sur le chapitre de la religion, leurs connaissances se bor-
naient à quelques notions aussi vagues qu'inexactes sur
les « habitudes culturelles »[51] de « cent cinquante ou
deux cent millions de chinois »[51]. Mais avec la pénétration européenne aux Indes, le problème prenait un tout
autre aspect et l'on vit « surgir du fond même de l'orien-
talisme »[52] une nouvelle « difficulté de croire »[52].

La race hindoue, dit Brunetière dans un manuscrit
qu'il a laissé inachevé, est « depuis les temps préhisto-
riques »[52] « entre toutes » et « par excellence »[52] « la
race religieuse »[52]. Renan avait revendiqué ce titre pour
les Juifs mais son argument n'est valable que pour les
croyants et « ensuite le fait même d'avoir été choisi de

Dieu pour servir d'instrument à ses desseins, n'implique nullement que le Juif ait eu l'amour des « choses religieuses »[52]. Quoi qu'en ait dit Renan, « ce sont les Hindous qui sont bien la « race religieuse ». C'est là, dans cette énorme péninsule, que, de tout temps, les religions ont pullulé ; c'est là que toutes les questions n'ont vraiment jamais eu d'importance qu'en fonction de la question religieuse ; c'est là que les institutions sociale et morale elles-mêmes n'ont jamais eu d'autorité que celle qu'elles tenaient de la religion. Toute la littérature, même profane, de l'Inde est issue des *Védas*, en vient et y retourne. La vie n'y a proprement d'objet que l'application, le commentaire à la fois théorique et pratique... »[52].

Sentant probablement qu'un tel éloge des Hindous aux dépens des Juifs paraîtrait excessif dans une démonstration de « l'unicité » du christianisme, Brunetière n'a même pas achevé sa phrase. Ayant commencé par examiner pourquoi « si quelque religion, c'est-à-dire une religion quelconque — bouddhisme, christianisme, islamisme — est la bonne, et, par conséquent, la seule vraie »[53], il se fait « qu'il y en ait plusieurs »[53] il avait vite cédé à tout son ancien enthousiasme pour Çakya-Mouni. Le problème de « l'existence du bouddhisme »[54] risquait d'être posé avec une telle netteté qu'une éventuelle démonstration de « l'unicité » du christianisme aurait difficilement abouti.

A Amsterdam, où il en reparle publiquement[55], ses expressions sont mieux appropriées au thème qu'il veut développer. Toutefois, en énumérant toutes les ressemblances entre le bouddhisme et le christianisme — ressemblances qui avaient frappé Taine et Renan autant que Burnouf et Schopenhauer — il se demande si elles ne suffisent pas à prouver que nous sommes en présence « d'une seule loi de développement de la pensée religieuse dont le bouddhisme et le christianisme ne seraient... que des « cas particuliers » comparables et parallèles »[56]. Dans une telle hypothèse, comment pourrait-on établir

la « supériorité » et la « transcendance » du christianisme ? Nous savons que l'évolution du bouddhisme est
un phénomène « tout humain »[56]. Ne faudrait-il donc
pas en dire autant du christianisme dont les ressemblances avec le bouddhisme sont si frappantes ? La question est inéluctable et, pour sa part, Brunetière avoue
qu'il « n'en sache guère de plus inquiétante »[57].

Pourtant, depuis le temps « où Eugène Burnouf écrivait sa monumentale *Introduction* »[58], les savants avaient
acquis du bouddhisme une connaissance à la fois « plus
exacte et plus complète ». Spence Hardy avait montré
que loin d'être « la doctrine d'amour et de charité... que
Taine nous représentait »[58] le bouddhisme n'était au fond
« qu'un système d'égoïsme »[59]. Oldenberg avait montré
que le Bouddha s'était adressé non comme le disait
Renan, « au rebut de la société de son temps »[60], mais à
une élite intellectuelle. Enfin, on reconnaissait que « loin
d'avoir introduit dans le monde un germe de progrès ou
de vie »[61] le bouddhisme était presque mort en naissant.
Les différences entre le bouddhisme et le christianisme
paraissaient donc très nettes et les « textes »[62] et les
« faits »[62] eux-mêmes suffisaient à mettre hors de doute
l'« unicité » de ce dernier.

Pour Brunetière, on le voit, cette « unicité » tient
surtout à la supériorité de la morale chrétienne, émi-
nemment sociale, et en 1905, il revient sur cette idée
dans sa lettre-préface au livre de l'Abbé Picard sur
« *la Transcendance de Jésus-Christ* »[63]. Précisément,
dit-il, la grande originalité de l'abbé Picard avait été de
montrer « que la « morale du Royaume »... n'est pas une
morale « comme une autre », ni que l'on puisse comparer...
à la morale du stoïcisme ou à celle du bouddhisme »[64]
Le stoïcisme aboutissait à l'apothéose du surhomme et
le bouddhisme à « l'anéantissement de la personne humaine dans l'indétermination de l'être universel »[65]. Mais
le christianisme, tout en proposant à notre activité un
objet « extérieur pour ainsi dire à l'humanité »[65], prescri-
vait une morale essentiellement humaine.

Cette morale est ,du reste, la seule qui soit vraiment
« impérative »[66] et « transcendante »[66]. On avait essayé
de dégager « de toutes les religions et de toutes les philosophies... une « morale commune », identique en ses
prescriptions et foncièrement conforme à elle-même »[67]
mais tous les efforts faits dans ce sens avaient échoué.
Seul le christianisme paraissait en mesure de prescrire
des obligations « auxquelles nous ne saurions nous soustraire »[68].

Le christianisme avait aussi cette autre supériorité sur
le bouddhisme d'être une religion « évolutive »[69]. Bien
avant Lamarck et Darwin, Jésus avait indiqué « le principe d'évolution »[70] comme « loi de la vie »[69] et toute sa
conception du Royaume de Dieu était basée là-dessus.
Car, bien que Renan l'ait insinué[70], il n'en avait jamais
prédit l'avènement comme prochain. Au contraire — et
c'est ainsi que l'entendait l'Eglise catholique — il en con-
cevait l'établissement comme progressif et en renvoyait
la pleine réalisation à « un avenir indéterminé »[71].

LA POSITION RELIGIEUSE DE BRUNETIERE
A LA VEILLE DE SA MORT

La reconnaissance de la supériorité morale du christianisme ou de son caractère « évolutif » n'implique pas
nécessairement l'acceptation de la révélation chrétienne
et rien ne nous indique, en effet, que Brunetière se soit
convaincu de la divinité du Christ. Il s'en tient à affirmer
sa « transcendance » — employant du reste ce terme
d'une manière discutable — et se montre réticent sur
la question capitale de la Résurrection. Malgré lui, les
négations de Renan continuent de l'obséder et, lorsque
vers la fin de sa vie il relit les *Origines du Christianisme*
il ne peut s'empêcher d'inscrire de vigoureuses répliques
dans les marges de son exemplaire[72]. Son irritation trahit, sinon des doutes, tout au moins des incertitudes.
Elève des maîtres positivistes, Brunetière a beau se dire
que les questions intellectuelles devraient passer au

second plan, il a beau se répéter que personne ne se
détacherait plus de la communauté de l'Eglise « pour
des raisons philologiques »[73]. Les problèmes posés par
l'exégèse continuent néanmoins de le préoccuper et à
ces problèmes il n'a jamais, à ce que nous sachions, trouvé de réponse satisfaisante.

Mais il a su concilier avec son catholicisme son admiration pour Comte et pour Darwin. Grâce à Newman, il
ne voit plus d'incompatibilité entre l'immutabilité du
dogme et son évolution. Il accepte, enfin, pleinement la
doctrine sociale de l'Eglise et voit dans celle-ci un solide
rempart contre l'individualisme.

En effet, sa loyauté envers l'Eglise n'a jamais dévié
après 1900 et à son service il a mis son talent d'écrivain
et d'orateur. Même si quelques-unes de ses interventions
n'ont pas été jugées opportunes par les catholiques, son
ardeur et sa sincérité commandaient leur respect, voire
leur admiration. On lui reprochait pourtant de négliger
la pratique religieuse — à Camille Bellaigue qui l'appelait
presque un « Père de l'Eglise » le Pape Pie X répondit :
« Plût à Dieu qu'il en fût tout à fait le fils »[74] — et cette
négligence de la pratique n'était probablement pas sans
rapport avec les réserves intellectuelles dont nous avons
parlé tout à l'heure. Individualiste malgré lui, Brunetière entendait conquérir la foi absolue. Scrupuleux de
caractère, il refusait de prononcer des paroles ou de
faire des gestes auxquels il ne pouvait attacher une
réelle signification. Il n'a demandé les sacrements qu'à
la veille même de sa mort[75].

Déjà, au printemps de 1905, sa gorge est atteinte par
la tuberculose et, désormais, il lui est impossible de parler en public[76]. Il essaie de s'en consoler en travaillant
avec une énergie redoublée et, pendant l'été rédige son
livre sur « ce maître des romanciers »[77] Balzac. Mais
rien ne lui fait oublier son « état de dépression morale »[78]
et, le 21 août, il avoue à son ami Lorin qu'il est « las
et demi usé d'avoir beaucoup voulu »[79] « Je le suis à
tel point, lui dit-il, que je ne souhaite presque plus recou-

vrer la voix, et qu'en vérité, si je la recouvrais, je ne sais si je ne renoncerais pas encore à parler ! Dieu fait bien ce qu'il fait ! je le sais, et ce n'est pas moi qui dirais le contraire, vous le savez ; mais l'effort a été trop peu récompensé vraiment ! et je me demande à quoi bon le continuer ? »[80].

Il écrit encore quelques articles de revues, et, lors des discussions sur la loi de séparation, est l'un des principaux signataires de la *Lettre aux Evêques*[81]. Mais sa maladie empire et, le vendredi 7 décembre 1906, il se rend à son bureau pour la dernière fois. Invité par le Père Dagnand, dont il reçoit la visite, à parler de choses intéressant son âme et l'éternité, il avoue que si la foi catholique avait fourni à son intelligence « toutes les jouissances et toutes les satisfactions qu'elle pouvait rêver »[82], elle n'avait point donné à son cœur « toutes les douceurs et les consolations qu'il osait espérer »[82]. Il se disait pourtant prêt à recevoir « tous les sacrements de l'Eglise »[82] et ajoutait qu'il avait « déjà songé »[82] à sa confession.

Cette confession, il compte la faire au curé de Notre-Dame des Champs pendant l'après-midi du dimanche 9 décembre et, lorsque quelqu'un l'interroge dans la nuit du samedi au dimanche, il répond simplement : « Ne vous inquiétez pas, je prépare ma confession »[82]. Mais, pris d'une syncope à son réveil, il meurt subitement vers dix heures et le curé, appelé d'urgence, doit lui administrer les derniers sacrements « comme à un mourant »[82].

CHAPITRE XII

L'ŒUVRE ET L'ACTION DE BRUNETIERE

La mort prématurée de Brunetière a interrompu l'évolution d'une pensée et empêché l'achèvement d'une œuvre dont il nous reste maintenant à résumer les grandes lignes.

Cette œuvre est considérable et elle est complexe. A ses heures, Brunetière a été critique et historien littéraire, conférencier, professeur, directeur de revue, moraliste et apologiste de la religion. Il a été intimement mêlé à quelques-unes des grandes controverses littéraires et idéologiques de son époque et la diversité de ses positions successives, notamment sur la question religieuse, donne à ses écrits un caractère presque dramatique.

Ces écrits nous intéressent d'abord à titre de document sur l'itinéraire intellectuel et spirituel suivi par Brunetière depuis la rédaction de ses premiers articles pour la *Revue Bleue,* articles encore empreints des vestiges de son enthousiasme juvénile pour le scientisme, jusqu'à sa conversion et son adhésion définitive à l'Eglise. Ils nous montrent, en passant, toutes les péripéties de cette évolution, son interdépendance avec le mouvement général des esprits, sa dette envers l'influence de certaines personnalités et de certains milieux. Nous constatons ainsi toute l'importance qu'ont eue pour Brunetière les répercussions des événements de 1870, la diffusion des idées de Darwin et du pessimisme de Schopen-

hauer, le renouveau des études pascaliennes et la réaction
idéaliste contre le naturalisme, le Ralliement et les suites
de l'Affaire Dreyfus. Nous sommes à même de préciser
la nature de ses rapports avec ses premiers collaborateurs
à la *Revue des Deux Mondes* et ses collègues de la rue
d'Ulm, avec Mme Buloz, le pape Léon XIII, et les hommes
de lettres qu'on a surnommés les « cardinaux verts »[1],
avec enfin ces adversaires, parfois vivants et parfois
morts, dont il s'évertuait à combattre le prestige et l'influence, les Fénelon, les Voltaire et les Victor Cousin, les
Zola, les Renan et les Anatole France. Et nous saisis-
sons au vif les réactions de ce critique si personnel, de
ce critique qui détestait les hommes « ondoyants »[2] et
n'admirait que ceux qu'il jugeait s'être consacrés à la
recherche de la vérité ou à la défense des principes
sociaux.

Certes, nous ne pouvons méconnaître ni la superficia-
lité de certains de ses jugements ni l'arbitraire de quelques-uns de ses raisonnements. Les théologiens[3] ont sans
doute eu raison de trouver hasardeuses ses tentatives
d'apologétique et les philosophes de profession de lui
reprocher son maniement de leur vocabulaire[4]. D'une
façon générale, il a trop tendu à ramener l'histoire de
la littérature française à celle de la fortune du classicisme et il a parfois eu le tort d'estimer les écrivains en
fonction moins de leurs qualités proprement littéraires
que de leur attitude morale[5]. D'autre part, et bien qu'il
ait pris l'initiative de consacrer un cours de Sorbonne à
la poésie symboliste, il s'est montré moins compréhensif
devant la littérature de son époque que ne l'était, par
exemple, son ami Paul Bourget[6]. Tout éclatante qu'elle
fût, sa manifestation contre le scientisme ne représentait, enfin, qu'une mise au point d'idées généralement
répandues[7].

Néanmoins, l'indifférence quasi totale qu'ont montrée
à l'égard de Brunetière les générations qui lui ont suc-
cédé[8] ne paraît guère justifiée. Pour discutables qu'ils
soient, ses efforts pour fonder une critique objective sur
la base du darwinisme[9], pour définir à nouveau le natu-

ralisme, l'idéalisme et le classicisme[10] et pour mettre en
relief toute l'importance de l'individualité comme facteur
dans l'évolution littéraire[9], n'ont pas laissé d'être féconds
et, à eux seuls, suffisent à assurer sa place dans l'histoire
de la critique. En outre, sa contribution à l'histoire littéraire du dix-septième siècle, ses pénétrantes études sur
Bossuet, Fénelon et Pascal, sa vision synthétique de l'évolution de certains genres, et sa monographie sur *Balzac,*
gardent également une partie considérable de leur intérêt.

Son rôle dans l'histoire des idées proprement dites
mérite doublement notre attention : d'abord, pour son
caractère représentatif : ensuite, pour la profonde influence que Brunetière, grâce à son ascendant personnel,
a exercée sur la formation de l'opinion.

C'est, en effet moins leur valeur philosophique intrinsèque que leur signification pour le biographe et l'historien littéraire qui rend toujours intéressants les premiers
articles de Brunetière dans la *Revue Bleue* ou ses interventions lors de la publication du *Disciple,* sa dénoncia-
tion des dangers de l'individualisme ou son affirmation
de la priorité des considérations sociales sur les considérations intellectuelles. Ces articles et discours témoignent, avant tout, d'un double drame : drame personnel
et drame d'une époque. Drame personnel d'abord car,
bien qu'il se soit rarement permis des confidences, on
sent, en lisant Brunetière, tout ce que coûtait à ce grand
individualiste la nécessité de défendre la cause de la
société, on comprend jusqu'à quel point ce nouveau
converti devait se sentir troublé par les livres d'un abbé
Loisy. Drame d'une époque aussi et surtout, drame de
toute cette génération d'après-guerre qui, nourrie dans
l'idolâtrie de la Science, se sentait si désemparée et si
troublée qu'elle cherchait à retourner ou bien à une philosophie idéaliste quelconque ou bien à la religion tra-
ditionelle. Et, quelle que soit notre attitude envers elle,
nous pouvons tous reconnaître que l'étude attentive de
l'œuvre de Brunetière permet de ressaisir quelques-unes
des hésitations et des inquiétudes qui forment la trame
même de l'histoire littéraire de cette époque.

Son œuvre a également exercé une influence, qui n'est certes pas négligeable, sur ses contemporains et, indirectement, sur la génération qui l'a suivi. Par l'étendue de sa science et la vigueur de sa dialectique Brunetière a su donner à ses paroles une autorité que certains, il est vrai, ont trouvée injustifiée, mais qui s'est, néanmoins, souvent imposée. Et son autorité s'est vue enfin renforcée et prolongée par sa situation en tant que directeur de la *Revue des Deux Mondes* et professeur à l'Ecole normale. Après sa mort même, et en dépit des critiques et de l'indifférence dont il est vite devenu l'objet, la *Revue*[11] qu'il avait si admirablement dirigée, ainsi que quelques élèves — et non des moindres[12] — qui lui restaient fidèles, ont continué de garder l'empreinte de son esprit.

NOTES

NOTES DU CHAPITRE PREMIER

1. Voir papiers de la famille Brunetière (déposés à la Bibliothèque Nationale). Pierre-Jacques Brunetière est décrit comme le fils du sieur Brunetière, « procureur ès Cour Royale et Sénéchaussée de Fontenay-le-Comte ».

2. Voir papiers de la famille Brunetière. Laissez-passer « délivré en administration municipale du canton de Fontenay, le onze prairial, an six de la République Française, une et indivisible » au « Citoyen Joseph-Aimé-Ambroise Brunetière, propriétaire, domicilié dans la commune de Fontenay-le-Peuple ».

3. *Ibid.* « Carte d'Electeur pour le Département de la Vendée N° 122 de la Liste du Collège — Joseph-Ambroise-Aimé Brunetière médecin, né le 5 avril 1751, domicilié à Fontenay — délivré par le Préfet de la Vendée le 3° jour du mois de mai 1820 ».

4. Voir papiers de la famille Brunetière. Notice nécrologique relative à Pierre-Jacques Brunetière, né le 17 juin 1747, « il était inscrit au tableau des avocats à la Cour de Paris, ainsi que son frère, Jacques-Charles : aussi les distinguait-on par les indications de Brunetière l'aîné et Brunetière le jeune ».

5. Voir Charles Brunetière : *Une correspondance inédite de F. Brunetière* (Vannes 1910) et Victor Giraud). *Brunetière* (Flammarion 1932) p. 14. Les détails énumérés par M. Giraud dans son premier chapitre sont tirés d'un mémoire rédigé à son intention par Charles Brunetière (*ibid* p. 12, note 1.

6. V. Giraud, *ibid.* p. 14.

7. Voirs papiers de la famille Brunetière.

8. Victor Giraud, *ibid.* p. 14, 15.

9. Voir papiers de la famille Brunetière.

10. Voir extraits du Registre de Mariage de la ville (sic) de Fontenay-le-Comte pour l'année 1841. Etat Civil N° 48, f° 70.

11. Notes d'extrait de baptême de « Vincent-Paul-Marie-Ferdinand Brunetière (sic) fils de Charles-Marie-Ferdinand Brunetière (sic) et de Suzanne-Delphine Hémon, mariés en face de l'Eglise... a été baptisé le 9 août 1849 ». Signé à Toulon le 15 février 1856 par Bertrand, curé-chanoine de la paroisse Saint-Louis de Toulon.

12. V. Giraud, *ibid.* p. 17, 18.

13. *Discours de Combat,* dernière série, p. 4.

14. *Ibid.* p. 8.

15. *Ibid.* p. 11.

16. Cité *ibid.* p. 10.

17. *Ibid.*

18. *Ibid.*

19. *Ibid.* p. 4.

20. V. Giraud, *ibid.* p. 18.

21. *Ibid.,* p. 18.

22. Conférence sur *l'idée de patrie* prononcée le 28 octobre 1896 « pour l'Association amicale des anciens élèves du lycée de Marseille », recueillie dans *Discours de Combat* première série.

23. *Discours de Combat,* première série, p. 122.

24. V. Giraud, *ibid.* p. 19, 20.

25. Voir papiers de la famille Brunetière « Palmarès » de l'année 1865 pour la classe de seconde, 4 accessits. « Palmarès » de l'année 1866 pour la classe de rhétorique : composition en histoire pour le concours académique (2e prix) ; rhétorique (prix d'honneur) ; discours français (2e prix) ; histoire (2e prix) ; version latine (1er prix) ; vers latin (1er prix). Palmarès de l'année 1867 pour la classe de philosophie : composition en dissertation française pour le concours académique (2 prix) ; philosophie (prix d'honneur).

26. Certificat délivré par l'Académie d'Aix, le 20 décembre 1865 N° 8598.

27. Certificat délivré par la Faculté des Sciences de Marseille le 10 janvier 1868, N° 4218.

28. Lors de sa nomination à l'Ecole on ne lui a demandé, suivant ses propres termes, « ni diplômes, ni boutons de cristal ».

29. Voir compte rendu de la Séance de l'Institut de l'Histoire de Provence du 23 mars 1950.

30. Textes conservés aux Archives municipales de Marseille. Voir dans le compte rendu de la Séance de l'Institut de l'Histoire de Provence du 23 mars 1950 une communication de M. Auguste Brun sur *Brunetière lycéen à Marseille.*

31. V. Giraud, *ibid.* pp. 15, 30.

32. V. Giraud, *ibid,* p. 20.

33. V. Giraud, *ibid.* p. 117. M. Giraud cite ce passage d'un texte resté inédit du vivant de Brunetière : « Je revenais de Rome, où j'étais allé, quoi qu'on en ait pu dire, saus autre intention que de renouveler des souvenirs déjà vieux de vingt-huit ans alors. »

34. V. Giraud, *ibid.* p. 26.

35. V. Giraud, *ibid.* p. 26.

36. V. Giraud, *ibid.* p. 24.

37. V. Giraud, *ibid.* p. 25.

38. Id. *ibid.* p. 25.

39. *Après le procès* (Perrin 1898, p. 11, note 1).

40. *Discours de Combat,* nouvelle série, p. 38.

41. V. Giraud, *ibid.* p. 27.

42. Publiée en 1845. Sa traduction des premiers livres du *Bhagavata Purana* parut entre 1840 et 1847, celle du *Bhagavad Gita* en 1861.

43. Lettre inédite du 21 décembre 1897 déposée à la Bibliothèque Nationale (Fonds Brunetière).

44. Voir notre appendice.

45. L'expression, bien connue, est de Jules Lemaître.

46. Voir papiers de la famille Brunetière. Certificat d'exemption « pour Myopie », délivré le 1er juillet 1870, par le Conseiller d'Etat, secrétaire général de la Préfecture du Département de la Seine. « N° 347 de Tirage ».

47. V. Giraud, *ibid.* p. 30.

48. Carnet militaire N° matricule 6534. (Déposé à la Bibliothèque Nationale, Fonds Brunetière).

49. V. Giraud, *ibid.* p. 31.

50. Carnet Militaire (B. N.).

51. Charles Brunetière, *ibid,* p. 7 cité par V. Giraud, *ibid.* p. 32.

52. René Jasinski : *Histoire de la Littérature française,* p. 343.

53. *Histoire et Littérature,* troisième série, p. 292.

54. *Ibid,* p. 75.

55. *Un manuel allemand de géographie.* Article paru dans la R.D.M. le 1er juin 1876, recueilli dans *Histoire et Littérature.*

56. Voir P. Moreau : *le classicisme de F. Brunetière,* article paru dans *Le Correspondant,* le 10 mars 1929.

57. Voir V. Giraud, *ibid.* pp 26-28. Voir également la notice sur *Atala* rédigée par Brunetière vers 1900.

58. V. Giraud, *ibid.* p. 33.

59. A l'exception de son parent, Emile Beaussire. Voir plus loin.

60. Lettre du 18 décembre 1879. Voir *Correspondance publiée par Charles Brunetière* (Vannes 1910, p. 11-12).

61. Il ne subsiste plus aucune trace de l'Institution Lelarge.

62. Article paru dans le *Temps*, le 11 décembre 1906.

63. Voir V. Giraud, *ibid*. p. 34. Le traitement était de 150 frs par mois.

64 .Lettre à son frère, s. d.

65. Lettre à son frère du 10 février 1878.

66. Lettre à son frère du 21 septembre 1877.

67. Lettre inédite trouvée parmi les papiers de Brunetière. Cette lettre est la seule pièce qui subsiste de la correspondance entre Brunetière et ses parents.

68. Article du *Temps* déjà cité.

69. *Ibid.*

70. Cité par V. Giraud, *ibid.* p. 36.

71. Voir notre appendice.

NOTES DU CHAPITRE II

1. Voir l'article de M. Pierre Moreau : *Brunetière et la Revue Bleue,* paru dans la *Revue Bleue,* le 6 janvier 1934.

2. P. Moreau, *ibid* et Charles Brunetière, *ibid*. p. 6.

3. Voir plus loin, chapitres VIII, IX.

4. Lettre inédite du 11 novembre 1879 (Fonds Brunetière).

5. Voici la liste des articles publiés par Brunetière dans la *Revue Bleue* entre 1875 et 1882 : *Saint-Louis,* 13 février 1875. *Camille Desmoulins,* 6 mars 1875 : *Histoire ancienne des peuples de l'Orient,* 4 septembre 1875 : *Les chansons épiques de la Russie,* 25 mars 1876 : *Du Guesclin,* 22 juillet 1876 : *L'évolution du transformisme,* 25 novembre 1876 : *Les sciences anthropologiques,,* le 7 avril 1877 : le *Cycle de la Croisade,* 15 septembre 1877 : *L'archéologie préhistorique,* 9 novembre 1878 : *les Sermons de Bossuet,* 16 juillet 1881 : *George Eliot,* 17 septembre 1881 : *Charles Darwin,* 29 avril 1882.

A l'exception de celui sur George Eliot, aucun de ces articles n'a été recueilli en volume.

6. Voir Pierre Moreau, *ibid.*

7. Voir plus loin, chapitres V, VIII.

8. *L'évolution du transformisme* (article non recueilli en volume).

9. Recueilli dans *La Vie Littéraire,* troisième série, p. 49.

10. *L'évolution du transformisme,* (article non recueilli en volume).

11. *Ibid.*

12. *Ibid.*

13. *Charles Darwin* (article non recueilli en volume).

14. Cf. Vianey : *Les sources de Leconte de Lisle*, Montpellier, 1907.

15. Voir plus haut page 20, note 1.

16. *Histoire ancienne des peuples de l'Orient* (article non recueilli en volume).

17. *Histoire ancienne des peuples de l'Orient* (article non recueilli en volume).

18. *Ibid.* « Voir aussi sur le *Bouddhisme*, dit-il en note, une conférence faite au palais du Trocadéro, par M. Léon Feer, dans la *Revue* du 19 octobre dernier ».

19. Article paru dans la *Revue Bleue* et non recueilli en volume.

20. *L'archéologie préhistorique et la science des origines de la civilisation* (article non recueilli en volume paru dans la *Revue Bleue* le 9 novembre 1878.

21. *Le roman réaliste en 1875* (article paru le 1er avril 1875 dans la *Revue des Deux Mondes*).

22. *L'évolution du transformisme* (article paru dans la *Revue Bleue*).

23. Article paru dans la *Revue Bleue* et non recueilli en volume.

24. *L'archéologie préhistorique* (*Revue Bleue*).

25. *Les sciences anthropologiques* (*Revue Bleue*).

26. *Les sciences anthropologiques* (*Revue Bleue*).

27. *L'évolution du transformisme* (*Revue Bleue*).

28. *Ibid.*

29. *Les sciences anthropologiques* (*Revue Bleue*).

30. Article paru dans la *Revue Bleue* et non recueilli en volume.

NOTES DU CHAPITRE III

1. La première édition du *Roman Naturaliste* parut chez Calmann-Lévy en 1882.

2. *Le Roman Naturaliste*, dixième édition, p. 13.

3. *Ibid*, p. 12.

4. *Ibid*, p. 13.

5. *Ibid*, p. 15

6. *Ibid*. p. 16.

7. *Ibid*. p. 290.

8. *Ibid*. p. 290.

9. *Ibid.* p. 296.

10. *Ibid.* p. 326.

11. *Ibid.* p. 344.

12. *Ibid.* préface p. III.

13. *Ibid.* p. 274.

14. *Ibid.* p. 275.

15. *Ibid.* p. 344.

16. *Ibid.*, p. 253.

17. *Ibid.*, préface p. 11.

18. *Ibid.* p. 273.

19. *Ibid.* p. 274.

20. *Ibid.* p. 112.

21. *Etudes critiques sur la littérature française*, première série, p. 335.

22. *Le Roman Naturaliste*, dixième série, p. 223.

23. Voir notamment le texte (recueilli dans *Etudes critiques*, première série) d'une conférence prononcée par Brunetière en 1883 sur « *le naturalisme au dix-septième siècle* ».

24. Voir notamment : *Que faire ?* un roman nihiliste de Tchernychefsky (article publié le 15 novembre 1876 dans *La Revue des Deux Mondes* et recueilli dans *Le Roman Naturaliste* première édition) ; *Les romans de Miss Rhoda Broughton* (article publié le 15 mars 1881 dans *La Revue des Deux Mondes* et recueilli dans *Le Roman Naturaliste*, première édition seulement ; *Le naturalisme anglais* (article publié le 17 septembre 1881 dans *La Revue Bleue* et recueilli dans *Le Roman Naturaliste*).

25. « Le beau livre », ainsi que l'appelait Brunetière, d'Eugène Melchior de Vogüé sur *Le Roman Russe* parut en 1884.

26. *Le Roman Naturaliste*, première édition, p. 218.

27. *Ibid.* p. 219.

28. *Ibid.* p. 219.

29. *Ibid.* p. 213.

30. *Ibid.* p. 218.

31. *Ibid.* p. 224.

32. Voir à ce sujet la thèse de Pierre Muenier sur *Emile Montégut* et le livre d'Octave Gréard sur *Edmond Schérer* (Paris, Hachette, 1890).

33. *Le Roman Naturaliste* p. 228.

34. *Ibid.*

35. *Ibid.* p. 234.

36. *Ibid.* p. 236.

37. *Ibid.* p. 235.

38. *Ibid.* p. 236.
39. *Ibid.* p. 199.
40. *Ibid.* p. 249.
41. *Ibid.* p. 250.
42. *Ibid.* p. 70.
43. *Ibid.* p. 159.
44. *Ibid.*
45. *Ibid.* p. 203.
46. *Ibid.* p. 190.

1. *Essais sur la littérature contemporaine,* p. 137.
2. *Ibid.* p. 138.
3. *Ibid.* p. 139.
4. *Nouvelles Questions de Critique,* pp. 320-321.
5. *Ibid.* p. 321.
6. *Essais sur la littérature contemporaine,* p. 147.
7. Questions de Critique, p. 195.
8. *Ibid.* p. 200.
9. *Ibid.* p. 201.
10. *L'Evolution de la Poésie Lyrique* (Hachette) tome II, p. 224.
11. *Nouvelles Questions de Critique,* p. 310.
12. *Ibid.* p. 311.
13. *Essais sur la littérature contemporaine,* p. 135.
14. *Ibid.* p. 155.
15. *Nouvelles Questions de Critique,* p. 325.
16. *Ibid.* p. 322.
17. *Ibid.* p. 327.
18. *Ibid.* p. 326.
19. *Ibid.* p. 309.
20. *Questions de Critique,* p. 254.
21. *Ibid.* p. 255.
22. *Ibid.* p. 256.
23. *Ibid.* pp. 257-258.
24. *Ibid.* p. 273.
25. *Nouveaux Essais sur la Littérature Contemporaine,* p. 146.
26. *Ibid.* p. 156.
27. *L'Evolution de la Poésie Lyrique,* tome II, p. 236.
28. *Ibid,* p. 262.
29. Voir *Nouvelles Questions de Critique,* pp. 326-329.

30. Cf. *Nouvelles Questions de Critique*, p. 326.

31. Voir notamment *Les Contemporains*, tomes I et III.

32. Voir notamment *La Statue de Baudelaire*, article paru le 2 octobre 1892 dans *Le Temps* et recueilli dans *la Vie Littéraire*, cinquième série (Calmann-Lévy, 1949).

33. Voir *Baudelaire et M. Faguet* (article paru en novembre 1910 dans la *Nouvelle Revue Française*).

34. Voir notamment *Promenades Littéraires*.

35. *Pages de Critique et de Doctrine*, vol. 1, pp. 289-290. Voir également parmi la correspondance inédite de Bourget à Brunetière (correspondance déposée à la Bibliothèque Nationale) une lettre portant sur l'attitude de Brunetière envers Zola.

36. *Nouveaux essais sur la littérature contemporaine*, p. 211.

37. *Ibid*. p. 212.

38. *Ibid*. p. 211.

39. *Nouvelles Questions de Critique*, p. 335.

40. Voir notre quatrième chapitre.

1. « M. Beaussire me fit entrer à la *Revue Bleue* en 1874 et mon ami Paul Bourget à la *Revue des Deux Mondes* en 1875 », écrit-il à Hatzfeld en 1893.
Voir V. Giraud, *Brunetière*, p. 90, note I. Pour le récit de Bourget voir *Pages de Critique et de Doctrine*, vol. I, pp. 289-290.

2. *Etudes critiques*, quat. série, p. 258.

3. Voir notamment Gustave Lanson : *Manuel d'Histoire de la Littérature Française*, Hachette, deuxième édition.

4. Recueilli dans *Etudes critiques*, première série.

5. *Etudes critiques*, première série, pp. 252-254.

6. *Ibid*. p. 252.

7. *Ibid*. p. 253.

8. Bourget rappelle que lors même qu'il enseignait à l'Institut Lelarge Brunetière malmenait volontiers « ce coquin de Fénelon ». Voir V. Giraud, *ibid*. p. 36.

9. *La querelle du quiétisme* (article paru le 15 août 1881) dans la *Revue des Deux Mondes* et recueilli dans *Etudes Critiques*, deuxième série).

10. *L'Apologie pour Fénelon* de Brémond ne paraîtra qu'en 1910.

11. *Etudes Critiques*, deuxième série, p. 53.

12. Notice sur *Fénelon* parue dans *La Grande Encyclopédie* et recueillie dans *Etudes critiques*, neuvième série.

13. En septembre 1882 Brunetière discute longuement la thèse de Krantz sur l'influence du cartésianisme, voir *l'esthétique de Descartes*, *Etudes critiques*, troisième série.

14. *Questions de Critique*, p, 141.

15. *Etudes critiques*, cinquième série, p. 45.

16. *Etudes critiques*, quatrième série, p. 117.

17. *Etudes critiques*, quatrième série, p. 135.

18. *Ibid.* p. 146.

19. *Ibid.* p. 150.

20. *Etudes critiques*, quatrième série, p. 147.

21. *Etudes critiques,* quatrième série, p. 149,

22. *Ibid.* pp. 145-146.

23. *Ibid.* p. 91.

24. Voir à ce sujet B. Amoudru : *Des Pascalins aux Pascalisants* (Cahiers de la Nouvelle Journée, Bloud et Gay).

25. *Le Problème des Pensées de Pascal* (article paru le 15 août 1879 dans la *Revue des Deux Mondes* et recueilli dans *Etudes Critiques*, première série).

26. *Etudes Critiques*, première série, p. 80, note I.

27. Edition parue chez Sandoz et Fischbacher.

28. *Etudes Critiques*, troisième série, p. 51. Brunetière cite d'après la troisième édition des *Etudes sur Pascal* (pp. 158-159). L'article en question fut écrit par Vinet en 1844 à propos de l'édition Faugère.

29. *Ibid.* p. 51. A la différence de Vinet, Cousin, dira Brunetière en 1891, n'était pas « de la famille de Pascal ».

30. *Ibid.* p. 52.

31. *Ibid.* p. 51.

32. Le mariage fut célébré le 5 mars 1885 dans la mairie du Vᵉ arrondissement de Paris. Marie Sylvie Lefebvre, née le 12 octobre 1845, était originaire de la ville de Bury en Belgique. Survivant à son mari, elle ne mourra que le 31 janvier 1929. (Voir parmi les papiers de la famille Brunetière la copie du contrat de mariage délivré le 5 mars 1885 à la mairie du Vᵉ arrondissement de Paris, ainsi que l'acte de décès pour Marie Sylvie Lefebvre délivré en 1929, à la mairie du VIᵉ arrondissement de Paris).

33-34. Lettre inédite à Charles Buloz, directeur de la *Revue des Deux Mondes.* (Lettre s.d. déposée à la Bibliothèque Nationale). Cette lettre fut vraisemblablement rédigée soit en 1883 soit en 1884, ainsi que nous l'indique la première phrase : « Voilà plus de huit ans maintenant, que j'ai l'honneur d'écrire dans la *Revue,* et plus de cinq ans que j'y consacre, comme vous le savez, mon temps tout entier ».

35. Le 9 février 1884, — par exemple, le physiologiste Dastre lui écrit : «... au sortir de votre conférence à la Sorbonne, Duruy causant avec Deschanel disait de vous : « quel appui vigoureux ! » ...» (lettre inédite déposée à la Bibliothèque Nationale).

36. Lettre inédite s.d. déposée à la Bibliothèque Nationale.

37. En juin 1888, Brunetière consacrera un article particulièrement élogieux à la personnalité et à l'œuvre de Caro (article recueilli dans *Questions de Critique*, pp. 275 *et seq.*)

38. Arrêté du Ministre de l'Instruction publique, des Beaux-Arts et des Cultes fait à Paris le 4 février 1886 (document déposé à la Bibliothèque Nationale).

39. Voir Victor Giraud, *op. cit.* pp. 89-90. Brunetière avait comme seul diplôme son baccalauréat et cette circonstance exceptionnelle de sa nomination servira plus tard de prétexte à sa révocation (voir plus loin notre dixième chapitre).

1. *Questions de Critique* pp. 286-287.

2. Pierre Moreau : *Maurice Barrès*, pp. 52-53.

3. *Questions de Critique*, p. 285.

4. *Ibid.* voir plus loin chapitre IV.

5. Reproduit dans notre appendice.

6. *Vingt six ans de l'histoire des études orientales* (article paru le 15 juillet 1880 dans la *R.D.M.* et non recueilli en volume).

7. *L'éloquence de Massillon* (article paru le 1er janvier 1881 dans la *R.D.M.* et recueilli dans *Etudes critiques*, deuxième série).

8. *Etudes critiques*, deux. série, p. 106.

9. *Ibid.* Cette phrase est le premier indice d'un thème qu'il développera longuement par la suite, celui de l'évolution du dogme.

10. Voir Victor Giraud, *ibid.* pp. 109-110, 129-130.

11. Le Congrès de Chicago eut lieu en 1893.

12. *M. Caro*, article paru dans la *Revue des Deux Mondes*, le 1er juillet 1888 et recueilli dans *Questions de Critique*.

13. *Questions de Critique*, p. 291.

14. *Ibid.* p. 292.

15. *Essais sur la littérature contemporaine*, pp. 76-77.

16. *Ibid.* p. 78.

17. *Ibid.* p. 79.

18. *La critique de Bayle*, article paru dans la *Revue des Deux Mondes* le 1er août 1892 et recueilli dans *Etudes critiques* cinquième série.

19. *Etudes critiques*, cinquième série, p. 150.

20. *Ibid.* p. 152.

21. *Ibid.*, p. 151.

22. *Ibid.* p. 150-151.

23. Cité *ibid.* p. 151.

24. *Ibid.* p. 153.

25. Cité *ibid.* p. 152.

26. *Ibid.* p. 153.

1. Article paru dans la *Revue des Deux Mondes* en mars 1870.

2. Paris, 1874.

3. *Le Pessimisme au* XIXᵉ *siècle*, Paris, 1878. Le compte rendu de Brunetière parut le 15 janvier suivant dans la *Revue des Deux Mondes*.

4. La première traduction française fut celle de Cantacuzène, la seconde celle d'Auguste Burdeau (Alcan, 1888-1890).

5. La phrase est de J. Bourdeau dont les lettres à Brunetière sont déposées à la Bibliothèque Nationale.

6. A. Daudet, *Notes sur la Vie*.

7. Il en avait parlé très sommairement d'abord le 15 janvier 1879 dans la *Revue des Deux Mondes* à propos du livre de Caro sur le *Pessimisme au* XIXᵉ *siècle*. Les deux autres articles ont paru le 1ᵉʳ octobre 1886 et le 1ᵉʳ novembre 1890 respectivement et ont été recueillis en volume (voir *Questions de Critique* et *Essais sur la littérature contemporaine*).

La conférence fut prononcée devant le Cercle Saint-Simon et publiée dans la *Revue Bleue* en janvier 1886 (voir le manuscrit de cette conférence-ms. VIc. dans le classement de Bédier).

8. *Essais sur la littérature contemporaine*, p. 74.

9. *Essais sur la littérature contemporaine*.

10. *Etudes critiques*, quatrième série, p. 150.

11. *Questions de Critique*, p. 140.

12. *Ibid.* p. 290.

13. *Ibid.* p. 139.

14. Ms. VIc.

15. Ms. inédits. Ms VIc.

16. *Ibid.*

17. *Alfred de Vigny*, article paru le 1ᵉʳ décembre dans la *Revue des Deux Mondes* et recueilli dans *Essais sur la Littérature contemporaine*.

18. Mss. inédits. Ms VIc. Voici le passage d'après la version manuscrite : « L'angoisse métaphysique, si je puis l'appeler de ce nom, a été la source même du pessimisme, et faute de pouvoir s'y soustraire, qui sait si quelques-uns de ceux qui s'en sont le plus cruellement moqué ne sont pas ceux aussi qui en ont le plus souffert... (Expression la plus pathétique qui en soit — Pascal). (L'ignorance, source de son pessimisme) *Pensées* Ed. Havet T. I, pp. 5, 6, 7, 8... T. I, p. 197. Après Pascal, Voltaire. *Histoire d'un Bon Bramin* ».

19. La citation est tirée de l'article *Jansénistes et cartésiens* paru le 15 novembre 1889 dans la *Revue des Denx Mondes* et recueilli dans *Etudes critiques,* quatrième série. Brunetière avait commencé par voir en Pascal un sceptique mais, grâce sans doute à sa lecture d'Alexandre Vinet, modifia son point de vue.

20. Mss. inédits. Ms VI a. dans le classement de Bédier. Pour les problèmes posés par la datation de ce manuscrit voir notre appendice.

21. *La Confession d'un réfractaire,* article paru le premier mars 1885 dans la *Revue des Deux Mondes* et recueilli dans *Histoire et Littérature,* troisième série.

22. *Histoire et Littérature,* troisième série, p. 310.

23. *Credo philosophique.* Voir notre appendice.

24. *De quelques travaux récents sur Pascal,* article paru le 1er septembre 1885 dans la *Revue des Deux Mondes* et recueilli dans *Etudes critiques,* troisième série.

25. *Etudes critiques,* troisième série, p. 30.

26. *Ibid.* p. 48.

27 *Ibid.* p. 49.

28. *Ibid.* p. 30.

29. Cité *ibid.* p. 53.

30-31. *Ibid.* p. 53.

32. Article paru le 25 octobre 1890 dans la *Revue Bleue* et recueilli dans *Etudes critiques,* quatrième série.

33. *Etudes critiques,* quatrième série, p. 100.

34. *Ibid.* p. 109-110.

35. *Ibid.* p. 110.

36. Voir mss. inédits, *credo philosophique.*

37. Voir mss. inédits, Ms. Vic.

38. Cf. Brunetière, *Questions Actuelles.*

39. *Le pessimisme dans le roman* article non recueilli en volume paru le 1er juillet 1885 dans la *Revue des Deux Mondes.*

40. Nous citons d'après la version manuscrite, voir ms. inédits, ms. VIc.

41. *Essais sur la littérature contemporaine,* p. 61.

42. *Questions de Critique* p. 162-163 ; comparer la lettre écrite à son père en 1874 (voir ci-dessus p. 164, note 67).

43. *Le Roman Naturaliste* p. 384.

44. Article paru le 1er mars 1890 dans la *Revue des Deux Mondes* et recueilli dans *Essais sur la Littérature Contemporaine.*

Brunetière admirait Vinet de longue date comme en témoigne cet article. « Quand je rassemble mes plus anciens souvenirs et que je fais mon examen de conscience, je ne trouve pas d'historien de la littérature à qui je doive davantage ni de qui j'ai plus appris, non pas même Sainte-Beuve ou Désiré Nisard... » Comme nous l'avons déjà vu, c'est à travers Vinet qu'il appréciait Pascal.

45. *Essais sur la littérature contemporaine*, pp. 111-113.

46. C'est M. Victor Giraud qui a ainsi caractérisé le Brunetière de cette époque.

47. *De la folie.* voir ms. inédits. Ms. VIᵉ (partiellement reproduit dans notre appendice). Rapprocher cette phrase tirée d'*Histoire et Littérature*, troisième série, p.360 : « Mahomet n'était-il pas épileptique et Luther visionnaire ? ».

48. *Nouvelles Etudes Critiques*, p. 42. Cf. dans les ms. inédits une référence à Mme Guyon et au « gonflement de la grâce » (Ms. VIe.)

49. Article non recueilli en volume paru dans la *Revue des Deux Mondes.*

50. *Nouvelles Etudes Critiques*, p. 66.

51. *Essais sur la Littérature Contemporaine*, p. 112 et seq.

52. *Le pessimisme dans le roman* (article non recueilli en volume.

53. *Questions de Critique*, pp. 290-291.

54. *Ibid*, pp. 290-291.

1. *Histoire ancienne des peuples de l'Orient* (article non recueilli en volume paru dans la *Revue Bleue*).

2. *Vingt-six ans de l'histoire des études orientales* (article non recueilli en volume paru le 15 juillet 1880 dans la *Revue des Deux Mondes*).

3. *La légende et le culte de Krichna* article non recueilli en volume paru le 1ᵉʳ juillet 1884 dans la *Revue des Deux Mondes*.

4. *Questions de Critiques* p. 164.

5. *Ibid.* p. 164.

6. Texte laissé inédit par Brunetière et cité par Victor Giraud, *ibid.* p. 119. Ms. VI dans le classement de Bédier.

7. Article paru le 1ᵉʳ février dans la *Revue des Deux Mondes* et recueilli dans *Pages sur Ernest Renan.*

8. *Pages sur Ernest Renan*, p. 82.

9. *Ibid.* p. 84.

10. *Pages sur Ernest Renan*, p. 86.

11. Cité *ibid.* p. 90.

12. *Ibid.* p. 91.

13. *Ibid.* p. 86. ...« Pour me servir de l'expression de M. Renan, précise-t-il, quoique j'en aimasse mieux une autre ».

14. *Ibid.* pp. 102-103.

15. *Ibid.* p. 104.

16. *Ibid.* p. 104.

17. Voir Victor Giraud : *Brunetière et Bossuet,* pp. 175-176.

NOTES DU CHAPITRE IV

1 *Le roman réaliste contemporain,* article paru le 1ᵉʳ avril 1875 dans la *Revue des Deux Mondes* et recueilli dans *Le Roman Naturaliste.*

2. *Le Roman Naturaliste,* p. 2.

3. *Deux réceptions académiques* (article paru le 15 juin dans la *Revue des Deux Mondes* et recueilli par M. Pierre Moreau dans *Pages sur Ernest Renan).*

4. *Pages sur Ernest Renan,* pp. 43-44

5. *Ibid.* p. 61.

6. *Ibid.* p. 45.

7. *Le peuple d'Israël et son historien* (article paru le 1ᵉʳ février 1889 dans la *Revue des Deux Mondes* et recueilli dans *Pages sur Ernest Renan).*

8. *Pages sur Ernest Renan,* p. 101.

9. *Ibid.* p. 81.

10. *Ibid.* p. 77.

11. *Ibid.* p. 79.

12. *Ibid.* p. 108.

13. *Ibid.* p. 106.

14. *L'Evolution des Genres,* p. 246.

15. *Ibid.* p. 245-246.

16. *Une nouvelle histoire de la littérature anglaise, par A. Filon* (article non recueilli en volume paru le 1ᵉʳ août 1883 dans la *Revue des Deux Mondes).*

17. *Histoire et Littérature,* troisième série, p. 124.

18. *Questions de Critique,* p. 136.

19. *Ibid.* p. 136.

20. *Histoire et Littérature,* troisième série, p. 137.

21. *Questions de Critique,* p. 135.

22. *Histoire et Littérature,* 3ᵉ série, p. 134.

23. *Ibid.* p. 135.

24. *Ibid.* p. 198.

25. *Questions de Critique,* p. 116.

26. *Essais sur la littérature contemporaine,* p. 120.

27. *Histoire et Littérature,* troisième série, p. 194-195.

28. *Histoire et Littérature*, troisième série, p. 194-195.

29. *Ibid.* p. 192.

30. *Ibid.* p. 196.

31. *Etudes critiques*, troisième série, p. 55.

32. *Les conséquences du pessimisme*, (article paru en novembre 1890 dans la *Revue des Deux Mondes* et recueilli dans *Essais sur la littérature contemporaine*).

33. *Essais sur la littérature contemporaine*, pp. 78-79.

34. *Nouvelles Questions de Critique*, p. 379.

35. *Questions de Critique*, p. 288.

36. *Ibid.* p. 144.

37. *Ibid.* p. 143.

38-39. Voir plus haut chapitre II.

40. *A propos du Disciple* et une *Question de Morale*. Les deux articles, parus dans la *Revue des Deux Mondes* le 1er juillet et le 1er septembre respectivement, ont été recueillis dans *Nouvelles Questions de Critique* (Calmann-Lévy, 1890).

1. Le 18 décembre 1882, Brunetière venant de consacrer une notice à *Abeille*, France lui écrivit : « Cher Monsieur, je suis touché et bien flatté des lignes si pleines de sens — et de sens élogieux — que vous avez consacrées à mon petit conte et mises sous l'autorité incontestée de votre nom. Vous êtes du petit nombre de ceux qu'on croit... » (Lettre inédite déposée à la Bibliothèque Nationale). Les relations entre les deux hommes de lettres devaient cependant se refroidir lors de la publication de *Thaïs*, Brunetière exigeant de nombreuses coupures dans ce livre « bien irréligieux ».

2. Article recueilli dans *La Vie Littéraire*, troisième série.

3. *La Vie Littéraire*, troisième série, p. 55.

4. *Nouvelles Questions de Critique*, p. 341.

5. *Ibid.* p. 334.

6. *Ibid.* p. 341.

7. *Ibid.* p. 342.

8. *Ibid.* p. 333.

9. *Ibid.* p. 347.

10. *Ibid* p. 347.

11. *Ibid.* p. 334.

12. *Ibid.* p. 333.

13. *Ibid.* p. 334.

14. *Ibid.* p. 343.

15. *Ibid.* p. 345.

16. *Ibid.* p. 343.

17. *Ibid.* p. 348. Pour avoir écrit ces lignes, Brunetière s'attend à ce que ce « maître » le taxe de lâcheté « d'impertinence » et de « mauvaise foi ». De toutes ses références à Taine celle-ci est certainement la plus aigre que Brunetière se soit permise.

18. *Ibid.* p. 347.

19. *La Vie Littéraire,* troisième série, p. 57.

20. *Ibid.* p. 59.

21. *Ibid.* p. 58.

22. *Ibid.* p. 60.

23. Cité *La Vie Littéraire,* troisième série, p. 59.

24. *Ibid.* p. 61.

25. Cette lettre entièrement inédite, éclaire d'un jour nouveau la portée de cette polémique. Nous l'avons reproduite intégralement dans notre appendice et nous tenons à exprimer notre vive reconnaissance envers M. Lucien Psichari d'avoir bien voulu nous la communiquer.

26. Cette citation et toutes les autres de ce même alinéa et du suivant sont tirées de la lettre inédite déjà citée.

27. *Question de Morale,* (article paru le 1er septembre 1889 dans la *Revue des Deux mondes* et recueilli dans *Nouvelles Questions de Critique).*

28. *Nouvelles Questions de Critique,* p. 380.

29. *Ibid.* p. 381, pour cette citation et les autres de ce même alinéa.

30. *Ibid.* p. 358.

31. *Ibid.* p. 359.

32. *Ibid.* pp. 360-361.

33. *Ibid.* p. 367.

34. *Ibid.* p. 369.

35. *Ibid.* p. 383.

36. *Ibid.* p. 386.

37. L'expression est de Jules Lemaître. Voir J. Suffel : *Anatole France* (Editions du Myrte).

38. Lettres inédites de Bourget à Brunetière, datées simplement « vendredi » et « ce jeudi ». Dans la première, Bourget parle du « bel article que vous avez consacré au *Disciple* », dans l'autre, de « votre bel article sur *le Disciple* ».

39. Lettre inédite de Bourget à Taine. Il nous a été impossible d'avoir communication de cette lettre et nous tenons ce renseignement de M. Victor Giraud.

40. M. Victor Giraud a eu l'obligeance d'attirer notre attention sur ce texte, déjà publié par lui-même mais inutilisé jusqu'à présent par les historiens de la querelle du *Disciple.*

41. *La critique impressionniste,* (article paru le 1er janvier 1891, dans la *Revue des Deux Mondes* et recueilli dans *Essais sur la Littérature contemporaine*).

42. *Essais sur la Littérature contemporaine,* p. 4.

43. *Ibid.* p. 7.

44. Cité, *ibid.* p. 6.

45. *Ibid.* p. 7.

46. *Ibid.* pp. 10-11.

47. *Ibid.* p. 29.

48. *Ibid.* p. 17.

49. *Ibid.* p. 25.

50. Article paru dans *Le Temps* et réimprimé comme la préface de *La Vie Littéraire,* troisième série.

51. *La Vie Littéraire,* troisième série, V.

52. Voir : *Un roman de M. Paul Bourget* (article paru le 1er novembre 1892 dans la *Revue des Deux Mondes* et recueilli dans *Nouveaux Essais sur la Littérature Contemporaine.* France ne lui a jamais pardonné cette phrase — voir J. Suffel, idem.

53. A. Ricardou : *La Critique littéraire, étude phitosophique* (Hachette, 1896). Bien qu'il ne soit pas nommé dans cette préface, France y est directement visé.

54. Conférence prononcée aux Etats-Unis en 1897. Nous citons d'après le brouillon manuscrit. Ms. inédits. Ms. IV 1 E.

55. Mss. inédits, *ibid.*

56. Mss. inédits, *ibid.*

57. En 1896 son sentiment d'antipathie à l'égard de France aurait amené Brunetière à critiquer comme trop francienne l'*Aphrodite* de Pierre Louÿs. En tout cas, lors de la publication de son roman, ce dernier lui écrivit : « ... Je sais que vous m'avez fait l'honneur d'écrire vous-même la note qui a paru sur l'*Aphrodite* dans la *Revue.* Je vous en suis très reconnaissant, et, pour suivre au moins un de vos bons conseils, je ferai mille nouveaux efforts pour que mes prochains romans ressemblent encore moins à ceux de M. France. Je n'ai pas, croyez-le bien, de plus vif désir. Veuillez agréer... P. Louÿs. »
(Lettre inédite du 16 mai 1896, actuellement déposée à la Bibliothèque Nationale).

NOTES DU CHAPITRE V

1. Voir plus haut notre troisième chapitre.

2. *Classiques et romantiques* (article paru en janvier 1883 dans la *Revue des Deux Mondes* et recueilli dans *Etudes critiques,* troisième série). La même année, lors d'une conférence prononcée à la Sorbonne, Brunetière fait un rapprochement entre le « clas-

sicisme » et le « naturalisme » en tant que doctrines littéraires (voir *le naturalisme au* xvii° *siècle,* conférence recueillie dans *Etudes critiques* première série).

3. *Etudes critiques,* troisième série, p. 291.

4. *Ibid.* p. 314.

5. *Ibid.* p. 302.

6. *Ibid.* p. 303.

7. *Ibid.* p. 305.

8. *Ibid.* p. 306.

9. *Ibid.* p. 310.

10. Avec les modifications nécessaires, ajoute Brunetière, ces remarques s'appliqueraient aussi bien à l'histoire de l'art qu'à celle de la littérature. « Il est certain, dit-il dans l'article que nous venons de citer, que si Raphaël avait vécu cent ans plus tôt, il n'aurait pas été Raphaël, tout de même qu'il ne l'eût pas été, s'il fût né seulement cinquante ou soixante ans plus tard. Mais il profite surtout de ce qu'il vivait de son temps, et c'est pour cela surtout qu'il est classique » *(ibid.,* p. 305). Cf. à cet égard un long manuscrit sur Raphaël laissé inédit par Brunetière et publié avec un commentaire par M. Pierre Moreau dans *Le Correspondant* du 10 mars 1929.

11 *Etudes critiques,* troisième série, p. 308.

12 En particulier son *Manuel de l'histoire et de la littérature classique* (Delagrave, 1898) met en relief la prééminence du dix-septième siècle sur le seizième, époque de la « formation de l'idéal classique », ainsi que sur le dix-huitième, époque de « la déformation de l'idéal classique ».

13 *La philosophie de Bossuet* (article paru le 1ᵉʳ août 1891 dans la *Revue des Deux Mondes* et recueilli dans *Etudes critiques,* cinquième série, ainsi que dans Victor Giraud, *Bossuet,* (Hachette, 1913).

14 Cours professé à la Sorbonne pendant l'année scolaire 1893-1894. En 1890-1891 Brunetière avait déjà professé un cours sur le même sujet devant ses élèves de l'Ecole normale. Cf Victor Giraud, *op. cit.,* p. xvii.

15 A part celles dont nous venons d'indiquer les titres, les principales conférences de Brunetière sur Bossuet furent prononcées le 30 janvier 1900 au Palais de la Chancellerie pontificale, à Rome (conférence sur *la Modernité de Bossuet)* et le 25 février de la même année à Besançon (conférence intitulée *Ce que l'on apprend à l'école de Bossuet).*

16 *Manuel de l'histoire de la littérature française.* (Delagrave 1898), pp. 189-200.

17. *L'Eloquence de Bossuet* (conférence faite à Dijon en 1894 et recueillie dans Victor Giraud, *Bossuet,* Hachette, 1913).

18. Cf. à ce sujet E.-M. de Vogüé : *Ferdinand Brunetière* (article paru le 1ᵉʳ janvier 1907 dans *la Revue des Deux Mondes)* ainsi que Victor Giraud, *Bossuet* (Hachette 1913), pp. xiii *et seq.*

19 *La Modernité de Bossuet* (conférence prononcée le 30 janvier 1900 à la Chancellerie pontificale et recueillie dans Victor Giraud, *op. cit.*

20 Victor Giraud, *op. cit.*, p. 48.

21 Cours de 56 leçons professées à l'Ecole normale pendant l'année scolaire 1888-1889.

22 Cours de 26 leçons professées à l'Ecole normale pendant l'année scolaire 1891-1892.

23 Leçons professées à la Sorbonne entre le 11 janvier et le 7 juin 1893 et publiées en deux volumes sous le même titre (Paris, Hachette, 1894).

24 Cours de 48 leçons professées à l'Ecole normale pendant l'année scolaire 1892-1893.

25 Voir plus haut nos troisième et quatrième chapitres.

26 Dans son cours sur *l'Evolution de la poésie lyrique*, Brunetière reproche aux poètes romantiques leur excès d'individualisme mais se montre plutôt admiratif à l'égard de Vigny, de Gautier et de Leconte de Lisle. Ce dernier l'a, du reste, remercié de la « belle et magistrale » étude dont son œuvre y avait été l'objet (lettre inédite du 27 mai 1893 déposée à la Bibliothèque Nationale).

27 Henri de Régnier critiqua Brunetière d'avoir consacré trop peu de place à Verlaine et à Mallarmé dans son cours sur *l'Evolution de la poésie lyrique* alors que de nombreux critiques et historiens littéraires ont insisté sur son incompréhension du véritable sens du mouvement symboliste. Il convient, toutefois, de rappeler que Brunetière fut l'un des premiers, parmi les professeurs de littérature, à parler du symbolisme dans un cours de Sorbonne et dans une série de conférences universitaires (conférences prononcées aux Etats-Unis en 1897, sur *l'Evolution de la poésie française contemporaine*, ms. inédits. ms. VI II E suivant le classement de Bédier).

28 *Auguste Vacquerie* (article non recueilli en volume, paru le 15 juillet 1879 dans la *Revue des Deux Mondes*).

29 *Etudes critiques*, première série, p. 257.

30 Sainte-Beuve ne se servit de cette expression que vers la fin de sa vie et qu'après avoir subi, à son tour, l'influence de Taine. Cf. René Jasinski, *op. cit.*, p. 665.

31 Bien qu'il ait consacré à l'œuvre critique de Sainte-Beuve une des leçons de son cours sur *l'Evolution des genres*, rien n'indique que Brunetière ait subi, dans une mesure importante, l'influence de l'auteur de *Port-Royal* et des *Causeries du Lundi*. En revanche, et malgré les critiques qu'il lui a adressées, sa dette envers Taine est considérable. (Voir, notamment, la neuvième leçon du cours sur *l'Evolution des genres* ainsi que les manuscrits inédits auxquels nous faisons allusion dans notre dixième chapitre et la conférence prononcée à l'Université de Fribourg, en 1902 et recueillie dans *Discours de Combat*, nouvelle série).

32 René Jasinski, *op. cit.*, p. 646.

33 Passage cité par Brunetière, *Evolution des genres*, p. 250.

34 *Ibid.*, p. 275.

35 *Evolution des genres*, p. 272.

36 *Ibid.* p. 263.

37 *Ibid.* p. 273.

38 *l'Evolution des genres*, pp. 262-263.

39 « *La tragédie de Racine* » (article paru le 1er mars 1884 dans la *Revue des Deux Mondes* et recueilli dans *Histoire et Littérature*, deuxième série).

40 *Histoire et Littérature*, deuxième série, pp. 8-9.

41 *Ibid.* pp. 8-9.

42 *Essais sur la littérature contemporaine*, p. 120.

43 *Ibid.* pp. 120-121.

44 Voir parmi les papiers inédits le manuscrit d'une conférence sur *la critique contemporaine* prononcée en 1897 aux Etats-Unis.

45 Mss inédits. *Ibid.*

46 Mss. inédits, *ibid.*

47 *l'Evolution des genres* (Hachette, 1890), p. 271.

48 *Ibid.* p. 9

49 *Ibid.* p. 14.

50 *Ibid.* p. 10.

51 *Ibid.* p. 11.

52 *Ibid.* p. 11

53 *Ibid.* p. 12

54 *Ibid.* p. 21.

55 *Ibid.* p. 13.

56 *Ibid.* p. 22

57 *Ibid.* p. 19.

58 *Ibid.* p. 20

59 *Ibid.* p. 22. Cette question, dit-il, est peut-être « la plus complexe » et « la plus obscure » de toutes celles qu'il tient à examiner (*Ibid.* p. 12).

60 *Ibid.* p. 23.

61 *Ibid.* p. 20. « Ce n'est rien moins, dit-il, que la question du classicisme ».

62 *Ibid.* p. 23.

63 *Ibid.* p. 24.

64 *Ibid.* p. 13.

65 *Ibid.* p. 10.

66 *Ibid.* p. 29.

67 *Ibid.* p. 31.

68 *Ibid.* p. 30.

69 Brunetière n'a effectivement publié que les dix premières leçons de son cours. Toutefois, grâce à l'aide bienveillante de Mme Fernande Dieuzeide nous avons eu la possibilité d'examiner les notes manuscrites de la plupart des cours non recueillis qui, nous tenons à le rappeler, ont été déposés à la Bibliothèque Nationale. Dans notre appendice. nous indiquons les titres de certains de ces cours inédits.

70 Voir cours inédits sur *l'Evolution des genres*.

71 *Essais sur la littérature contemporaine*, p. 25. Cf. cours inédits sur *l'évolution des genres*.

72 Voir Victor Giraud, *ibid.* p. 98.

73 *Les Epoques du Théâtre Français*, conférences prononcées à l'Odéon entre novembre 1891 et février 1892 et publiées chez Calmann-Lévy en 1892.

74 *L'Evolution de la Poésie Lyrique*, conférences prononcées à la Sorbonne entre janvier et juin 1893, publiées chez Hachette (deux volumes) en 1894.

75 *Manuel de l'Histoire de la Littérature Française* (Delagrave, 1898) p. 11. Dans la même préface il ajoute cependant que les genres « ne se définissent, comme les espèces dans la nature, que par la lutte qu'ils soutiennent en tout temps les uns contre les autres » et il consacre, en outre, un paragraphe à l'intérêt des « époques de transition ».

76 Voir le début de notre chapitre.

77 En 1900 Brunetière rendra un chaleureux hommage aux travaux d'Emile Montégut, « l'homme, dit-il, qui, peut-être, aura le plus contribué, dans notre siècle, à faciliter, par l'intermédiaire de la critique française, la communication ou l'échange entre les littératures du Nord et celles du Midi ». A la même occasion, il réclamera la fondation à Paris d'une chaire de littérature comparée. (voir *La Littérature Européenne*, article paru le 15 septembre 1900 dans la *Revue des Deux Mondes* et recueilli dans *Variétés Littéraires*). Ajoutons, enfin. que le comparatiste Joseph Texte fut l'élève de Ferdinand Brunetière.

78 Victor Giraud, *Brunetière* (Flammarion, 1932), p. 141. En réalité, ainsi que le montre sa correspondance avec Charles Buloz, Brunetière jouait, depuis plusieurs années déjà, un rôle prépondérant dans la direction de la *Revue des Deux Mondes* (voir la correspondance inédite entre Brunetière et Charles Buloz déposée à la Bibliothèque Nationale).

79 Elu successeur de John Lemoine, Brunetière prononça son discours de réception le 15 février 1894. Il avait précédemment sollicité un fauteuil en novembre 1889 (lettre inédite à Mme Buloz datée du 6 novembre 1889 et déposée à la Bibliothèque Nationale).

80 Voir plus loin notre sixième chapitre.

NOTES DU CHAPITRE VI

1 Voir notamment — R. P. Lecanuet : *L'Eglise de France sous Léon XIII* (Paris, Alcan, 1931) — Georges Goyau : *Autour du catholicisme social* (cinq volumes, Perrin) — Jacques Piou : *Le Ralliement : son histoire* (Paris, Editions Spes, 1928) — Pierre Dabry : *Les catholiques républicains* (Paris, Chevalier et Rivière, 1905) — J. Van der Lugt : *L'action religieuse de Ferdinand Brunetière* (Desclée de Brouwer, 1936).

2 Voir J. Piou, *ibid.*

3 Dans *Affaires de Rome* (article paru le 15 juin 1887 dans la *Revue des Deux Mondes* et recueilli dans *Spectacles contemporains*).

4 Eugène Melchior de Vogüé, *ibid.*

5 Certaines conférences de Mgr. Ireland portant sur ce thème seront traduites et publiées avec une préface par l'abbé Klein, en 1894 (Paris, Lecoffre, 1894).

7 Voir Pierre Dabry, *ibid.*

8 Voir Pierre Dabry, *ibid.*

9 Publié chez Perrin, en 1893. Goyau publia ce livre sous le pseudonyme de Léon Grégoire.

10 Cité par V. Giraud. *ibid.* p. 118.

11 *Autour du catholicisme social*, troisième série, p. 266.

12 *Lamennais : étude d'histoire politique et religieuse* par E. Spüller (Paris 1892, Hachette) et *Lamennais, d'après ses documents inédits*, par A. Roussel, de l'Oratoire de Rennes (1892, Caillière).

13 *Lamennais* (article paru le 1er février 1893 dans la *Revue des Deux Mondes* et recueilli dans *Nouveaux essais sur la littérature contemporaine*).

14 Voir plus haut notre troisième chapitre.

15 *Nouveaux essais sur la littérature contemporaine*, p. 36.

16 *Ibid.* p. 37.

17 Cité *ibid.* p. 41.

18 *Ibid.* p. 48

19 *Ibid.* p. 52.

20 *Discours académiques* (Perrin) p. 42. Discours prononcé au lycée Lakanal.

21 *Ibid.* p. 50.

22 Ms resté inédit du vivant de Brunetière et publié par M. Victor Giraud dans *Brunetière* (Flammarion, 1932), pp. 117-119.

23 Lettre inédite du 1er octobre 1894.

24 Voir plus haut pp. 83 *et seq.*

25 Articles publiés en volume en 1892 (Calmann-Lévy).

26 Correspondance inédite déposée à la Bibliothèque Nationale.

27 Lettre inédite expédiée le 23 novembre 1894.

28 Lettre inédite du 23 novembre 1894.

29 Lettre du 25 novembre 1894 publiée le 15 août 1924 dans la *Revue des Deux Mondes,* p. 776.

30 Voir Victor Giraud, *ibid.* p. 118.

31 Lettre du 21 juillet 1903 citée par Van de Lugt dans *L'action religieuse de Ferdinand Brunetière.*

32 Victor Giraud, *ibid.* p. 118.

33 *Ibid.* p. 118.

34 *Ibid.* p. 119.

35 *La Science et la Religion,* avant-propos, p. VI.

36 *Après une visite au Vatican* (article paru le 1ᵉʳ janvier 1895 dans la *Revue des Deux Mondes* republié sous forme de brochure et avec notes chez Firmin-Didot en mai 1895 et recueilli dans *Questions actuelles).*

37 Voir note 36.

38 *L'avenir de la Science* (Calmann-Lévy), p. 37, cité par Brunetière, *ibid,* p. 16.

39 *La Science et la Religion,* p. 19.

40 *Ibid.* p. 20.

41 *Ibid.* p. 23.

42 *Ibid.* p. 25.

43 *Ibid.* p. 27.

44 *Ibid,* p. 30.

45 *Ibid.* p. 31

46 *Ibid.* p. 26.

47 *Ibid* p. 32.

48 *Ibid.* p. 37.

49 *Ibid.* p. 53.

50 *Ibid.* p. 45.

51 *Ibid.* p. 53-54.

52 *Ibid.* p. 43-44.

53 *Ibid,* p. 44.

54 Cité *ibid.* p. 42.

55 *Questions actuelles,* p. 388

56 *La Science et la Religion,* p. 44.

57 *Ibid.* p. 58.

58 *Ibid.* p. 62.

59 Edmond Scherer. *Etudes sur la littérature contemporaine,* tome VIII, p. 182-183. Cité par Brunetière *ibid.* p. 64.

60 *La Science et la Religion,* p. 71

61 *Ibid.* p. 72.

62 *Ibid.* p. 78.

63 *Ibid.* p. 83.

64 *Ibid.* p. 93.

65 *A propos du Disciple* et *Question de Morale* recueillis dans *Nouvelles Questions de Critique.*

66 Voir plus haut notre chapitre sur *Brunetière et le pessimisme.*

67 Article paru le 1er février 1893 dans la *Revue des Deux Mondes* et recueilli *dans Nouveaux Essais sur la littérature contemporaine.*

68 *Les Malfaiteurs littéraires,* Paris, Rétaux 1892.

69 *Etudes,* sixième année, 1895, partie bibliographique, pp. 618-619.

70 *La faillite de la Science : Réponse à MM. Brunetière et Charles Richet* (article paru le 1er février 1895 dans *La Revue du clergé français* et recueilli dans *Nouveaux mélanges philosophiques.*

71 *La Science et la Religion* (Firmin-Didot) p. 59.

72 *La Faillite de la Science : Réponse à MM. Brunetière et Charles Richet.*

73 *Ibid.*

74 Article paru le 15 octobre 1896 dans la *Revue des Deux Mondes* et ayant servi de préface à la traduction française du livre de Balfour. L'article est recueilli dans *Questions actuelles.*

75 *Questions actuelles,* p. 386.

76 Article rédigé en 1896 pour servir de préface à la traduction française du livre de Balfour et recueilli dans *Questions actuelles* (Perrin).

77 *Questions actuelles,* p. 386.

78 *La Science et la Religion* (Firmin-Didot, 1895), p. 29, note 2.

NOTES DU CHAPITRE VII

1 Voir, notamment, le R. P. Fortin : *Brunetière et Besançon* Paris, Lethieleux 1912).

2 Pour de plus amples détails sur cette profonde et complexe évolution de la conscience française se reporter, notamment, à : René Jasinski, *Histoire de la Littérature française,* tome II, (Boivin, 1947) — H. Clouard, *Histoire de la litérature française depuis le symbolisme jusqu'à nos jours,* tome I (Paris, Albin Michel, 1947) — Émile Bréhier : *Histoire de la philosophie moderne,* tome II, fascicule 4, (Presses Universitaires de France, 1932).

3 *Le Devoir Présent* parut en 1892.

4 La réaction idéaliste dans le théâtre a été analysée par M. René Jasinski dans un article sur *le théâtre contemporain* (article paru le 15 octobre 1933 dans la *Revue d'histoire de la Philosophie et d'histoire générale de la Civilisation*).

5 Dans la préface du *Disciple*, Bourget appelle Dumas fils « le plus vaillant de nos chefs de file ».

6 Voir, notamment, *Discours de Combat*, première série, pp. 27-34, de même que les notes manuscrites d'une conférence prononcée en 1897 aux Etats-Unis sur le théâtre contemporain. (ms. inédits — ms. VI E suivant le classement de Bédier).

7 Mss inédits. *Ibid.* conférence prononcée aux Etats-Unis sur la poésie moderne.

8 *Discours de Combat*, première série, pp. 20-21.

9 Voir R. P. Fortin, *ibid.* pp. 13 et seq.

10 Voir R. P. Fortin : *Brunetière et Besançon*.

11 Recueilli dans *Discours de Combat*, première série (Perrin).

12 *Ibid.* p. 7.

13 Voir V. Giraud, *idem*, pp. 132-133.

14 Lettre inédite du 18 septembre 1896.

15 Lettre datée du 8 mars 1897 et déposée à la Bibliothèque Nationale. Cette lettre est partiellement reproduite par J. Van der Lugt, *op. cit.* p. 75.

16 Voir la correspondance inédite (déposée à la Bibliothèque Nationale) de Brunetière et Mme Buloz.

17 Lettre inédite s. d.

18 Lettre inédite à Mme Buloz du 22 avril 1897.

19 Lettre inédite à Mme Buloz en date du 27 avril 1897.

20 Lettre inédite à Mme Buloz expédiée de Baltimore (s. d.).

21 Voir *La Science et la Religion*, p. 46.

22 *Le Catholicisme aux Etats-Unis* (article paru le 1er novembre 1898 dans la *Revue des Deux Mondes* et recueilli dans *Questions actuelles*).

23 *Questions actuelles*, p. 226.

24 *Ibid.* p. 224.

25 La traduction française de *La Vie du Père Hecker* parut en 1897.

26 *Questions actuelles*, p. 236-237.

27 Lettre pontificale dite *Testem benevolentiæ* (22 janvier 1899).

28 *Etudes*, 31e année, t. 63 (1894) pp. 5-32 : 188-215.

29 Charles Maignen : *Le Père Hecker est-il un saint ?* (Rome, Desclée, Lefèbre. Paris. Rétaux, 1898), p. 202.

30 Jules Tardivel, *La situation religieuse aux Etats-Unis. Illusions et réalités* (Paris, Desclée et Brouwer, 1900).

31 Discours recueilli dans *l'Eglise et le Siècle* (Paris, 1894). Le pasage est cité par Brunetière dans *Questions Actuelles*, pp. 241-242.

32 Expression tirée d'une lettre inédite de Brunetière à Mme Buloz (lettre non datée expédiée de Baltimore).

33 Voir Pierre Moreau : *Maurice Barrès*, pp. 104-110. Lors de la démission de Brunetière, Jules Lemaître lui écrit : « Mon cher confrère, je crois très sérieusement que la présidence de M. Loubet est une calamité sourde qui a chance de durer sept ans. C'est ce qui explique ce que j'ai fait en mon nom propre. Mais vous n'admettez pas la fiction qui séparerait mes actes individuels de mon rôle de président de la Ligue. Je le comprends... et j'en suis désolé car nous perdons en vous une grande force... » (lettre inédite s. d. déposée à la Bibliothèque Nationale).

34 Recueillies dans *Lettres de Combat*.

35 « *Après le procès* » (article non recueilli en volume).

36 *Le Paris de Zola* (article paru le 15 avril dans la *Revue des Deux Mondes*).

37 *Lettres de Combat*, pp. 13-104.

38 Voir notamment : *La Papauté et la France* (discours prononcé le 13 février 1898, à Besançon et recueilli dans *Lettres de Combat*) « *Après le procès* » (article non recueilli en volume, paru le 15 avril 1898 dans la *Revue des Deux Mondes*) : *Le Paris de Zola* article paru dans la *Revue des Deux Mondes*), *Contre l'individualisme* (conférence inédite prononcée le 22 avril 1898 à Bordeaux) : *Les ennemis de l'âme française* (conférence prononcée le 15 mars 1898, à Lille et recueillie dans *Discours de Combat*, première série) : *La Nation et l'Armée* (conférence prononcée le 26 avril, à Paris et recueillie dans *Discours de Combat*, première série).

39 Cette importante conférence n'a jamais été recueillie en volume. Le manuscrit et une copie dactylographiée en ont été déposés à la Bibliothèque Nationale. Nos citations sont tirées de la copie dactylographiée.

40 La conférence fut donnée à Bordeaux sous le patronage de la « Société Ozanam ».

41 Mss. inédits, *ibid*.

42 Mss. inédits. *ibid*.

43 Mss. inédits. *ibid*.

44 Mss. inédits. *ibid*.

45 Mss. inédits. *ibid*.

46 Article publié dans la *Revue des Deux Mondes* et recueilli dans *Le Roman Naturaliste*.

47 Mss. inédits. *ibid.*

48 Expression tirée du titre d'une conférence prononcée par Brunetière en 1899 à Lille et recueillie dans *Discours de Combat,* première série.

49 *Discours de Combat,* première série, p. 174.

50 *Ibid.* p. 176.

51 *Lettres de Combat,* p. 216.

52 *Discours de Combat,* première série, p. 198.

53 Cf. *Discours de Combat,* première série, pp. 121-248.

54 Voir Pierre Moreau : *ibid,* pp. 109-110.

55 Notes inédites — groupe Vd. Brunetière fait allusion à un article paru le 17 septembre 1902 dans *Le Gaulois.*
Cf. cet autre passage également tiré des notes inédites (groupe Vb) : « Joindre l'article de Barrès, *Gaulois* du même jour. Les Méridionaux empêchent celui-là de dormir, et, trouvant que nous ne sommes pas assez divisés, il remue l'histoire pour y chercher de nouvelles raisons d'opposer la France à elle-même. On ne croyait pourtant pas que Jules Ferry fût un Marseillais, ni Mr. Méline un Languedocien. Le ministre Hanotaux ne vit point le jour à Toulouse, ni le ministre Poincaré aux Martigues. Et Grévy ? Et Carnot ? Et Félix Faure ? »

56 Cité par V. Giraud : *ibid.* pp.132-133.

57 Cité par V. Giraud : *ibid.* pp. 132-133.

58 Cité par V. Giraud, *ibid.* pp. 132-133

59 A la fin du discours sur *Le besoin de croire* prononcé le 19 novembre 1898, à Besançon.

60 Cité par V. Giraud : *ibid.* p. 133.

61. Lettre inédite à Mme Buloz en date du 26 avril 1900.

62. Lettre inédite à Mme Buloz expédiée de Dinard le 14 août 1900.

63. Lettre inédite à Mme Buloz en date du 15 septembre 1900.

64. Lettre inédite à Mme Buloz en date du 15 septembre 1900.

65. Voir l'article sur *l'œuvre littéraire de Calvin* paru le 15 octobre 1900 dans la *Revue des Deux Mondes* et recueilli dans le premier fascicule de *L'Histoire de la Littérature française classique.*

66. D'après le témoignage de Paléologue (rapporté par Van der Lugt, *ibid.* p. 135, note 2) Brunetière aurait répondu à De Vogüé qui l'interrogeait sur cet article : « Il n'est pas mauvais que l'on sache à Rome que je regarde aussi du côté de Genève ».

67. *La modernité de Bossuet* (conférence prononcée le 30 janvier 1900 à la Chancellerie pontificale et recueillie dans *Discours de Combat,* troisième série et dans Victor Giraud : *Brunetière et Bossuet* (Hachette, 1913).

68. *Discours de Combat,* p. 44.

69. *Lettres de Combat*, p. 116.

70. Victor Giraud : *ibid.* p. 218.

71. *Ibid.* p. 223.

72. *Ibid.* p. 230.

73. Notamment du Cardinal Ferrata.

74. L'œuvre littéraire de Calvin (article paru le 15 octobre 1900 dans la *Revue des Deux Mondes* et recueilli dans le premier fascicule de *l'Histoire de la littérature française classique* (Delagrave).

75. *Histoire de la littérature française classique* (premier fascicule) p. 206.

76. *Ibid*, p. 211.

77. *Ibid.* p. 229.

78. *Ibid.* p. 230.

79. *Ibid.* p. 228.

80. *Ibid.* p. 228.

81. Voir Van der Lugt, op. cit. p. 135, note 2.

82. Voir *Les raisons actuelles de croire* discours prononcé le 18 novembre à Lille et recueilli dans *Discours de Combat*, nouvelle série).

83. *L'Œuvre de Calvin* (conférence prononcée le 17 décembre 1901 à Genève et recueillie dans *Discours de Combat*, nouvelle série).

84. Recueilli dans *Discours de Combat*, nouvelle série.

85. *Discours de Combat*, nouvelle série, p. 11. Cf. *Lettres de Combat*, pp. 247-248.

86. *Discours de Combat*, nouvelle série, p. 15.

87. *Ibid.* p. 22.

88. *Ibid.* p. 23.

89. *Ibid.* p. 25.

90. *Ibid.* p. 28.

91. *Ibid.* p. 47.

92. Il nous a été impossible de préciser la nature de ces raisons « plus intimes » et « plus personnelles » et sur ce point l'étude attentive des manuscrits de Brunetière ne nous a été d'aucun secours.

93. *Ibid.* p. 45.

94. *Ibid.* p. 46.

95. « *La Vie du Père Hecker* » fut traduite en 1897 par le P. Elliot.

96. *Discours de Combat*, nouvelle série, p. 46, note I.

97. Voir Vicotr Giraud : *Brunetière*, p. 133.

98. *Discours de Combat*, nouvelle série, p. 46.

99. *Ibid.* p. 43.

100. *Ibid.* p. 38.

101. *Ibid.* p. 39.

102. *Ibid.* p. 39.

103. *Ibid.* p. 41.

104. *Ibid.* p. 42.

NOTES DU CHAPITRE VIII

1. Voir notamment : « *sur la liberté de l'enseignement* » (conférence prononcée le 23 février 1900 à Paris et recueillie dans *Discours de Combat*, dernière série) ; un discours prononcé le 11 mars 1900, devant le *Cercle des Francs-Bourgeois* et recueilli dans *Discours Académiques*) ; « *La Ligue de l'enseignement libre* » (comptes rendus de conversations avec J. de Narfon parus le 14 août et le 10 novembre dans *Le Gaulois*) ; « *Le Droit de l'enfant* » (conférence prononcée le 1er février 1903 à Lille — le ms. de cette conférence est déposé à la Bibliothèque Nationale-Fonds Brunetière — ms. IV la dans le classement de Bédier) : « *en faveur des écoles libres* » (discours prononcé le 20 août 1903 à Dinard).

2. Voir notamment : les conférences suivantes : « *l'action catholique* » (Tours — le 23 février 1901); « *le progrès religieux* » — (Florence, le 8 avril 1902) ; « l'action sociale du christianisme » (Besançon, le 28 novembre 1903). Ces conférences ont été recueillies dans *Discours de Combat*.

3. Voir notamment : « *voulons-nous une Eglise nationale ?* » (article paru le 15 novembre 1901 dans la *Revue des Deux Mondes* et recueilli dans *Questions Actuelles*) ; « *Quand la séparation sera votée* » (article non recueilli en volume paru le 1er décembre 1905 dans la *Revue des Deux Mondes*) : « Sur les événements de l'Heure présente » (Article non recueilli en volume paru le 15 septembre 1906 dans *Le Journal des Débats*).

4. Voir la préface de « *L'Utilisation du Positivisme* » (Perrin, 1904). Un deuxième volume devait être consacré aux « difficultés de croire » et un troisième à « la transcendance de Jésus-Christ ». Les notes inédites de Brunetière témoignent de l'importance de sa documentation pour le deuxième volume projeté. (Voir notre appendice.)

5. « *Les conditions de l'apologétique moderne* » (conférence prononcée le 15 mai 1895 au séminaire d'Issy).

6. Voir notamment *Annales de philosophie chrétienne*, 76e année (1905), p 371.

7. Voir notre prochain chapitre.

8. Voir ci-dessus.

9. Lettre du Père Hecker au cardinal Barnabo citée par Brunetière *Questions Actuelles*, pp. 235-236.

10. Notes inédites (groupe V). A propos de la première de ces preuves il invoque le nom de Pascal.

11. Notes inédites, *ibid.*

12. Parmi les papiers inédits se trouve ce projet de volume (ms. inédits. groupe VI) :
« 1° La science et la religion,
2° La moralité de la doctrine évolutive,
3° Le catholicisme aux Etats-Unis,
4° Les Bases de la Croyance,
5° L'apologétique de Bossuet (à rédiger) ».
Il s'agit évidemment du volume intitulé *Questions Actuelles* (paru en 1907) mais il paraît vraisemblable que Brunetière n'a jamais rédigé le chapitre projeté sur Bossuet. De toute façon nous n'avons trouvé parmi ses papiers aucune trace d'un tel manuscrit.

13 Mss inédits, groupe Vh. dans le classement de Bédier.

14 Le 25 septembre 1901, Sangnier l'invite à parler devant « notre Institut Populaire du v° Arrt. »... « Voilà bien des semaines que cette joyeuse espérance réconforte nos amis... vers le 15 novembre, nous reprendrons énergiquement notre mouvement en avant. C'est aussi vers cette époque, Monsieur, qu'une conférence de vous produirait d'inappréciables résultats... » (lettre inédite déposée à la Bibliothèque Nationale).

15 Albert de Mun commente chaleureusement plusieurs déclarations publiques de Brunetière et, le 22 septembre 1903, il parle de reprendre « l'entretien commencé au mois de juin dernier au sujet du programme social » (lettres inédites déposées à la Bibliothèque Nationale en date du 9 décembre 1897, du 19 février et du 22 août 1898, du 23 décembre 1899, du 1 et du 10 mai 1902 et du 22 septembre 1903).

16 Le 5 mai 1903 Piou invite Brunetière à parler devant « La Ligue patriotique des Françaises ». (lettre inédite déposée à la Bibliothèque Nationale).

17 Voir sa lettre-préface au livre de L. Flandrin : *Hippolyte Flandrin, sa vie et son œuvre.* (Paris, Retaux, 1902)).

18 Voir sa lettre-préface au livre de V. de Marolles : *Le cardinal Manning* (Paris, 1905).

19 *Discours de Combat,* dernière série, p. 147.

20 Brunetière s'est particulièrement intéressé à deux modernistes américains, le P. Hecker et le P. Zahm. Voir « *les raisons actuelles de croire* » et « *la doctrine évolutive et la littérature* » recueillis dans *Discours de Combat,* nouvelle série et *Etudes critiques,* sixième série respectivement.

21 Discours prononcé le 18 novembre 1900 à Lille et recueilli dans *Discours de Combat,* nouvelle série.

22 *Discours de Combat,* nouvelle série, p. 3, note 1.

23 *Discours de Combat,* nouvelle série, p. 173.

24 *Ibid.* p. 174.

25 *Ibid* p. 175.

26 *Ibid.* p. 176.

28 Voir plus haut notre deuxième chapitre.

29 *Discours de Combat,* nouvelle série, p. 3, note 1.

30 Les plus anciennes traductions des œuvres de Newman remontent aux années 1847-1848. *An essay on the Development of Christian Doctrine* ïut traduit d'abord par Boyedieu d'Auvigny, en 1847, ensuite par Gondon, en 1848, *L'Apologia pro vita sua* fut traduite en 1866 par G. du Pré de Saint Maur sous le titre *Histoire de mes opinions religieuses.* Nous savons que Brunetière possédait les traductions de Gondon et de G. du Pré de Saint-Maur et qu'en outre, il annotait celle de Gondon (voir *Catalogue de la Bibliothèque de feu M. Ferdinand Brunetière,* Emile Paul et Picard, 1908, pp. 11-12). La même source nous apprend que Brunetière possédait dans l'anglais original (édition Longmans, Londres) une demi-douzaine des principaux ouvrages de Newman, y compris *L'Apologie* et l'*Essai sur le développement.*

31 Le premier volume de la trilogie de Thureau-Dangin, « *La Renaissance catholique en Angleterre* » parut en 1899. Rendant compte des trois volumes, Georges Goyau les décrivait comme une illustration indispensable de l'*Apologie* et de la *Grammaire de l'assentiment* (*Autour du catholicisme social,* troisième série, pp. 194-195). Brunetière fait allusion au premier volume de ce « bel ouvrage », en 1902, dans sa conférence sur « *Le progrès religieux dans le catholicisme* » (*Discours de Combat,* nouvelle série, p. 270).

32 C'est vraisemblablement Ollé-Laprune qui a conseillé à Brunetière la lecture de Newman. Voir dans notre appendice, p. 297, une importante lettre inédite adressée par Ollé-Laprune à Brunetière et portant sur ce sujet.

33 Brunetière a suivi de près l'évolution des études newmaniennes de Lucie Félix Faure et de l'abbé Brémond. Se reporter à la correspondance inédite échangée par Brunetière et ces deux spécialistes de Newman (correspondance déposée à la Bibliothèque Nationale).

34 Voir notre deuxième chapitre : *Brunetière et la Revue Bleue.*

35 Voir notre cinquième chapitre : *Brunetière théoricien de la critique littéraire.*

36 Voir « *L'Eloquence de Massillon* » (article paru le 1er janvier 1881 dans la *Revue des Deux Mondes* et recueilli dans *Etudes critiques,* nouvelle série). Pour le passage relatif à l'évolution du dogme voir *Etudes Critiques,* nouvelle série, pp. 106-107.

37 Cf. notre appendice.

38 *La moralité de la doctrine évolutive* (article paru le 1er mai 1895, dans la *R.D.M.* et recueilli dans *Questions Actuelles*).

39 *Questions actuelles,* p. 107.

40 *Ibid.* p. 109.

41 « *La doctrine évolutive et l'histoire de la littérature* » (article paru le 15 février 1898 dans la *Revue des Deux Mondes* et recueilli dans *Etudes Critiques,* sixième série).

42 *Etudes Critiques*, sixième série, p. 5. « *Evolution and dogma* » du père Zahm fut traduit en 1897 (Paris, Lethielleux). Dans une circulaire, Mgr. d'Hulst avait qualifié les théories évolutionnistes de « sources malsaines et douteuses ».

43 Cf. P. de Labriolle, *Saint-Vincent de Lérins*, préface.

44 *Discours de Combat*, nouvelle série, p. 13, note 1.

47 *Discours de Combat*, nouvelle série, p. 13, note 1.

48 *Ibid.* p. 13, note 1.

49 *Ibid.* p. 13, note 1.

50 *Discours de Combat*, nouvelle série, p. 13, note 1.

51 Conférence prononcée le 24 novembre 1901 à Lyon et recueillie dans *Discours de Combat*, nouvelle série.

52 *Discours de Combat*, nouvelle série, pp. 194-195. Brunetière cite également du livre de Newman cet autre passage dont il tient à souligner le caractère « darwinien » : « L'oiseau en état de voler diffère de la forme qu'il avait dans l'œuf. Le papillon est le développement mais, en aucune manière, l'image de sa chrysalide. La baleine est classée parmi les mammifères... » (cité *ibid.* p. 194).

53 *Ibid.* p. 196.

54 *Ibid.* p. 197.

55 Voir plus haut notre troisième chapitre.

56 *Discours de Combat*, nouvelle série, p. 198.

57 *Ibid.* p. 198

58 *Ibid.* p. 198.

59 *Discours de Combat*, nouvelle série, p. 198.

60 Voir notre sixième chapitre.

61 « *Le progrès religieux dans le catholicisme* » (conférence prononcée le 8 avril 1902 à Florence et recueillie dans *Discours de Combat*, nouvelle série).

62 *Discours de Combat*, nouvelle série, p. 227.

63 Cité *ibid* p. 227.

64 Renan avait parlé de « l'immobilité » du dogme. — voir « *l'Avenir de la Science* ». Dans une note (*ibid.* p. 271, note 1) Brunetière ajoute ce commentaire : « on peut considérer que les idées qu'il exprime... sur l'immobilisation de l'orthodoxie dans son dogme, n'ont pas contribué médiocrement à le détourner lui-même de cette orthodoxie ».

65 *Discours de Combat*, nouvelle série, p. 277.

66 *Ibid.* p. 278.

67 Le 11 août 1900 il écrit à Georges Goyau : « Vous pourriez aussi demander au P. Lepidi s'il lirait volontiers, en toute confidence, un travail que je lui enverrais sur l'*Evolution du dogme* » (lettre citée par Van der Lugt, *op. cit.* p. 153).

68 Lettre inédite à Mme Buloz, du 21 mars 1902.

69 Etudes Critiques, huitième série, p. 277.

70 *Ibid.* p. 278

71 *Discours de Combat*, nouvelle série, p. 194.

72 *Ibid.* p. 194, note 1.

73 *L'Utilisation du Positivisme*, p. 31.

74 *Discours de Combat*, nouvelle série, p. 193.

75 « dix ou douze ans avant Darwin » (*Ibid.* p. 193). Cf. cette phrase tirée de la préface de Brunetière au *Commonitorium* de Saint Vincent de Lérins : « La retraite de John Henry Newman à Littlemore et le voyage du « Beagle » autour du monde sont des événements contemporains » (préface de Brunetière, p. xxx).

76 *Discours de Combat*, nouvelle série, p. 274.

77 Voir : *La Science et la Religion*, p. 42 ; *Etudes Critiques*, sixième série, p. 8 ; *Discours de Combat*, nouvelle série, p. 274 ;

78 F. Brunetière et P. de Labriolle : *Saint Vincent de Lérins* (Paris, Bloud, 1905).

79 *Ibid.* p. XLII.

80 *Ibid.* p. IX.

81 *Ibid.* p. XXIX.

82 *Ibid.* p. X.

83 *Ibid.* p. XXXIX.

84 *Ibid.* p. XLV.

85 *Ibid.* p. IX.

86 *Ibid.* p. XI.

87 cité *ibid.* p. XXIV.

88 Cité *ibid.* p. XXXI.

89 *Ibid.* p. XXXVI.

NOTES DU CHAPITRE IX

1 Sur le regain de faveur dont jouissait Comte au début du XXᵉ siècle, voir notamment : Charles Maurras : *La difficulté religieuse* (*Action Française*, 1900) et deux articles de Baumann dans les *Annales de philosophie chrétienne* (1901 et 1905 respectivement).

2 *Discours de Combat*, nouvelle série, p. 3, note 1.

3 Conférence prononcée le 24 novembre 1901 à Lyon et recueillie dans *Discours de Combat*, nouvelle série.

4 *Discours de Combat*, nouvelle série, p. 177.

5 *Ibid.* p. 177, note 3.

6 *Ibid.* p. 176.

7 *Ibid.* p. 178.

8 « *Sur les chemins de la croyance* », tome I. p. 39.

9 *Ibid.* p. 60.

10 *Ibid.* p. 61.

11 *Ibid.* p. 63.

12*Discours de Combat.* nouvelle série, p. 183.

13 *Ibid.* p. 181.

14 *Ibid.* p. 183.

15 *Ibid.* p. 184,

16 *Ibid.* p. 180, note 1

17 *Ibid.* p. 185.

18 *Ibid.* p. 184.

19 *Ibid.* p. 180, note 1.

20 Ce livre n'a paru qu'en 1904. Les articles qui en composent les chapitres avaient pourtant été publiés dans la *Revue des Deux Mondes* aux dates suivantes : « *pour le centenaire de Comte* » (1er juin 1902) ; « *l'erreur du* XVIIIe *siècle* » (1er août 1902) : « *La métaphysique positiviste* » (1er octobre 1902) ; « *La religion comme sociologie* » (15 février 1903) ; « *L'équation fondamentale* » (15 septembre 1903).

21 *L'Utilisation du Positivisme* (Perrin, 1904) p. 13.

22 *Ibid.* p. 22.

23 *Ibid.* p. 13.

24   *Ibid.* p. 27.

25 *Ibid.* p. 133.

26 La première traduction, celle de Chazelles, avait paru en 1871.

27 Voir P. Martino, « *Le Naturalisme français* » p. 197 : « Spencer était déjà fort connu dans le monde des philosophes, pour l'opposition qu'il avait faite au système de Comte, et pour ses polémiques avec Littré ; il pouvait passer pour l'antagoniste du positivisme ».

28 *Le Disciple,* préface.

29 Cité « *L'Utilisation du Positivisme* » pp. 46-47. La phrase est tirée de la traduction de Chazelles. Ailleurs (*ibid.* p. 162) Brunetière cite le même passage d'après la traduction de Renouvier : « De la nécessité de penser en relation, il s'ensuit que le relatif est lui-même inconcevable, à moins d'être rapporté à un non-relatif réel. Si nous ne postulons pas un non-relatif réel, un absolu, le relatif lui-même devient absolu, ce qui est une contradiction. Et l'on voit, en examinant la marche de l'esprit humain, combien il est impossible de se défaire de la conscience d'une chose effective — *an actuality* — placée sous les apparences, et comment, de cette impossibilité, résulte notre indestructible croyance en l'existence de cette chose ».

30 « *L'Utilisation du Positivisme* », p. 50.

31 L'article de Faguet parut le 25 novembre 1904 dans la *Revue Latine*. Brunetière lui répondit deux jours plus tard par une lettre également publiée dans la *Revue Latine*. Cette lettre fut recueillie dans *Lettres de Combat*. Le manuscrit en est déposé à la Bibliothèque Nationale.

32 L'article du P. Grüber : « *M. Brunetière et l'inconnaissable* » *de Spencer et de Comte* » fut publié dans la *Revue de Philosophie* (3e année, 1903, p. 243). La réponse de Brunetière parut également dans la *Revue de Philosophie* (3e année, 1903, p. 249). Le livre du P. Grüber : « *Le Positivisme depuis Auguste Comte jusqu'à nos jours* » fut traduit en 1899 par l'abbé Mazoyer..

33 «*L'Utilisation du Positivisme* ».

34 *Ibid.* p. 52.

35 *Ibid.* p. 231.

36 *Ibid.* p. 189.

37 *Ibid.* p. 205.

38 *Ibid.* p. 234.

39 *Ibid.* p. 235.

40 *Ibid.* p. 62.

41 *Ibid.* p. 246.

42 *Ibid.* p. 8.

43 «*Système de politique positive* », tome I, p. 361, cité par Brunetière *ibid* p. 262.

44 « *Réponse à d'Esprémesnil* » (Oeuvres complètes de Condorcet, tome VII) cité par Brunetière, *ibid.* p. 252.

45 «*L'Utilisation du Positivisme* » p. 264.

46 *Ibid.* p. 265.

47 *Ibid.* p. 243.

48 « *Système de Politique positive* » tome II, pp. 12-13, cité par Brunetière, *ibid.* p. 286,

49 «*L'Utilisation du Positivisme* », p. 287.

50 *Ibid.* p. 291.

51 *Ibid.* p. 295.

52 *Ibid.* p. 296.

53 *Ibid.* p. 298.

54 *Ibid.* p. 299.

55. *Ibid.* p. 301

56 *Ibid.* p. 304

57 *Ibid.*

58 « *L'équation fondamentale* » est le titre du dernier chapitre de « *L'Utilisation du Positivisme* ».

59 « *L'Utilisation du Positivisme* », p. 307.

NOTES DU CHAPITRE X

1 Ce cours est recueilli dans « *L'Histoire de la Littérature française* », tome IV.

2 Ces manuscrits ont été publiés par les soins de M. Pierre Moreau, celui sur Renan dans *Pages sur Ernest Renan*, celui sur Taine dans *Etudes Critiques*, neuvième série. Les conférences aux Etats-Unis sont restées inédites (ms. IV II E dans le classement de Bédier).

3 Conférence sur « *l'Histoire contemporaine* » prononcée en 1897 aux Etats-Unis et restée inédite (voir mss inédits, ms. IV II E)

4 Mss inédits, *ibid.*

5 Mss. inédits, *ibid.*

6 Mss. inédits, *ibid.*

7. *Etudes critiques*, neuvième série, p. 209.

8. *Etudes critiques*, neuvième série, p. 209.

9. Mss. inédits, *ibid.*

10. Mss. inédits, *ibid.*

11. *Etudes critiques*, neuvième série, p. 198.

12. *Ibid.* p. 210.

13. *Ibid.*

14. *Etudes critiques*, neuvième série, pp. 210-211.

15. *Ibid.* p. 213.

16. En 1903, Brunetière qualifiera une nouvelle fois le style renanien de « fuyant » — voir *Pages sur Ernest Renan*, p. 179.

17. Conférence sur « *l'histoire contemporaine* » prononcée en 1897 aux Etats-Unis et restée inédite. (Voir ms. inédits, ms. IV II E dans le classement de Bédier.)

18. Mss. inédits, *ibid.*

19. Mss. inédits, *ibid.*

20. *Pages sur Ernest Renan*, p. 134.

21. *Ibid.* p. 135.

22. *Ibid.* p. 147.

23. Mss. inédits, *ibid.*

24. Mss. inédits, *ibid.*

25. *Pages sur Ernest Renan*, p. 138.

26. *Ibid.* p. 211.

27. *Ibid.* p. 212.

28. La première édition de l'*Essai sur Taine* avait paru à Fribourg en septembre 1900.

29. *Discours de Combat*, nouvelle série, p. 214.

30. *Ibid.* p. 251.

31. *Ibid.* p. 215.

32. *Ibid.* p. 223.

33. *Pages sur Ernest Renan*, p. 184.

34. *Discours de Combat*, nouvelle série, p. 223.

35. *Ibid.* p. 249.

36. *Ibid.* p. 250.

37. *Ibid.* p. 251.

38. *Pages sur Ernest Renan*, p. 197.

39. Lettre inédite à Mme Buloz en date du 16 mai 1903.

40 Réunies en brochure par la suite. Voir « Cinq Lettres sur *Ernest Renan* » (Perrin) et « *Pages sur Ernest Renan* » (Perrin).

41. *Pages sur Ernest Renan*, p. 170.

42. *Ibid.* p. 171.

43. *Ibid.* p. 175.

44. *Ibid.* p. 171.

45. *Ibid.* p. 177.

46. *Ibid.* p. 179.

47. *Ibid.* p. 179.

48. *Ibid.* p. 184.

49. *Ibid.* p. 199.

50. *Ibid.* p. 180.

51. *Ibid.* p. 181.

52. *Ibid.* p. 203.

53. *Ibid.* p. 203.

54. *Ibid.* p. 214.

55. *Ibid.* p. 188.

56. *Ibid.* p. 185, note 1.

57. *Ibid.* p. 190.

58. *Ibid.* p. 191.

59. *Ibid.* p. 194.

60. *Ibid.* p. 195.

61. *Ibid.* p. 185.

62. *Ibid.* p. 195.

63. *Ibid.* p. 196.

64. *Ibid.* p. 216.

65-73 *Ibid.*

74. *Ibid.* p. 161.

75. *Ibid.* p. 243.

76. *Ibid.* p. 197.

77. *Ibid.* p. 244.

78. *Ibid.* p. 245.

79. *Ibid.* p. 245.

80. *Ibid.* p. 229.

81. *Ibid.* p. 245.

82. *Ibid.* p. 248.

83. Cité *ibid.* p. 189.

84. *Ibid.*

85. *Ibid.* p. 244.

86. Voir notre appendice,

87. Cf. Victor Giraud, *Brunetière* (Flammarion, 1932, p. 24).

88. Eugène Lavisse, par exemple, parle à ce propos de « brutale injustice » (lettre inédite du 21 mars 1904 déposée à la Bibliothèque Nationale) alors que Bourget affirme qu' « une pareille bassesse eût été impossible sous la monarchie » (lettre inédite s.d. déposée à la Bibliothèque Nationale).

89. Mss. inédits, *groupe Vj*. Cette phrase est partiellement reproduite par M .Pierre Moreau dans la préface des *Pages sur Ernest Renan,* Perrin, 1924, p. 23.

90. Voir plus haut notre troisième chapitre. Il convient toutefois de rappeler que déjà pour les années scolaires 1896-1897, 1897-1898, Brunetière s'était fait suppléer par Gustave Lanson, qu'en octobre 1901 il s'était déchargé d'une partie de son enseignement, et qu'en novembre 1902 il lui avait été accordé un congé d'inactivité d'un an. (Lettres diverses du Ministre de l'Instruction Publique à Ferdinand Brunetière déposées à la Bibliothèque Nationale.)

91. Lavisse, qui venait d'être nommé directeur de l'Ecole normale, déplora la suppression de la maîtrise de conférences de Brunetière, « sans que notification lui en eût été donnée » (lettre inédite du 14 novembre 1904 déposée à la Bibliothèque Nationale).

92. Se reporter à l'extrait suivant d'une lettre de René Doumic à Ferdinand Brunetière datée du 5 décembre 1904 : « ... M. Ferdinand Brunetière qui, en vertu du décret de réorganisation de l'Ecole normale, aurait dû être versé à la Sorbonne avec tout le personnel de l'Ecole normale. Il (M. Aulard) a conclu textuellement : « *Ce professeur est-il démissionnaire ou est-il révoqué ?* » Cette phrase est au procès-verbal. Le doyen a répondu qu'il n'était pas préparé à traiter cette question, qu'il ne pouvait rien dire. » (Lettre inédite déposée à la Bibliothèque Nationale).

93. Brunetière exposa ses griefs à ce sujet dans un document, laissé inédit, qu'il avait intitulé : « *Voilà les bêtises qui recommencent* » (mss. inédits, ms. VII, 4 suivant le classement de Bédier).

NOTES DU CHAPITRE XI

1. « Je suis plus sombre et plus désespéré que jamais, écrit-il le 15 septembre 1900 à Mme Buloz, ... ces accès ne sont peut-être que les prodromes du mal encore latent qui m'emportera quelque jour ». (Lettre inédite déposée à la Bibliothèque Nationale)

2. Mss. inédits, groupe Vi dans le classement de Bédier, (dans ce groupe quelques-unes des notes datent de 1901, d'autres de 1902, d'autres encore de 1903. Il est donc difficile de dater ces phrases avec précision. Nous savons seulement qu'elles ont dû être écrites entre 1901 et 1903).

3. Mss. inédits, groupe Vc, dans le classement de Bédier.

4. Correspondance inédite déposée à la Bibliothèque Nationale.

5. Cinq livres de Loisy furent mis à l'Index le 16 décembre 1903 et cette condamnation provoqua une vive émotion dans certains milieux catholiques. M. Victor Giraud, par exemple, écrivait à son maître : « la condamnation, trop prévue, hélas !, de l'imprudent abbé Loisy nous a peinés. » (Lettre inédite s.d. expédiée de Fribourg).

6. *Discours de Combat*, nouvelle série, p. 38.

7. Lettre inédite déposée à la Bibliothèque Nationale.

8. Conférence prononcée le 19 novembre 1898 à Besançon et recueillie dans *Discours de Combat*, première série.

9. Lettre inédite en date du 29 novembre 1898 (déposée à la Bibliothèque Nationale).

10-11. Lettre inédite du 1er février 1904. C'est à la générosité de Madame Georges Goyau que nous sommes redevables de la communication de cette curieuse lettre.

12. Lettre inédite du 1er février 1904.

13. Dans sa conférence sur « *les difficultés de croire* » (conférence prononcée le 9 mai à Amsterdam et recueillie dans *Discours de Combat*, dernière série).

14. *Discours de Combat*, dernière série, p. 211, note I.

15. *Ibid.* p. 175.

16. *Ibid.* p. 187.

17. *Ibid.* p. 204.

18. Cité *ibid.* p. 204, l'expression est tirée de « *l'Espérance chrétienne* » de W. Monod. Cf. cette phrase tirée des notes inédites (ms. inédits, groupe Vf) : « Sur les jongleries exégétiques, etc : 1° l'Interpolation : 2° le déplacement du texte, 3° l'infidélité de la traduction ».

19. *Discours de Combat*, dernière série, p. 205.

20 Mss. inédits, groupe Vf. La note est curieuse : « Rejetons absolument les procédés de l'exégète interne, comme étant du pur subjectivisme. *Molière, Pascal, Renan.* »

21. Mss. inédits, groupe Vf. Cf. cette autre note tirée du même groupe des ms. inédits : « Et tout cela par suite de cette ridicule lubie qui prétend reconstruire, ou plutôt découvrir, la chronologie des événements dont les Evangélistes ne savaient plus rien Eux-mêmes ».

22. Ms. publié par M. Victor Giraud dans *F. Brunetière, notes et souvenirs* (Bloud, 1907) ms. VIj, dans le classement de Bédier.

23. Mss. inédits, groupe Vf. dans le classement de Bédier.

24. V. Giraud, *ibid.* p. 40.

25. *Ibid.* p. 41.

26. *Ibid.* p. 41.

27. *Discours de Combat*, dernière série, p. 208.

28. Voir notamment ms. inédits, groupe Vf. dans le classement de Bédier.

29. Le ms. publié par M. Victor Giraud (*ibid.* pp. 39-43).

30. Mss. inédits, groupe Vd. dans le classement de Bédier

31. Mss. inédits, groupe Vd. dans le classement de Bédier.

32. Conférence prononcée le 9 mai 1904 à Amsterdam et recueillie dans *Discours de Combat*, dernière série, p. 209.

33. *Discours de Combat*, dernière série, p. 209.

34. *Ibid.* p. 207.

35. *Ibid.* p. 206.

36. *Ibid.* p. 210.

37. *Ibid.* p. 210.

38. *Ibid.* p. 211, note I.

39. *Ibid.* p. 210.

40. Cité *ibid.* pp. 210-211.

41. *Ibid.* p. 211 note I.

42. *Ibid.* p. 212.

43. *Ibid.* p. 217.

45. Mss. inédits, groupe Vi, dans le classement de Bédier.

46. *Discours de Combat*, dernière série, p. 216.

47. *Ibid.* p. 209.

48. *Ibid.* p. 211, note I.

49. Voir Victor Giraud : *Brunetière* (Flammarion, 1932) p. 137, note 1.

50. Nous utilisons dans les pages suivantes un manuscrit inédit de Brunetière sur « *les difficultés de croire* » (ms. inédits. Ms. VI dans le classement de Bédier).

51. Mss inédits, *ibid.*

52. Mss. inédits, *ibid.*

53. Mss inédits, *ibid.*

54. Voir *Discours de Combat*, dernière série.

55. « *Les difficultés de croire* » conférence prononcée le 9 mai 1904 à Amsterdam et recueillie dans *Discours de Combat*, dernière série.

56. *Ibid.* p. 192.

57. *Ibid.* p. 193.

58. *Ibid* p. 199.

59. Spence Hardy ; *Manuel du Bouddhisme*, cité par Brunetière, *ibid.* p. 200.

60. Cité par Brunetière *ibid.* p. 200.

61. *Ibid.* p. 200.

62 *Ibid.* p. 201.

63 Abbé Picard : « *La Transcendance de Jésus-Christ* » (2 volumes, Plon 1905). La préface de Brunetière est recueillie dans *Lettres de Combat*.

64 *Lettres de Combat*, pp. 254-255.

65 *Ibid.* pp. 255-256.

66 *Ibid.*

67 *Ibid.* p. 255.

68 *Ibid.* p. 257.

69 *Ibid.* p. 253.

70 Voir les « *Origines du Christianisme* ».

71 *Lettres de Combat.* p. 253.

72 Voir notre appendice pp. 233 *et seq.*

73 « *La Science et la Religion* » (Firmin-Didot, p. 44).

74 Voir Van der Lugt, *ibid.* p. 194 (Van der Lugt tient ce détail de feu son Eminence le Cardinal Baudrillart).

75 Voir plus loin.

76 Il en parle d'abord dans une lettre inédite à Mme Buloz en date du 5 mai 1905. Ses dernières conférences (Huit leçons *sur les Origines de l'Esprit Encyclopédique*) furent prononcées entre janvier et mars 1905.

77 Lettre inédite à Mme Buloz en date du 31 août 1903. Le 5 août il lui avait dit que son travail était « assez absorbant » (lettre inédite déposée à la Bibliothèque Nationale).

78 Lettre inédite à Mme Buloz, datée du 5 août 1905(lettre déposée à la Bibliothèque Nationale.)

79 Lettre à Henri Lorin datée du 21 août 1905.

80 Lettre citée par Van der Lugt, *ibid.* p. 195.

81 Pour de plus amples détails sur ce sujet, se reporter à Van der Lugt, *op. cit.*, pp. 214-218.

82 Les détails suivants sont empruntés au livre du P. Fortin : *Brunetière et Besançon*, pp. 146-149.

NOTES DU CHAPITRE XII

1 Sobriquet prêté aux signataires de la Lettre aux Evêques, la plupart de ces signataires étant, en effet, membres de l'Académie française. Parmi les « cardinaux verts » Brunetière estimait de longue date de Vogüé, Cochin, Lorin, d'Haussouville et Thureau-Dangin et il comptait Georges Goyau parmi ses élèves préférés.

2 Brunetière appliquait volontiers cet épithète à Fénelon et à Renan. Voir notamment *Histoire et Littérature,* deuxième série, p. 170 (« ... cette physionomie ondoyante... ») et *Pages sur Ernest Renan,* p. 182 (« ... l'allure ordinaire de ce style ondoyante et fuyante... »).

3 Voir ci-dessus chapitres VI-XI inclusivement.

4 Voir notamment deux articles de A. Darlu dans *La Revue de Métaphysique et de Morale* (troisième fascicule, 1895 et sixième fascicule, 1898) et un article de Janssens dans la *Revue néo-scolastique* pour l'année 1903.

5 On pourrait, par exemple, lui reprocher d'avoir exagéré la valeur littéraire de Paul Hervieu et d'Alexandre Dumas fils.

6 Voir ci-dessus chapitre III.

7 Voir ci-dessus chapitre VI.

8 Au lendemain de sa mort déjà, et malgré les nombreuses appréciations dont son œuvre fut alors l'objet, la réputation de Brunetière commençait à décliner. Dans la deuxième édition de son *Manuel,* par exemple, Gustave Lanson remplaçait des pages écrites sur un ton d'approbation par d'autres, nettement plus dures. Et depuis la première guerre mondiale, le silence qui se faisait autour du nom de Brunetière n'a guère été rompu, même à l'occasion de son centenaire, que par son disciple dévoué, Monsieur Victor Giraud. Il convient toutefois de rappeler les thèses de Van der Lugt et de Hocking, parues en 1936, de même que divers articles de M. Pierre Moreau. En outre, nous tenons à signaler qu'au deuxième volume de son *Histoire de la Littérature Française* (Editions Albin Michel, p. 562) Henri Clouard proteste contre notre ingratitude vis-à-vis de la génération de Brunetière.

9 Voir notamment notre cinquième chapitre.

10 Voir ci-dessus chapitre III.

11 Ses successeurs à la *Revue des Deux Mondes,* notamment René Doumic et Francis Charmes, se sont, en effet, efforcés de respecter les mêmes traditions que Brunetière.

12 Rappelons surtout les noms de Victor Giraud, Georges Goyau, Joseph Bédier, Henri Chamard et Jean Brunhes, ainsi que ceux de MM. Edouard Herriot et Pierre Martino.

BIBLIOGRAPHIE

A. — BIBLIOGRAPHIE DE L'ŒUVRE DE FERDINAND BRUNETIERE

I. — PRINCIPALES ŒUVRES PUBLIÉES DE BRUNETIÈRE.

Etudes critiques sur l'histoire de la littérature française. (Hachette)

Première série	(première édition)	1880
	(deuxième édition)	1888
deuxième série		1882
troisième série		1887
quatrième série		1891
cinquième série		1893
sixième série		1899
septième série		1903
huitième série		1907

Le Roman Naturaliste (Calmann-Lévy).

	(première édition)	1882
	(deuxième édition)	1892
	(dixième édition)	1896

Histoire et Littérature (Calmann-Lévy).

première série	1884
deuxième série	1885
troisième série	1886

Questions de Critique (Calmann-Lévy)	1889
Nouvelles Questions de Critique (Calmann-Lévy)	1890

L'Evolution des genres dans l'histoire de la littérature (Hachette).

tome 1er 1890

(Bien qu'annoncés par Brunetière, les volumes suivants n'ont jamais paru.)

Les Epoques du Théâtre français.
(Calmann-Lévy)   1892
(Hachette)   1896

Essais sur la littérature contemporaine.
(Calmann-Lévy)   1892

L'Evolution de la poésie lyrique en France au
XIXᵉ *siècle.* (Hachette).   2 volumes   1894

Nouveaux Essais sur la Littérature contemporaine.
(Calmann-Lévy)   1895

La Science et la Religion. Réponse à quelques objections.   (Firmin-Didot)   1895

Après le procès. Réponse à quelques intellectuels.
(Perrin)   1898

Manuel de l'histoire de la littérature française.
(Delagrave)   1898

Discorus de Combat (Perrin).
première série   1900
nouvelle série   1902

Variétés Littéraires (Calmann-Lévy).   1904

Sur les Chemins de la Croyance. (Perrin).
tome I (le seul qui ait paru).   1904

Introduction à *Saint Vincent de Lérins,* par P. de Labriolle. (Bloud).   1905

Lettre-préface à *La Transcendance de Jésus-Christ,* par l'abbé Picard (Plon).   1905

Histoire de la littérature française classique.
(Delagrave).
tome I (premier et deuxième fascicules)   1905

Honoré de Balzac.   (Calmann-Lévy)   1906

II. — ŒUVRES POSTHUMES DE BRUNETIÈRE.

Discours de Combat.   (Perrin)   1907
dernière série

Questions Actuelles.   (Perrin)   1907

Histoire de la Littérature française classique.
tome I (troisième fascicule)   1908

Etudes sur le XVIIIᵉ *siècle.*
(Hachette)   1911

Bossuet (avec préface de Victor Giraud).
(Hachette)   1913

Pages sur Ernest Renan (avec préface de Pierre
Moreau).   (Perrin)   1924

Etudes critiques (neuvième série avec préface de
Pierre Moreau).   (Hachette) 1925

III. — LISTE DES PRINCIPAUX ARTICLES DE BRUNETIÈRE
PARUS DANS LA " REVUE BLEUE " ET NON RECUEILLIS
EN VOLUME (se reporter également à p. 164, note 5.)

Histoire ancienne des peuples de l'Orient.
                                       4 septembre 1875

L'évolution du transformisme.   25 novembre 1876

Les sciences anthropologiques et la psychologie.
                                            7 avril 1877

L'archéologie préhistorique en Angleterre.
                                         9 novembre 1878

Charles Darwin.   29 avril 1882

IV. — LISTE DES PRINCIPAUX ARTICLES DE BRUNETIÈRE
PARUS DANS LA " REVUE DES DEUX MONDES " ET NON
RECUEILLIS EN VOLUME.

Les poètes contemporains : la poésie intime.
                                          1er août 1875

(sur : *le Pessimisme au* XIX*e siècle,* par E. Caro,
Paris 1878).   15 janvier 1879

Le Théâtre d'Auguste Vacquerie.   15 juillet 1879

Les mémoires d'un solitaire de Port-Royal.
                                        15 janvier 1880

Vingt-six ans de l'histoire des études orientales.
                                        15 juillet 1880

*Questions de Morale Sociale : I. La recherche de
la paternité.*   15 septembre 1883

La légende et le culte de Krichna.   1er juillet 1884

L'idéalisme dans le roman.   1er mai 1885

Le pessimisme dans le roman.   1er juillet 1885

(sur : *La France Juive,* de M. E. Drumond) 1er juin 1886

Une nouvelle théorie de la responsabilité (sur :
G. Tarde, *La philosophie pénale,* 1890).
                                        1er juillet 1890

" Les Tenailles " de M. Paul Hervieu. 15 octobre 1895

Dans l'Est Américain.   1er novembre 1897
Le " Paris " de M. Emile Zola.   15 avril 1898
*Honoré de Balzac : son influence littéraire et son
œuvre.*   15 mars 1906

V. — L'œuvre manuscrite de Brunetière et les problèmes posés par son classement.

(Grâce à l'exceptionnelle bienveillance de Mme Fernande Dieuzeide, nièce et fille adoptive de Brunetière, nous avons eu la possibilité d'examiner en détail toute l'œuvre manuscrite du critique, et nous tenons donc, en tout premier lieu, à exprimer notre reconnaissance de ce geste généreux. En même temps nous voudrions exprimer notre profonde reconnaissance envers M. Pierre Moreau, dont les notes abondantes et précises nous ont été d'un si précieux secours dans notre tâche. Ajoutons enfin que l'œuvre manuscrite de Brunetière étant considérable, nous ne faisons allusion qu'aux documents qui se rapportent directement au sujet de notre thèse. Le lecteur désireux de trouver de plus amples détails pourra se reporter aux manuscrits, récemment déposés à la Bibliothèque Nationale.)

LISTE DES PRINCIPAUX MANUSCRITS LAISSES INEDITS PAR BRUNETIERE ET CLASSES PAR JOSEPH BEDIER.

Groupe I. — Epreuves d'imprimerie portant des corrections de la main de l'auteur.

Groupe II. — Manuscrits ayant servi à l'impression :
XII. *Taine* (ms rédigé en 1897 et publié par M. Pierre Moreau le 1er janvier 1897 dans *La Revue des Deux Mondes,* recueilli dans *Etudes critiques* (neuvième série).

Groupe III. — Notes prises par Brunetière au courant de ses lectures.

Groupe IV. — Plans détaillés de conférences :
    A. — Conférences sur des sujets de politique, de morale et de religion :
        I. *Sur le droit de l'enfant.*
        II. *L'aristocratie aux Etats-Unis.*
        IV. *Contre l'Individualisme.*
        V. *Le Christianisme et le Progrès.*

B. — Leçons sur des sujets d'histoire littéraire :
    I. *Notes d'un cours professé sur Voltaire.*
    II. *Plan d'une étude sur l'Evolution des genres littéraires.*
      III. *Chateaubriand* (ms publié en 1927. — Voir P. Moreau, *Chateaubriand*, Paris, 1927).
C. — Conférences prononcées en 1897 aux Etats-Unis :
    b. *Le mouvement littéraire au XIXe siècle.*
    c. *Les grandes époques de la littérature française.*
    e. *La littérature contemporaine* (quatre conférences).

Groupe V. — Dix cahiers où Brunetière a écrit au jour le jour des réflexions sur des sujets divers.

(Il serait impossible de fixer avec précision la chronologie de toutes les notes contenues dans ces cahiers. D'une façon générale — et à l'exception du cinquième qui fut certainement rédigé avant 1880 — ces cahiers s'échelonnent entre 1901 et 1905, les premiers étant relativement anciens, les derniers relativement récents. Mais il est évident que Brunetière se servait de deux ou trois cahiers simultanément et tout classement systématique devient par conséquent arbitraire.)

Groupe VI. — Ouvrages entièrement ou partiellement rédigés :

relativement anciens :
    I. *Credo philosophique.*
      (texte dont la datation précise est difficile mais qui a dû être rédigé entre 1880 et 1885.)
    II. *Conférence sur le pessimisme.*
    III. *Le pessimisme contemporain.*
    V. *De la folie.*
    VI. *La doctrine évolutive.*
    VII. *Raphaël* (ms publié par M. Pierre Moreau, le 10 mars 1929 dans *Le Correspondant*).

relativement récents :
    X. *Le dogme et la liberté de penser.*
      (ms. publié par M. Victor Giraud en 1907 dans *Brunetière, notes et souvenirs*)
    XXX. *Renan* (ms. rédigé en 1897, publié par M. Pierre Moreau le 25 février 1923 dans *Le Correspondant* et ensuite recueilli dans *Pages sur Ernest Renan*).
    XXXI. *Sur une visite au Vatican* (ms. publié par M. Victor Giraud en 1932 dans *Brunetière*, Flammarion).

Manuscrits divers non classés par Bédier.

I. — Ms des cinquante-cinq leçons (inédites à part les neuf premières) du cours sur l'évolution des genres. (Voir plus loin pp. 219, 220.)

II. — Notes écrites par Brunetière dans les marges de son exemplaire de *La Vie de Jésus* (publiés par M. Pierre Moreau dans *Pages sur Ernest Renan*).

III. — Notes écrites par Brunetière dans les marges de son exemplaire de *Marc-Aurèle* (voir plus pp. 233 et seq.).

La Correspondance de Brunetière.

A l'exception de quelques lettres échangées avec Pierre Loti, Eugène Melchior de Vogüé et le Cardinal Mathieu, la correspondance de Brunetière n'a jamais été recueillie. Toutefois la Bibliothèque Nationale vient d'acquérir le vaste fonds de lettres reçues par Brunetière de la part de personnalités aussi diverses que Maurice Barrès, Paul Bourget, Henry Bordeaux, l'Abbé Brémond, Dastre, Alphonse Daudet, Alexandre Dumas fils, Lucie Félix Faure, Georges Fonsegrive. Anatole France, Victor Giraud, Georges Goyau, José-Marie de Hérédia, Gustave Lanson, Leconte de Lisle, l'Abbé Loisy, Pierre Louys, Guy de Maupassant, la comtesse de Noailles, Léon Ollé-Laprune, Ernest Renan, etc. Dans l'ensemble, ces lettres ne présentent qu'un intérêt relativement mince (demandes de rendez-vous, détails relatifs à la publication d'articles dans *la Revue des Deux Mondes*) mais une édition d'un nombre limité d'entre elles apporterait de précieux éclairages sur l'histoire littéraire de la fin du siècle dernier.

Des lettres expédiées par Brunetière on a notamment recueilli celles qui sont adressées à sa femme et à Mme Buloz. Nous citons toutefois dans notre thèse et surtout dans notre appendice, des extraits de quelques autres lettres inédites (à son père, à Anatole France, au pape Léon XIII) que nous avons eu la possibilité de consulter.

B. — BIBLIOGRAPHIE DES PRINCIPAUX OUVRAGES ET ARTICLES SE RAPPORTANT A L'ŒUVRE DE BRUNETIERE.

I. — ETUDES PARUES DU VIVANT DE BRUNETIÈRE (ouvrages)

Jules LEMAITRE. — *Les Contemporains*. Tomes I (1885) et VI (1896). Lecène Oudin.

Armand de PONTMARTIN. — *Souvenirs d'un vieux critique*. Tome IX, 1888. Calmann-Lévy.

Anatole FRANCE. — *La Vie Littéraire.* Tomes I (1882) et III (1894). Calmann-Lévy.

Georges RENARD. — *Les Princes de la Jeune Critique,* 1890. Librairie de la Nouvelle Revue.

Edouard ROD. — *Les idées morales du temps présent,* 1891. Perrin.

Etienne CORNUT. — *Les malfaiteurs littéraires,* 1892. Rétaux.

Bernard LAZARE. — *Figures contemporaines,* 1894-1895. Perrin.

René DOUMIC. — *Ecrivains d'aujourd'hui,* 1894. Perrin.

Georges PELLISSIER. — *Essais de littérature et de morale,* 1894. Lecène Oudin.

L'Abbé DELFOUR. — *La religion des contemporains.* Tome I, 1895. Lecène Oudin.

Joseph PÉLADAN. — *La science, la religion et la conscience,* 1895. Chamuel.

LAMARCHE. — *Catholicisme et protestantisme, académicien et pasteur, avec la réponse de F. Brunetière,* 1896. Fischbacher.

A. DARLU. — *Ferdinand Brunetière à propos de « Après le Procès »,* 1898. Armand Colin.

H. BÉRENGER. — *La France intellectuelle,* 1899. Armand Colin.

H. BORDEAUX. — *Les écrivains et les mœurs,* 1900. Plon-Nourrit.

L'Abbé DELMONT. — *Bossuet et Ferdinand Brunetière,* 1900. Sueur-Charruey.

L'Abbé DELFOUR. — *La Religion des contemporains,* tomes III (1901) et IV (1902). Lecène Oudin.

Gustave KAHN. — *Symbolistes et décadents,* 1902. Vanier.

L'Abbé DELMONT. — *Trois illustres conquêtes de la foi,* 1904. Lyon, Vitte.

A. AULARD. — *Polémique et histoire,* 1904. Cornély.

Léon BLOY. — *Les dernières colonnes de l'Eglise,* 1904. Mifliez.

Emile FAGUET. — *Propos littéraires,* tome II. Société Française d'Imprimerie et de Librairie, 1904.

2. — ETUDES PARUES DU VIVANT DE BRUNETIÈRE (articles)

Anatole FRANCE. — *M. Paul Bourget et M. Ferdinand Brunetière. Le Temps,* 7 juillet 1889.

René DOUMIC. — *La critique contemporaine. Le Correspondant,* 10 novembre 1891.

ACADÉMIE FRANÇAISE. — *Réception de M. Ferdinand Brunetière. Discours de MM. Brunetière et d'Haussonville. Le Temps,* 16 février 1894.

Emile FAGUET. — *M. Ferdinand Brunetière. Revue de Paris,* février 1894.

T. de WYZEWA. — « *L'Evolution de la Poésie Lyrique* », *Revue Bleue,* avril 1894.

Le P. E. CORNUT. — *Ferdinand Brunetière. Etudes Théologiques* (III), 1894.

L'Abbé KLEIN. — *L'œuvre de Ferdinand Brunetière La Quinzaine,* mars 1894.

A. DARLU. — « *Après une visite au Vatican* » *de Ferdinand Brunetière. Revue de Métaphysique et de Morale* (III), 1895.

M. BERTHELOT. — *Science et Morale. Revue de Paris,* 1er février 1895.

Le cosmopolisme et la littérature nationale. Revue des Revues (15), 1895.

Le P. H. BRÉMOND. — *Ferdinand Brunetière et la psychologie de la foi. Etudes Théologiques,* 5 et 20 mars 1897.

Henry BÉRENGER. — *Le cas de Ferdinand Brunetière. Revue des Revues,* 1897.

A. DARLU. — *De Ferdinand Brunetière et de l'individualisme. Revue de Métaphysique et de Morale,* VI, p. 381 et seq., 1898.

H. BORDEAUX. — *Les* « *Discours de Combat* », *Revue Hebdomadaire,* III, 1900.

Charles MAURRAS. — « *Discours de Combat* », *Revue Encyclopédique,* 1900.

Emile FAGUET. — *Un philosophe politique: Ferdinand Brunetière. La Quinzaine,* 16 février 1900.

Le R. P. GRÜBER. — *M. Brunetière et* « *l'Inconnaissable* » *de Spencer et de Comte. Revue de Philosophie,* 1er février 1903.

Emile FAGUET. — « *Sur les chemins de la croyance* ». *Revue Latine,* 25 novembre 1904.

E. BAUMANN. — *Le positivisme de M. Brunetière. Annales de Philosophie Chrétienne,* janvier 1905.

M. de La TAILLE. — *M. Brunetière et les théologiens. Etudes,* 5 mai 1905.

D. PARODI. — *Le traditionalisme et le positivisme. Revue de Synthèse Historique*, décembre 1906.

3. — NOTICES NÉCROLOGIQUES.

Diverses appréciations de l'œuvre de Brunetière ont paru en 1906 et en 1907, ainsi qu'en 1911, lors de l'inauguration de son buste au cimetière Montparnasse.

4. — ETUDE PARUES DEPUIS LA MORT DE BRUNETIÈRE (ouvrages)

Jules SAGERET. — *Les grands convertis*. Mercure de France, 1906.

Mgr CHOLLET. — *Les idées religieuses de Ferdinand Brunetière*. Lethielleux, 1907.

L'Abbé DELMONT. — *Ferdinand Brunetière*. Lethielleux, 1907.

Victor GIRAUD. — *Ferdinand Brunetière, notes et souvenirs*. Bloud, 1907.

Georges FONSEGRIVE. — *Ferdinand Brunetière*. Bloud, 1908.

L'Abbé CROSNIER. — *Les Convertis d'hier*. Beauchesne, 1908.

Rémy de GOURMONT. — *Promenades Littéraires*. Mercure de France, 1909.

Henri BRÉMOND. — *Apologie pour Fénelon*. Perrin, 1910.

Emile FAGUET. — *Ferdinand Brunetière*. Hachette, 1911.

Victor GIRAUD. — *Les Maîtres de l'Heure* (I). Hachette, 1911.

Irving BABBITT. — *Masters of Modern French Criticism*. Boston, 1912.

Paul BOURGET. — *Pages de Critique et de Doctrine* (I). Plon, 1912.

Denys COCHIN. — *Quatre Français*. Hachette, 1912.

Le R. P. FORTIN. — *Brunetière et Besançon*. Besançon, Marion, 1912.

Charles MAURRAS. — *Trois Etudes* (recueillies par Henri Clouard*. Nouvelle Librairie Nationale, 1913.

Audré SUARÈS. .. *Trois Hommes*. Editions de la Nouvelle Revue Française, 1913.

Léon DAUDET. — *Au Temps de Judas*. Nouvelle Librairie Nationale, 1915.

Victor GIRAUD. — *Moralistes français*. Hachette, 1923.

Pierre-Maurice MASSON. — *Œuvres et Maîtres*. Perrin, 1923.

Charles MAURRAS. — *L'Allée des Philosophes. Société Littéraire de France*, 1923.

Cent ans de vie française à la Revue des Deux Mondes. Hachette, 1929.

L. J. BONDY. — *Le classicisme de Ferdinand Brunetière.* Anvers. Burton, 1930.

Victor GIRAUD. — *Brunetière.* Flammarion, 1932.

J. NANTEUIL. — *Ferdinand Brunetière.* Bloud et Gay, 1933.

E. HOCKING. — *Ferdinand Brunetière : The evolution of a critic.* Madison, 1936.

J. VAN DER LUGT. — *L'action religieuse de Ferdinand Brunetière.* Desclée de Brouwer, 1936.

5. — ETUDES PARUES DEPUIS LA MORT DE BRUNETIÈRE (articles)

Emile FAGUET. — *L'œuvre critique de Brunetière. Courrier de Bruxelles*, 21 décembre 1906.

Abbé KLEIN. — *Ferdinand Brunetière. Catholic World*, 1907.

L. LABERTHONNIÈRE. — *Ferdinand Brunetière. Annales de Philosophie Chrétienne*, 1907.

H. PETITOT. — *L'apologétique de Ferdinand Brunetière. Revue Hebdomadaire*, 1914.

H. BORDEAUX. — *Comment j'ai rencontré Ferdinand Brunetière. Revue Hebdomadaire*, 1914.

Pierre MOREAU. — *Brunetière et Renan, d'après des documents inédits. Correspondant*, janvier 1923.

Paul SOUDAY. — « *Pages sur Renan* ». *Le Temps*, 20 mars 1924.

F. SEILLIÈRE. — *Brunetière critique de la morale romantique. Séances de l'Académie des Sciences Morales et Politiques.* 1925.

Pierre MOREAU. — *Ferdinand Brunetière et le classicisme. Correspondant*, 10 mars 1929.

— *Brunetière et la Revue Bleue. Revue Bleue*, 1934.

Victor GIRAUD. — *Pour le centenaire de Ferdinand Brunetière. Revue des Deux Mondes*, 1949.

6. — TITRES DE QUELQUES OUVRAGES PORTANT SUR LE MOUVEMENT GÉNÉRAL DES IDÉES A L'ÉPOQUE DE BRUNETIÈRE.

I. — *Histoires littéraires.*

René JASINSKI. — *Histoire de la Littérature française* (2 vol., Boivin, 1947).

Henri CLOUARD. — *Histoire de la Littérature française depuis le symbolisme jusqu'à nos jours* (Albin Michel, 1947 et 1949).

II. — *Ouvrages d'histoire philosophique et religieuse.*

Georges GOYAU. — *Autour du catholicisme social.* Perrin.
première série 1897
deuxième série 1901
troisième série 1907

D. PARODI. — *La Philosophie contemporaine en France.* (Alcan, 1925).

Jacques PIOU. — *Le Ralliement. Son Histoire.* (Editions Spes, 1928).

Le R. P. LECANUET. — *La Vie de l'Eglise sous Léon XIII.* (Alcan, 1930).

Bernard AMOUDRU. — Des « pascalins » aux « pascalisants ». Cahiers de la Nouvelle Journée (Bloud et Gay).

III. — *Monographies.*

Pierre MUENIER. — *Emile Montégut.*

Albert FEUILLERAT. — *Paul Bourget : Histoire d'un esprit sous la Troisième République.* (Plon, 1937).

APPENDICE

MANUSCRITS RELATIVEMENT ANCIENS

1. *Notes sur le bouddhisme tirées de Burnouf et d'Eckstein. Groupe Ve suivant Bédier.*
(Ces notes, consistant en citations tirées de numéros de *La Revue archéologique* et de *La Revue asiatique* parus entre 1855 et 1857, remontent vraisemblablement à l'époque où Brunetière se documentait pour ses articles de *La Revue Bleue.* On remarquera que les citations sont entremêlées de quelques réflexions personnelles de Brunetière).

« Le Polythéisme chez les Sémites n'a guère consisté qu'à jouer sur les noms du dieu unique envisagés comme désignant des personnes différentes et groupés en généalogies. — Beal, Bel, Beliton, Melk ou Moloch... ».
Comparer Notre-Dame de Grâce — Notre-Dame des Sept Douleurs et remarquer que, pour la masse, toutes ces appellations diverses constituent autant de personnes véritablement distinctes.

« L'Inde des Aryas ne peut être bien comprise que par la connaissance des deux Indes qui lui sont antérieures, l'Inde des autochtones et l'Inde des Strôndras. L'Inde primitive nous est attestée par la présence des Montagnards dans quelques parties de l'Himalaya... C'est l'Inde des Nischadas et des Tchandalas de la tradition antique... Sur cette Inde grossière et entièrement inculte peut se greffer une tige plus noble, le rameau touranien... A cette Inde succède la seconde Inde, celle qui précède immédiatement l'Inde des Aryas et qui fut l'Inde des Spoudrâs. des Ethiopiens, des Céphènes, l'Inde de l'Etnos des Koushikas.

Viennent alors l'Inde Védique.

Puis l'Inde Brahmanique ».

d'Eckstein. *Journal asiatique. décembre* 1857.

Le récit du monde antédiluvien et post diluvien —
jusqu'à la vocation d'Abraham — n'est pas aussi isolé
qu'il en a l'apparence — car il a appartenu en commun
aux Aryas et aux Céphènes et il en perce quelque chose
dans les annales de la Chine — mais on ne retrouve nulle
autre part la netteté d'aperçu et la conscience du fait
qui caractérisent le récit de la Genèse...

d'Eckstein. *Revue archéologique.* 1855, 56

C'est le bouddhisme qui marque dans l'Inde le passage
des temps anciens aux temps modernes.

Burnouf... *id... Ibid.*

2. « *De la folie* » (ms VI e suivant Bédier).
(Cf la lettre de Brunetière à son frère Charles datée du 28 septembre 1877 et publiée par ce dernier, *ibid.* p. 8 : « *Item* — pour
la *Revue Politique et Littéraire,* un grand article sur la folie...).

... Luther était un visionnaire et Mahomet un épileptique. Evidemment, quelques grammes de teinture de digi-
tale administrés en temps utile au moine de Wittenberg
n'eussent pas mis en question l'avenir du protestantisme
et le traitement bromuré sans doute n'eût pas empêché
l'islamisme de naître et de convertir à sa foi cinquante
millions d'hommes : les grands effets n'ont que de grandes causes. Telle autre encore une Marie d'Agréda
religieuse et béate espagnole, était une nymphomane
(dans l'interligne : Erotomane) dont le dévergondage
de pensées et de paroles soulevait l'indignation et le
dégoût de Bossuet... Mais il serait trop facile de multi-
plier les exemples et c'en est assez pour indiquer ce
qu'une théorie complète et bien liée de la folie pourrait
jeter de vive lumière sur les questions si complexes et
si délicates de psychologie religieuse... ».

3. *Credo philosophique* (ms vi a suivant Bédier).

Je crois :
1°) à l'imperfection radicale, à la misère originelle, à la perversité foncière de l'homme qui se démontrent :
A. — Par la conscience.
B. — Par l'histoire.
C. — Par l'histoire naturelle.
— théorie de l'Evolution.
2°) qu'il y a des degrés individuels dans cette égalité d'imperfection, de misère et de perversité.
3°) que par conséquent, et toujours en conformité de la loi d'évolution, on peut réparer l'une, atténuer l'autre et brider la 3°.
4° que pour y parvenir et sans recourir à aucun moyen théologique ou métaphysique, la Société est le meilleur ou le seul moyen qu'on ait trouvé.
5°) que le lien de la Société, l'instrument du progrès et la condition du moindre malheur commun, c'est de travailler au perfectionn (*sic*) de soi-même.
6° que ce perfectionn (*sic*) consiste à nous dégager de l'animalité dont le souvenir héréditaire continue tj (*sic*) de peser sur nous.
7°) et enfin que ce perfectionnement ne saurait être égoïste sans se retourner contre les conditions qui la rendent seule possible.
De ces différents articles de foi :
Le 1er fonde la croyance sur la plus grande vraisemblance scientifique.
Le 2° en rétablissant l'inégalité, rétablit le principe de toutes les hiérarchies.
Le 3° nous rend l'espérance.
Le 4° en nous obligeant à la société rétablit l'idée de liberté.
Le 5°
Le 6° et
Le 7° donnent une base à la morale, et cette base n'est pas « l'utilitarisme ».

TITRES DE QUELQUES LEÇONS INEDITES DU COURS SUR « L'EVOLUTION DES GENRES »

(ms. exclus du classement de Bédier)

45e leçon	1. Les limites de l'assimilation de la Critique avec l'histoire naturelle.	
46e leçon	2. L'objet de la Critique. A. L'obligation de juger.	
47e leçon	2. L'objet de la Critique. B. La Classification.	1. les principes de la classification naturelle.
48e leçon	» » » »	2. principes scientifiques de classification des Genres.
49e leçon	» » » »	3. principes moraux de la classification des genres. L'objet de l'art.
50e leçon	» » » »	3. principes moraux de la classification des genres. L'objet de l'art (suite)
51e leçon	» » » »	3. principes moraux de la classification des genres. Fonction de l'art.
52e leçon	» » » »	4. les principes esthétiques de la classification.

53ᵉ leçon   »   »   »   »   E. La Classification
                                              des Genres.
54ᵉ.leçon. 3.   L'Explication.
55ᵉ leçon   3.   La fonction de la Criti-
               que.

MANUSCRITS RELATIVEMENT RECENTS
(groupe V. - sauf Ve - suivant Bédier)

(Ayant déjà largement utilisé ce groupe de manuscrits
dans le courant de notre étude, nous ne tenons ici qu'à en
présenter une sélection complémentaire.)

PASCAL
Programme Général

1ʳᵉ leçon
Introduction Générale

L'Ecrivain   Le Penseur

2ᵉ leçon
Le Milieu

3ᵉ leçon
PASCAL

A.   B.   C.
Le Malade   Le Passionné   Le Géomètre

4ᵉ, 5ᵉ, 6ᵉ leçon *(sic)*

Contre les   *Contre les*   *Pour*
Jésuites.   *Libertins.*   *Jansénisme.*

7ᵉ leçon
L'Ecrivain

8ᵉ leçon
Situation en Pensée Moderne
                                         Août 1903.

BLAISE   PASCAL[1]
9 leçons
1. *Notes vraisemblablement rédigées en 1903.*

Introduction Générale

II
Le Milieu

III
L'Ecrivain

IV
La Morale

V
L'Apologétique

VI
La Sociologie

VII
L'Homme

VIII
Pascal
et Bossuet

IX
Conclusion
Générale

On peut donner 3 leçons à l'apologétique.
Epigraphe Général
      nous brûlons du désir de trouver une assiette ferme
   et une dernière base constante.   Havet, I, 6.
La Passion et la Gloire, I, p. 10; p. 24 :
      Le fond de Pascal est le pessimisme.
   (Cf. Schopenhauer, Taine et Vigny).
   Relire pour Pascal le discours d'Herron sur *La découverte
du Christ.*

DESCARTES
Notes rédigées entre 1902 *et* 1905.

Je pense donc je suis — pourquoi pas : Je souffre, donc
je suis ? C'est que l'équivalent véritable est celui-ci : « Ma
pensée c'est moi » et « Moi c'est ma pensée ». Tout le
reste, qui n'est pas moi, y compris ma conduite en ce monde, je puis l'abandonner à la coutume ou à l'autorité, mais
ce que je ne puis renoncer pour personne, c'est ma pensée.
   La seule chose qui ne soit pas une illusion, c'est *ma pensée,* et *ma pensée* en tant que mienne, et adéquate à moi.

   Une philosophie de l'espérance ou plutôt de la *confiance,*
et, à coup sûr, l'optimisme le plus absolu que l'on ait jamais
professé.
   J'admets qu'à la rigueur on puisse dire avec lui : *Je doute,
donc je suis,* mais dès le second pas il s'écarte de sa méthode, et je ne sais si *douter* c'est *Penser.* A plus forte raison
ne puis-je affirmer que *ce qui pense en moi* n'est pas mon
corps, et au contraire je puis bien assurer que je ne doute-
rais de rien si je ne doutais des révélations de mes sens
qui sont pourtant mon corps.

« NOTES COURANTES » (1904)

Les Erreurs de l'abbé Loisy, brochure par Cardinal Perraud,
Paris et *Autun* Iégui, 1904.

Du livre de Chuquet sur *Stendhal,* retenir entre autres
points que jamais homme, pas même Rousseau, ne mentit
plus effrontément sur lui-même, ses aventures et ses expé-
riences.

C'est un rare phénomène que la fermentation excitée dans
l'Europe par cet homme dont les livres sont à peine connus
par des extraits ou des analyses de journaux.

Ballanche, 1801 *Sur Kant.*

Anticipations, par Wells.

Une particularité bien remarquable de l'essai de Taine
sur *Carlyle* c'est qu'il n'y soit pas un instant question de la
portée *sociale* ou *religieuse* de son œuvre.

Je lis dans la *Critique religieuse ;* 1880, p. 405. « *On ne fait
pas de bonne science avec la polémique.* C'est cette pensée
qui a fait prendre l'engagement à M. Jules Ferry de con-
fier la nouvelle chaire d'*histoire des Religions,* non à un
homme de combat, à un polémiste, mais à un véritable
savant, à un homme sérieux... »

Du *Mahomet* de Dozy, retenir la conclusion comparative
entre le christianisme et l'islamisme.

CORRESPONDANCE INEDITE

Lettre inédite de Ferdinand Brunetière à Anatole France.
morale[1].

                                        Samedi soir.

Cher Monsieur,

Je viens de lire l'article du *Temps,* et, non seulement, je
ne me rends pas, mais encore — vous allez me trouver bien
impertinent, je le crains — je m'étonne comme il est aisé
de répondre aux raisons que vous faites valoir. Permettez-

---

1. Mot écrit, sans doute par Anatole France, sur le manuscrit
de la lettre de Brunetière.

moi donc de m'en donner entre nous le plaisir, et considérant que la question qui nous occupe est de celles qui passent
comme l'on dit, par-dessus notre tête à tous deux, pardon-
nez-moi de ne la tenir pour vidée ni par mon article sur le
Disciple, ni par votre réplique, ni par la réponse que j'y fais.

Ne penserez-vous pas d'abord, en y songeant, qu'il est
un lieu commun, ou plutôt un paradoxe, avec lequel, depuis
longtemps, et tous tant que nous sommes, nous en devrions
avoir fini ? C'est celui qui roule, si je puis ainsi dire, sur
la prétendue *variabilité** des principes sociaux et parce que
ce très joli pédant de Montaigne s'en est jadis un peu pédam-
ment amusé,, jusques à quand faudra-t-il que nous le soute-
nions. Oui, tous les jours je le sais, les lois constitutives de
la famille sont tournées, ou fraudées, ou violées. Mais cela
les empêche-t-il d'être, et rouge ou noire, blanche ou jaune,
connaissez-vous une race, une civilisation dans l'histoire où
le chef de famille *ne doive pas* subsistance à la femme et
aux enfants du mariage, la femme soumission, obéissance à
l'époux, et les enfants respect à tous deux ? A la Chine ou
au Congo, je ne dis rien de la Grèce ni de Rome, et vous
entendez bien pourquoi, croyez-vous qu'il soit réputé *Bien*
à une mère de martyriser ses enfants, à des enfants d'égor-
ger leur père, à une femme d'étrangler ou d'empoisonner son
mari ? Je prends exprès des exemples grossiers, d'autant
plus sensibles et d'autant plus évidents. Voilà pour la famille. Pareillement, et en dépit des anthropologues, de leurs
mensurations et de leur statistique, et de leurs contes à
dormir debout, qu'ils nous donnent pour de la *Science* ⸺
savez-vous un lieu du monde où la propriété ne soit recon-
nue, ne fût-ce que sous la forme primitive et rudimentaire
de la propriété de la femme, des enfants, de l'âne ou du
cheval, des armes et du butin de chasse ou de guerre de
chacun ? Qu'importe là-dessus, qu'elle soit ici ou là diffé-
remment constituée ? Les *modalités* n'en altèrent pas l'*essence,* puisqu'au contraire elles ont pour but de l'objectiver.
Elle existe donc, non pas même à l'état de *principe,* mais de
fait *social,* d'instinct humain, si vous l'aimez mieux, inhé-
rent et adéquat à l'homme comme l'est aux fourmis celui
de creuser leurs galeries ou aux abeilles de faire leur miel.

Voilà pour la propriété. Et quant à la société politique
enfin, assignez-lui telle origine que vous voudrez, tirez la
du droit du plus fort ou du plus nombreux, rien ne m'est
plus indifférent. Mais ce que vous ne me montrerez pas,
c'est une réunion d'hommes, voire aux Marquises ou chez les
Patagons, qui ne soit pas *organisée.* Et la raison d'ailleurs

(*) Les mots en italiques sont soulignés dans le manuscrit de
Brunetière.

en est bien simple : où il n'y a pas de *Société politique,* si
grossièrement constituée soit-elle, il n'y a pas d'hommes, il
n'y a encore que des animaux.

Maintenant, quant aux exemples que vous m'opposez, *ils
font pour moi,* comme on disait jadis, et je n'en eusse pas
demandé d'autres. Car, qu'est-ce que je soutiens ? qu'il ne faut
pas mêler la *Morale* à la *Cosmologie,* bien moins encore à
la *Théologie ;* et je vous prie, vos veuves du Malabar, que
faisaient-elles en se brûlant sur le bûcher de leur mari ?
Elles faisaient de la métaphysique, cher Monsieur, tout uni-
ment, puisqu'autant qu'il était en elles, elles affirmaient par
leur sacrifice ou l'*Immortalité de l'Ame* ou l'*Existence de
Dieu.* En attaquant cet usage barbare, on n'attaquait donc
point du tout l'ordre social, ou du moins on ne l'attaquait
qu'en tant qu'il avait des fondements dans l'ordre religieux
ou métaphysique et précisément, je vous ferai remarquer
encore une fois que c'est ce que je proclame dangereux.

Voulez-vous faire la contre-épreuve ? On discutait encore,
il n'y a guère plus de cent ans, s'il fallait conserver ou abolir
l'atroce usage de la torture. Mais ceux qui prétendaient la
justifier et la conserver, comment raisonnaient-ils ? Invo-
quaient-ils la religion, ou la philosophie ? partaient-ils d'une
conception métaphysique de la justice ? Pas le moins du
monde, et tout ce qu'ils disaient c'est que la torture, *utile
à la découverte du crime,* l'était donc et en conséquence à
l'ordre social. Mais précisément du même au même la contradiction est toujours permise et légitime. A une conception
sociale, fondée sur la considération de l'intérêt commun j'en
puis toujours opposer une autre, fondée sur le même intérêt
mieux compris. A des arguments *humains* je puis répondre
par des arguments *humains.*

Appliquons le principe. Soit la question du divorce ou de
la polygamie. Elles reposent en ces termes. Est-il bon que
l'homme ait plusieurs femmes, ou n'en doit-il avoir qu'une
seule ? Importe-t-il à la Société que le mariage soit indis-
soluble ou qu'il ne le soit pas ? C'est à voir et à discuter,
et toutes les solutions que vous me proposez, je les accepte,
à la seule condition que vous n'y mêliez ni la métaphysique
ni l'anthropologie. Et il en est de même pour toutes les
questions *sociales.* La liberté nous est laissée de les résoudre, comme nous le voudrons, mais ce qui nous est interdit,
c'est pour résoudre des problèmes qui comportent déjà plus
d'inconnues que d'équations d'y introduire une *inconnue*

nouvelle, que nous savons par avance que nous n'élimine-rons jamais.

Or, c'est ce que vous faites, avec votre *déterminisme*. Quoique tout nous crie la liberté de l'agent humain, vous dites : « Supposons que l'homme ne soit pas libre » et quoi-que tout conspire à le différencier de la nature, vous dites : « Supposons qu'il ne soit qu'un animal comme les autres », et vous raisonnez sur ces suppositions et vous en tirez des conséquences, et vous prétendez nous les imposer *au nom de la science,* et les faire entrer dans la pratique et que pour honorer la mémoire de Darwin ou pour obtenir l'appro-bation d'Haeckel, nous substituons le droit du plus fort à notre pauvre petite justice humaine, déjà si chancelante, la « concurrence vitale » à la pitié, sans laquelle il n'y a que des sociétés d'assurances, et la « Sélection naturelle » à cet ensemble de rapports sociaux qui font que vous, France, et moi, Brunetière, qui ne sommes, que je sache, ni très vigoureux, ni très « malins », ni des Hercules de foire, ni des clowns de cirque, dont les ruses sont courtes et dont les poings sont faibles, nous avons pu vivre tout de même, et n'être pas supprimés au berceau. Est-ce que par hasard nous nous laisserions imposer par les noms ? et parce que Haeckel ou Darwin ont dit une chose, est-ce que nous n'y regarderons pas... ? Mais si je poursuivais, je n'en finirais pas ; il est déjà tard et par une coquetterie que vous com-prendrez, c'est demain, à votre réveil, que je veux que vous lisiez cette lettre. Je me résume donc, au courant de la plume. De la nature à l'homme, vous concluez du même au même, vous n'en avez pas le droit, si vous n'avez démontré au préalable qu'ils sont identiques. Mais vous ne pouvez pas le démontrer, puisque toute conception dans laquelle vous les enveloppez l'un et l'autre, étant *Métaphysique* est néces-sairement *hypothétique.* Et conséquemment, lors que vos *hypothèses* affichent la prétention de gouverner la pratique, d'oiseuses qu'elles étaient, c'est dangereuses qu'elles devien-nent. L'amplitude des oscillations de l'hypothèse philoso-phique est limitée à la circonférence de l'intérêt social.

Croyez là-dessus, cher Monsieur, à mes meilleurs senti-ments, et ne manquez pas de me renvoyer ou de me rap-porter Lundi la seconde partie de *Thaïs* en bon à tirer.

Bien à vous.

F. BRUNETIÈRE.

Extraits d'une lettre inédite, expédiée par Ollé-Laprune à Brunetière, au sujet de Newman, et datée du 13 mars 1894.

« ...De ces deux volumes je vous donne l'un, celui dont je suis l'auteur. Je vous prête l'autre... J'ai le texte anglais... Mais pourquoi vous proposer ce volume de Newman ?... Pourquoi ? Vous l'avez deviné, je pense...

Dans votre si admirable leçon de mercredi dernier... vous avez indiqué une objection protestante... L'Eglise catholique a varié, car elle a évolué... Vous me permettez, n'est-ce pas, mon cher ami, de vous faire part de quelques réflexions.

L'Eglise a évolué, elle évolue. Elle n'a pas varié, elle ne varie pas. Voilà la vérité.

Bossuet, en exposant avec tant de force le caractère d'immutabilité propre à l'Eglise, n'a point ou n'a guère parlé de l'évolution. Ce n'était pas de son temps de voir et de dire cela. Pourtant il y a dans les *Méditations sur l'Evangile* un très curieux chapitre où Bossuet admet dans l'Eglise naissante un développement : il la montre se détachant peu à peu de la Synagogue. C'est dans *la dernière Semaine du Sauveur*, au Vᵉ jour.

Quoi qu'il en soit, la théorie du développement au sein de l'Eglise n'a certainement reçu de Bossuet aucune lumière notable. Indiquée dans le même texte de Vincent de Lérins où est la règle : *quod ubique, quod semper,* etc., elle a trouvé récemment dans un livre très remarquable de Newman (depuis cardinal) un commentaire précis et abondant. Vous connaissez ce livre publié en 1884. Le titre est significatif : *An Essay on Development of Christian Doctrine.* Et Newman montre excellement dans un chapitre intitulé *du développement des idées* quelle différence il y a entre développement ou évolution et corruption. Il applique cela ensuite aux dogmes chrétiens. Je me rappelle à ce propos un beau mot d'Aristote... Aristote veut parler de progrès qui ne sont pas des changements ; il dit que c'est une sorte d'accroissement de l'être ou de marche vers soi, l'être gagnant en être, si je puis ainsi dire... un développement dans le même sens, une même chose devenant de plus en plus elle-même. Telle est l'évolution dans l'Eglise qui ne varie pas. Elle vit, et elle vit dans le temps : sa vie est un mouvement, un progrès, « profectus », disait Vincent de Lérins. Cela se concilie avec la fixité immuable du dogme. Elle évolue, elle ne varie pas.

Je n'aime pas à me citer moi-même. Mais cette idée du

développement au sein de l'immuable m'a toujours frappé.
L'Eglise a des dogmes immuables, elle n'est pas immobile,
elle vit et se développe. J'ai étudié cela quelque part... Lais-
sez-moi vous indiquer le chapitre VII des *Sources de la Paix
intellectuelle.*

...Je sais, mon cher ami, quelle idée vous vous faites de
la critique littéraire et comment vous la voulez attentive
à tout ce qui intéresse les esprits, les âmes. Vous avez si bien
parlé de l'admirable *Histoire des Variations* que je vous veux
armé de tout point pour parler de ce qui vous reste à dire...

Léon OLLÉ-LAPRUNE. »

*Lettre inédite de Brunetière au sujet de la « Sainte Lydwine »
de Huysmans*

A Mlle M. Legraye.

Paris, le 18 septembre 1903.

Madame,

Je n'ai absolument aucune raison de mettre en doute la
sincérité de M. Huysmans, aussi ne l'ai-je fait nulle part,
que je sache, directement ou indirectement. Mais je ne
saurais l'approuver d'avoir entrepris l'apologie dec (*sic*)*
christianisme par les moyens que je crois les plus propres
à la (*sic*) discréditer, comme par exemple en nous développant le cas de Sainte Lydwine, et en insistant à ce propos,
sur ce que la pathologie des miracles a de plus répugnant.
La religion n'exige point cette *mortification des sens* pas
plus qu'elle n'admettait les provocations de Polyeucte au
martyre, et ce n'est point pour avoir joui deses (*sic*) infir-
mités ni surtout pour les avoir soigneusement entretenues
en elle que l'Eglise a canonisé Ste Lydwine. Le grand
défaut de M. Huysmans, si sincère qu'il soit, est, à mon
avis bien formel, de *matérialiser* les raisons de croire, et
de le faire avec une insistance d'artiste qui ressemble à un
jeu ou à un exercice de virtuosité. C'est en cela surtout
qu'il est un décadent. On dirait que les vérités de la religion ne sont vraies à ses yeux que dans la mesure où elles
peuvent servir de matière à sa littérature, et, par conséquent, vraies de la vérité de son esthétique personnelle, à
lui, Karl-Joris Huysmans, bien plus que de son fond [1]. Les

---

* A ce point Brunetière avait ajouté et puis supprimé les mots « la
Sainte.

1. Peu lisible — « Qued et un fond ».

effets de vocabulaire et de style auxquels donne lieu la
hideur des plaies de Ste Lydwine, voilà, pour Huysmans,
le témoignage de la nature chrétienne des souffrances de la
Sainte. J'ai le regret de ne trouver la preuve ni probante
ni prudente.

Vous suivez aisément, Madame, la conséquence de ces indications. Je n'ai pas la prétention, vous le croirez sans peine,
de juger en quelques lignes l'œuvre de M. Huysmans. J'ai
voulu tout simplement vous dire en quelle mesure et pourquoi je ne l'approuvais guère, sans mettre d'ailleurs en doute,
je le répète, ni le talent de l'écrivain, ni la sincérité de
l'homme. Et, en vous le disant sans détour, j'ai voulu vous
remercier des paroles obligeantes que contenait votre dernière lettre...

F. Brunetière.

MANUSCRIT INEDIT SUR « L'AMERICANISME »
(extraits du brouillon d'une lettre rédigée en 1900
à l'intention du pape Léon XIII et laissée inachevée)

« Très Saint Père,

Parmi tant et de si grandes affaires qu'il faut bien avouer
que sans avoir assistance divine, les forces humaines n'en
sauraient soutenir le poids, j'ose croire qu'il souvienne à
votre Sainteté de quelques réflexions, qu'enhardi par sa
paternelle bienveillance, je priai, voilà deux ans, l'Eminentissime Cardinal Secrétaire d'Etat de vouloir bien lui soumettre. Il s'agissait de ce qu'on appelait alors *l'Américanisme*. Le monde catholique attendait, non sans quelque
anxiété, la parole suprême qui mettrait enfin terme à des
débats non moins passionnés qu'instans (sic), et l'Eglise
d'Amérique, en particulier, se demandait si peut-être, en
croyant suivre les instructions du chef de la catholicité
son ardeur de prosélytisme ne l'avait pas entraînée trop loin.
Convaincu, pour ma part, que s'il convenait de modérer cette
ardeur, ou de la régler, il n'importait pas moins qu'on en
reconnût ou qu'on en louât la généreuse inspiration, j'osai
l'écrire à Votre Sainteté. C'était beaucoup de hardiesse !
Mais, Très Saint Père, deux fois déjà j'avais éprouvé
votre paternelle indulgence, et depuis au mois de janvier
de cette année même, j'ai pu me rendre compte que de
découvrir franchement sa pensée au Pape Léon XIII, c'était

encore, pour un fils respectueux et soumis, le moyen le plus sûr de se faire un titre à la bienveillance de Votre Sainteté.

Je ne craindrai donc pas d'en user aujourd'hui comme il y a deux ans, et les réflexions que m'inspire l'unique intérêt de l'Eglise, je les consignerai dans ce court Mémoire, écrit presque sans ordre, mais rassuré d'avance, et sachant bien que la pénétration de Votre Sainteté n'aura pas de peine à discerner, sous la précipitation ou l'impropriété des mots, la sincérité de mes intentions.

Si je disais que le monde catholique de langue anglo-saxonne se plaint respectueusement de n'être pas assez largement représenté dans le Sacré Collège, les expressions ne seraient pas tout à fait exactes, mais ce qui l'est absolument, Très Saint Père, c'est que la presse protestante fait ce qu'elle peut pour le pousser à s'en plaindre, et je crains, d'après ce que j'entends, que son insistance ne soit de nature à émouvoir quelques imaginations... elle fait remarquer que tandis qu'en France, par exemple, nous comptons sept cardinaux pour 38.000.000 de fidèles, les Etats-Unis n'en ont qu'un seul pour 10 ou 12.000.000 de catholiques. Ils en devraient, dit-elle, avoir au moins trois...

Je suis persuadé, Très Saint Père, que la presse protestante protestante (sic) se trompe, et, en vérité, si je ne craignais de faire tort à d'autres, j'oserais dire pour l'avoir vu de mes yeux que nulle part au monde le Saint-Siège n'est entouré de plus de vénération et d'amour que parmi les catholiques des Etats-Unis. Mais il faut aussi compter que cette race d'hommes qui a inventé le *parlementarisme* s'est ainsi donné comme un invincible besoin d'être *représenté* proportionnellement à son importance numérique — il faut compter qu'aux Etats-Unis comme en Angleterre, l'esprit *démocratique* se concilie avec une grande avidité de distinctions de personnes ou de corps (*peu lisible*) et aux yeux mêmes des protestans (sic) ses compatriotes, Votre Sainteté ne saurait croire de quel prestige la pourpre romaine a revêtu l'Eminentissime Cardinal Gibbons ; — et il faut compter encore que si quelques catholiques ont un titre plus particulier aux faveurs de l'Eglise universelle, ce sont ceux dont on peut dire que la vie religieuse, comme aux Etats-Unis, n'est qu'un long combat avec l'hérésie. Votre Sainteté dans sa haute prudence, ne penserait-elle pas qu'elle serait d'une adroite politique, et d'un profit certain pour la religion, d'imposer silence, au moins sur ce point, à l'argumentation de la presse protestante ?

Il semble d'ailleurs qu'il y en aurait présentement d'autres raisons, d'un ordre tout différent, et si grave, que je n'ose, Très Saint Père, y toucher qu'avec tremblement. Il y a depuis quelques années déjà quelque chose de changé dans le monde et, si quelques défenseurs maladroits et imprudens (sic) de l'Eglise ont osé soutenir que l'influence morale et spirituelle de la Papauté s'était accrue de ce qu'elle avait perdu de pouvoir temporel, il n'y a que ses pires ennemis qui soutiennent aujourd'hui cette thèse. Le moment approche où le monde entier comprendra... que la question romaine n'est pas seulement « une question catholique » mais une « question internationale », et déjà, je n'ose dire en France... mais en Allemagne, par exemple, Votre Sainteté n'a-t-elle pas reconnu les symptômes de cette évolution des esprits ? Le jour où elle s'achèvera, ce jour-là, Très Saint Père, la solution de la question ne dépendra-t-elle pas pour une grande part du poids que le catholicisme du Nouveau Monde jettera dans la balance de la politique ?... Il importe donc à la catholicité d'avoir l'Amérique avec elle ou pour elle, et c'est une seconde raison qui fait du développement du catholicisme en Amérique une des préoccupations capitales de l'heure présente.

Et en voici encore une troisième. Au cours des discussions soulevées par l'américanisme, Votre Sainteté se le rappellera, la plupart de ses adversaires ne lui ont rien tant reproché que le subjectivisme de ses tendances. Mais, Très Saint Père, ce n'était là qu'une confusion de mots, et ce n'est pas aux Etats-Unis mais en France ou en Allemagne qu'il y a lieu de redouter le progrès du subjectivisme. Appliqués tout entiers qu'ils sont à tirer du catholicisme ce qu'il enveloppe de conséquences pratiques et sociales, le subjectivisme des Américains n'a jamais consisté que dans la revendication du choix des moyens les plus propres à répandre le catholicisme en pays protestant, et sans doute ils ont pu se tromper dans leur choix, mais rien ne leur a toujours été plus étranger que ce subjectivisme intellectuel qui n'est, comme le sait Votre Sainteté, qu'une forme de l'orgueil de l'esprit. Bien loin d'avoir voulu jamais innover en théologie, ce qu'on pourrait au contraire reprocher aux Américains, ce serait la simplicité de leur théologie, et sans doute, il y a des inconveniens (sic) à ne vouloir pas approfondir le dogme, mais je ne sais s'il n'y en a pas de bien plus grands à le vouloir *rationaliser.*

En tout cas, Très Saint Père, les tendances pratiques du catholicisme en Amérique font merveilleusement équilibre à ce qu'il a en Europe, et peut-être en France particulièrement, de tendances théoriques, et souvent un peu contentieuses...

Je n'ai point de motifs de dissimuler à Votre Sainteté que si peut-être Elle appréciait la valeur des raisons que je soumets humblement à sa décision souveraine, la promotion de l'archevêque de Saint-Paul, Monseigneur Ireland, au Cardinalat, serait d'une singulière efficacité pour resserrer les liens qui unissent l'Amérique au Saint-Siège...

(Suit une référence à l'inauguration du monument de La Fayette à Paris. Brunetière voit « quelque chose de providentiel » dans le fait que le représentant du Président des Etats-Unis fut un archevêque catholique.)

...Mais, Très Saint Père, ce qui l'est encore plus manifestement c'est l'impulsion que Dieu a voulu que l'archevêque de Saint-Paul donnât pour ainsi dire, du fond de son diocèse lointain, à l'élite elle-même du clergé français. « La France, me dit un jour l'Eminentissime cardinal secrétaire d'Etat, n'est plus la France, quand elle n'est pas catholique. » Personne, je crois, Très Saint Père, n'a fait davantage ou autant que l'éloquent archevêque de Saint-Paul pour nous enseigner cette vérité, méconnue ou désapprise de trop de Français, et si j'insiste sur ce point, Votre Sainteté m'a déjà compris, c'est que le grand rôle de Mgr Ireland dans le progrès de l'idée catholique en France, est l'explication et l'excuse ou la justification peut-être de la vivacité de mon intervention... »

(Le Mémoire conclut par un paragraphe inachevé sur la situation du catholicisme au Canada.)

NOTES DE BRUNETIERE
DANS LES MARGES DE SON EXEMPLAIRE DE
« MARC-AURELE »

M. Pierre Moreau ayant déjà publié les notes écrites par Brunetière dans les marges de son exemplaire de « *La Vie de Jésus* », nous sommes heureux de pouvoir les compléter par ses notes marginales sur « *Marc-Aurèle* ». L'exemplaire lui-même étant inaccessible depuis la vente de la bibliothèque de Brunetière, nous sommes redevables à Mme Fernande Dieuzeide d'avoir bien voulu nous communiquer sa propre transcription des notes.

On remarquera que Brunetière s'était servi de la dixième édition de « *Marc-Aurèle* » (Calmann-Lévy) et que ses notes datent de l'année 1905. Nous tenons à indiquer les passages qu'il avait soulignés et à reproduire ses commentaires.

R. p.   2   *Les plus belles pensées sont celles qu'on n'écrit pas.*

B.   Les plus beaux poèmes sont ceux qu'on n'a pas publiés ; les plus belles actions sont celles qu'on n'a point faites, et l'homme le plus parfait celui qui n'a pas existé.

R. p.   3   C'est la gloire des souverains que deux modèles de vertu irréprochable se trouvent dans leurs rangs, et *que les plus belles leçons* de patience et de détachement...

B.   ?

R. p.   4   ...une telle situation, quand on y apporte une âme élevée, *est très favorable au développement du genre particulier de talent qui constitue le mora-liste.* Le souverain vraiment digne de ce nom observe l'humanité de haut et *d'une manière très complète.*

B.   Le croyez-vous ?

R. p.   4   *La froideur de l'artiste* ne peut appartenir au Souverain. *La condition de l'art, c'est la liberté;* or le Souverain, assujetti qu'il est *aux préjugés de la société moyenne,* est le moins libre des hommes...

B.   Pourquoi l'artiste doit-il être froid ?
    La liberté est-elle la condition de l'art ?
    L'artiste doit-il être étranger *aux préjugés* moyens de son temps ?

R. p.   4   ...mais on peut se figurer l'âme du bon souverain comme celle d'un Gœthe attendri, d'un Gœthe converti au bien, arrivé à voir qu'il y a quelque chose de plus grand que l'art... ».

B.   Qu'est-ce qui est « plus grand » que l'art ? Et Gœthe est-il un si grand « artiste » ?

R. p.   5   C'est Marc Aurèle lui-même qui nous a tracé... cet arrière-plan admirable.

B.   Cf. Ravaisson sur cette préface.

R. p.   6   ...Il rendit au Sénat toute son ancienne impor-tance...

B.   Et quel pouvoir lui laissa-t-il ?

R. p.   7   Il était depuis longtemps blasé sur toutes les joies sans les avoir goûtées; il en avait vu, par la profondeur de sa philosophie, l'absolue vanité.

B.   Bon, et vrai cela !

R. p.   9   Cela ne l'empêchait pas... de remplir ses devoirs de prince de la jeunesse avec cet air affable qui était chez lui *le résultat du plus haut détache-ment.*

B.   Et le « masque hypocrite » de la plus entière indifférence !

R. p. 9   Ses heures étaient /coupées/ comme celles d'un religieux.

B.   Distribuées.

R. p. 11   ...son style grec... a quelque chose d'artificiel *qui sent le thème.*

B.   Et surtout le latin.

R. p. 11   Comment ces pédagogues respectables, mais un peu *poseurs.*

B.   Non, pas « Poseurs » mais « Cuistres » et « Pédans ».

R. p. 11   ...il y avait toute apparence qu'une *éducation aussi surchauffée tournerait* au plus mal.

B.   Comme une « sauce ».

R. p. 12   ...à ce point qu'il pouvait s'occuper jusqu'au soir de la même affaire sans avoir besoin de sortir pour ses nécessités...

B.   Détail amusant et typique !

R. p. 15   Il est sûr que le bon empereur *était capable de fortes* illusions.

R. P. 15   *Personne de sensé ne niera que ce fût une grande âme.*

B.   Mais si ! Je le nierai !

R. p. 19   Des historiens, plus ou moins imbus de cette politique qui se croit supérieure parce qu'elle n'est assurément suspecte d'aucune philosophie.

B.   Qui sont ces historiens ?

R. p. 22   *C'est le triomphe de l'esprit grec sur l'esprit latin.*
B.   La preuve ?

R. p. 23   *Les charges des curiales furent diminuées.*
B.   En quoi la diminution des charges des « maires » témoigne-t-elle d'un « remarquable esprit de douceur et d'humanité » ?

R. p. 25   La servante, vendue sous la condition ne prosti-
             tuatur, est préservée du lupanar.
B.   ?

R. p. 28   Le grand principe stoïcien que la culpabilité
             réside dans la volonté, non dans le fait, devient
             l'âme du droit.
B.   Est-ce le bon ?

R. Ch. III *...dans la grande âme de Sénèque...* »
     p. 32
B.   ? Il a donc « grandi » depuis l'Antéchrist ?

R. p. 32   *La philosophie grecque triomphe à force de
             patience.*

R. p. 52   L'objet qu'il avait en vue, l'amélioration des
             hommes, demandait des siècles.
B.   Pourquoi ?

R. p. 54   L'empereur avait pour principe de maintenir les
             anciennes maximes romaines dans leur intégrité.
B.   Alors, en quoi consistait son amour du progrès ?

R. p. 55   ...il fut écrit que le meilleur des hommes com-
             mettrait la plus lourde des fautes, par excès de
             sérieux, d'application et d'esprit conservateur.
B.   Aimable paradoxe !

R. p. 60   De Néron à Constantin, pas un penseur, pas un
             savant ne fut troublé dans ses recherches.
B.   Ni en aucun temps ! Jamais penseur ou savant
             n'a été troublé dans « ses recherches » mais uni-
             quement dans la publicité qu'il prétendait leur
             donner.

R. p. 63   Loin de... chercher à conjurer les dangers de la
             patrie, les chrétiens en triomphaient.
B.   La preuve ?

R. p. 63   Ces dieux avaient fait la grandeur de Rome.
B.   Voilà la vraie raison !

R. p. 63   Qu'on se figure, en Angleterre, un libertin écla-
             tant de rire en public un jour de jeûne et de
             prière ordonné par la reine !

B.   Et dans la France du XVIIIe siècle, un chevalier
          de La Barre faisant l'esprit fort sur le passage
          d'une procession ? Mais ceux qui l'ont exécuté
          n'ont pas d'excuse, et il y en a une pour Marc-
          Aurèle et pour les Anglais.

R. p. 64 La plus abominable des calomnies était l'accu-
          sation d'adorer les prêtres par des baisers infâ-
          mes. L'attitude du pénitent dans la confession
          peut donner lieu à un ignoble bruit.

B.   Combien de fois l'avez-vous dit ?

R. p. 65 ...ce respect pour l'évêque, amenant à s'agenouil-
          ler devant lui, avaient quelque chose de choquant
          et *provoquaient des interprétations ineptes.*

B.   Encore !

R. p. 66 *Note 2... peut avoir été un page de la maison*
          impériale.

B.   Il y a donc une maison Impériale ? Cf. p. 6.

R. p. 68 *quand il persécutait, il agissait en Romain.*

B.   Et Louis XIV quand il « persécutera » croira-t-il,
          ou non, agir en Français et en roi de France ?

R. Ch. V ...on appliquait à cette Eglise les fortes paroles
   p. 70
          par lesquelles on croyait que Jésus avait conféré
          à Céphas la place de pierre angulaire dans l'édi-
          fice...

B.   En 163.

R. p. 71 *L'accord dogmatique qu'il trouva entre les évê-
          ques le remplit de joie.*

R. p. 77 Peu à peu, en effet, *cette histoire calomnieuse des
          luttes apostoliques...,* perdit sa couleur sectaire,
          devint presque catholique et se fit adopter de la
          plupart des fidèles.

B.   Est-ce bien l'impression que vous nous avez don-
          née ? et selon votre *méthode,* n'avez-vous pas
          commencé par établir ce que vous allez mainte-
          nant réfuter ?

16

R. p. 79 Saint Pierre n'est plus l'apôtre galiléen... un philosophe, un maître homme, *qui met toutes les
roueries du métier de sophiste au service de la
vérité.*

B. Retenons-en le naïf aveu !

R. p. 87 Il a fallu *les prodiges de sagacité de la critique
pour reconnaître encore la satire de Paul derrière le masque de Simon le Magicien.*

B. C'est vous qui l'avouez !

R. pp. 87 *C'était, on le voit, l'absolue négation de la doc-
88 trine de Paul. ..*

B. Pas le moins du monde !

R. p. 88 Selon Saint Paul, Jésus est un second Adam, *en
tout l'opposé du premier.*

B. Mais non ! cent fois non !

R. Ch. VI La haine de la Grèce était, en effet, le sentiment
p. 103 dominant de Tatien. En vrai Syrien, il jalouse
et déteste les arts et la littérature, qui avaient
conquis l'admiration du genre humain.

B. Serais-je un peu Syrien ?

R. p. 103 Le monde de statues grecques qu'il voyait à
Rome ne lui donnait pas de repos. Récapitulant
les personnages en l'honneur de qui elles avaient
été dressées, il arriverait à trouver que presque
tous... avaient été des gens de mauvaise vie.

B. Que n'a-t-il « récapitulé » les « Statues de Paris »
et notamment celles de mon quartier : Voltaire,
Diderot, Danton, Rousseau, Etienne Dolet, H. Mur-
ger ? etc., etc.

R. p. 104 Tatien possédait *une érudition grecque étendue...
...une érudition de chétif aloi.*

B. Est-elle « étendue » ou de « chétif aloi » ?

R. p. 105 *Les grammairiens* sont la cause de tout le mal.
B. Je dirais « les philosophes ».

R. p. 109 *Mais le sentiment chrétien* éprouvera une vive
antipathie.

B.	Pourquoi le « sentiment chrétien » ? et Néliton ou Clément d'Alexandrie ne l'ont-ils donc pas ? Dites : « le sentiment de quelques chrétiens ».
R. p. 109	Cette méthode d'apologie, *la seule, à vrai dire, qui soit chrétienne.*
B.	C'est ce que je nie absolument.
R. Ch. VII p. 113	Le novau de l'Eglise catholique et orthodoxe est déjà si fort que toutes les fantaisies peuvent se dérouler à côté d'elle sans l'atteindre.
B.	Style bizarre.
R. p. 113	...les sectes...disparaissent, pour la plupart, *après avoir satisfait un moment aux besoins du petit groupe qui les avait créées.*
B.	ou plutôt : « après avoir dégagé, mis en lumiè-re, et assuré l'avenir de quelque parcelle de véri-té. »
R. p. 119	(les Valentiniens) se donnaient des libertés inouïes, *mangeaient de tout sans distinction...*
B.	Eh bien ! et saint Paul ?
R. Ch. VIII p. 138	On craindrait, en parlant plus longuement de pareilles sectes, d'avoir l'air de les prendre plus au sérieux qu'elles ne se prirent elles-mêmes.
B.	A la bonne heure !
R. p. 140	On peut dire que Clément d'Alexandrie et Ori-gène introduisirent dans la science chrétienne ce que la tentative trop hardie d'Héracléon et de Basilide avait d'acceptable.
B.	Bon, cela !
R. Ch. X p. 164	L'exégèse rationaliste des temps modernes.
B.	Exégèse rationaliste.
R. p. 187	L'intolérance dogmatique, l'idée qu'on est cou-pable et désagréable à Dieu *en ignorant certains dogmes* est franchement avouée.
B.	ou plutôt : « en les repoussant quand on vous les a communiqués comme tels, et que d'ailleurs, vous avez fait profession de christianisme ». N'oublions pas ces deux points qui changent tout.

R. p. 193 Un certain Papirus, etc... jusqu'à.. l'une des plus graves questions du temps.

B. Nous voilà retombés aux énumérations bibliographico-littéraires et à la monotonie qui en résulte !

R. p. 195 Le jour de la Pâque était entre les Eglises chrétiennes... jusqu'à... Les jeûnes qui précédaient la pâque, et qui ont donné origine au carême, se pratiquaient aussi avec les plus grandes diversités.

B. Exagération ridicule !

R. p. 201 Ce qui prouve que la papauté était déjà née et bien née...

B. Aveu à retenir.

R. p. 205 La procédure qu'entraîna le débat eut plus d'importance que le débat lui-même.

B. A la bonne heure !

R. P. 206 On était encore loin de croire à l'infaillibilité de l'évêque de Rome; car Eusèbe déclare avoir lu les lettres où les évêques blâmeraient énergiquement la conduite de Victor.

B. Est-on vraiment et proprement « hérétique » pour différer d'opinion sur la date de Pâques ? et la question est-elle de celles qui relèvent de « l'infaillibilité de l'évêque de Rome » ? Ce serait à vérifier.

R. Ch. XII p. 221 Les disciplines austères... rendent le *salut certain à bon marché.*

B. « à bon marché » ? vous, qui vous êtes toujours cédé, de quel droit supposez-vous que l'effort est toujours « facile » ?

R. p. 222 ...de l'idée de catholicité... dont *l'essence consistait à tenir les portes ouvertes à tous.*

B. « Une essence qui consiste... à tenir les portes ouvertes ».

R. p. 222 ... d'après eux *être pécheur* sans cesser d'être chrétien.

B. Non, pas « Etre pécheur » mais on pouvait « pécher » !

R. Ch. XIV   Les phrygastes... n'avaient qu'un tort ; il était
   p. 225   grave : *c'était de faire ce que firent les apôtres.*
B.   agréable sophisme !

R. p. 229   La crédulité extrême de ces bonnes populations
             de l'Asie-Mineure... avait été la cause des promptes
             conversions au christianisme qui s'y opérèrent ;
             maintenant, cette crédulité les mettait à la merci
             de toutes les illusions.
B.   Cf. ci-dessus, p. 225.

R. p. 231   *...qui rêvait une Eglise immaculée et n'arrivait
             qu'à un étroit conciliabule.*
B.   Style bizarre.

R. p. 231   *...et le millénarisme, c'était le chrisitanisme lui-
             même.*
B.   Mais non !

R. Ch. XV   Il fut donc admis qu'on peut être membre de
   p. 240   l'Eglise... *qu'il suffit pour cela d'être soumis à son
             évêque.*
B.   La condition sera « nécessaire » mais pas « suf-
             fisante ».

R. p. 240   *La hiérarchie préférera même le pécheur* qui
             emploie les moyens ordinaires de réconciliation
             à l'ascète orgueilleux...
B.   Et Jésus, qu'avait-il donc dit ? « Il y aura plus
             de joie... »

R. p. 241   L'Evangile est, en réalité, *plutôt l'Enchiridion
             d'un couvent* qu'un code de morale.
B.   Nullement !

R. p. 242   *Tout le monde y est moine une partie de sa vie.*
B.   Pure plaisanterie !

R. p. 243   La chasteté dans le mariage..., c'était bien, là
             encore, une idée montaniste.
B.   Et St Paul ?

R. p. 243   ...les montanistes remuent sans cesse *la cendre
             périlleuse qu'on peut bien laisser dormir avec ses
             feux cachés.*

B.　　　　Ah ! qu'en termes galants...

R. p. 243　...Une tendresse excessive à la tentation se laisse conclure de cette crainte exagérée de la beauté, de ces interdictions contre la toilette...

B.　　　　Et ensuite ?

R. p. 244　*L'aversion du mariage venait des motifs qui auraient dû y pousser.*

B.　　　　? Remedium concupiscentiæ.

R. Ch. XVI　...voilà quel aurait dû être le programme des
　　p. 251　Romains éclairés, s'ils avaient été mieux renseignés sur l'état de l'Europe et de l'Asie, sur la géographie et l'ethnographie comparées.

B.　　　　...et sur l'avenir !

R. p. 251　Tacite *seul,* vit l'importance de cette région pour l'équilibre du monde.

B.　　　　Et Germanicus ?

R. p. 254　L'humanité n'avait pas encore assez dompté le mal pour pouvoir s'abandonner au rêve du progrès par la paix et la moralité.

B.　　　　Et aujourd'hui ?

R. p. 254　(Marc-Aurèle). Il n'aimait pas la guerre... il fut grand capitaine *par devoir.*

B.　　　　Quel homme !

R. p. 256　Paternel et philosophe avec ces hordes à demi-sauvages, il s'obstinait, par respect pour lui-même, à conserver envers elles des égards qu'elles ne comprenaient pas, à la façon d'un gentilhomme qui, par gageure de dignité personnelle, traiterait des Peaux-Rouges comme des gens bien élevés.

B.　　　　? Peut-on se moquer ainsi du monde ?

R. p. 256　Il admit *sur une large échelle le soldat germain dans les légions.*

B.　　　　Voyons, « sur une échelle » ou « dans les légions » ?

R. p. 261　Cette divine candeur respire à chaque page.

B. Vous êtes « bien honnête » ! c'est la « divine candeur de *la Prière sur l'Acropole*, et des *Souvenirs d'Enfance* en général. Sed nos vera rerum amisimus vocabula.

R. p. 263 ...si c'est le matérialisme le plus complet qui a raison, nous qui aurons cru au vrai et au bien, *nous ne serons pas plus dupes que les autres.*

B. Sans doute, mais à la condition qu'il ne soit besoin d'aucun effort pour « pratiquer le bien ». Et c'est là tout le problème.

R. p. 264 Ces doutes sont inhérents à la nature même de ces vérités, et l'on peut dire sans paradoxe que, s'ils étaient levés, les vérités auxquelles ils s'attaquent disparaîtraient du même coup. Supposons, en effet, une preuve directe, positive, évidente pour tous, des peines et des récompenses futures ; *où sera le mérite de faire le bien ?*

B. Mais il n'est pas question de cela ! Le premier problème est de savoir « où est la vérité » ? La définition même du bien en dépend, et il n'est aucunement nécessaire qu'il y ait du « mérite » à le pratiquer. Est-ce qu'il y a du mérite à savoir que deux et deux font quatre ?

R. p. 264 *Qui ne voit que, dans un tel système, il n'y a plus ni morale ni religion.*

B.

R. p. 265 ...il ne s'agit pas de certitude, il s'agit de foi... Il oublie que les croyances trop précises *sur la destinée humaine enlèveraient tout mérite moral.*

B. Voyons ? « des croyances » ou des « certitudes » ?

R. p. 265 Qu'avons-nous besoin de ces preuves brutales, qui n'ont d'application que dans l'ordre grossier des faits, *et qui gêneraient notre liberté ?*

B. Que veut-il dire ?

R. p. 265 « Heureux ceux qui n'ont pas vu et qui ont cru ! » devint le mot de la situation. Mot charmant ! Symbole éternel de l'idéalisme tendre et généreux *qui a horreur de toucher de ses mains ce qui ne doit être vu qu'avec le cœur !*

B.   Galimatias prétentieux, vide et hypocrite.

R. p. 265

B.   (*au bas de la page*). Page admirable ! pour la
               « candeur » avec laquelle s'y étalent tous les
               défauts que l'opinion du vulgaire prête au « Prê-
               tre » !

R. p. 266   *Jamais l'union intime avec le Dieu caché ne fut
               poussée à de plus inouïes délicatesses.*

B.   Galimatias !

R. p. 267   ...Qu'y a-t-il donc de si fâcheux à être renvoyé
               de la cité non par un tyran, non par un juge
               inique, mais par la nature même, qui t'y avait
               fait entrer ? C'est comme si un comédien est
               congédié du théâtre par le même prêteur qui l'y
               avait engagé. « Mais, diras-tu, je n'ai pas joué les
               cinq actes; je n'en ai joué que trois... »

B.   Pur verbiage. « Qu'y a-t-il donc de si fâcheux
               à perdre la santé ? et la fortune ? et le sens ? et
               la vie? » Rien du tout, j'en conviens, si la vie
               humaine et l'homme s'étaient d'ailleurs faits de
               telle sorte que l'idée même de « fâcheux » n'eût
               été suggérée par ces pertes.

R. p. 268   Une fois du moins l'absurdité, la colossale ini-
               quité de la mort le frappe.

B.   Renversement complet ! La mort peut justement
               être « fâcheuse » ou « douloureuse », elle n'est
               pas « inique » ni « absurde ».

R. p. 268   « ...Puisque la chose est ainsi, sache bien que,
               si elle avait dû être autrement, ils n'y eussent
               pas manqué ; car, si cela eût été juste, cela était
               possible; si cela eût été conforme à la nature, la
               nature l'eût emporté ! Par conséquent, de cela
               qu'il n'en est pas ainsi, confirme-toi en cette con-
               sidération qu'il ne fallait pas qu'il en fût ainsi... »

B.   Raisonnement d'imbécile !

R. pp. 268 Dire que si ce monde n'a pas sa contre-partie,
     269   l'homme qui s'est sacrifié pour le bien ou le vrai
               doit le quitter content et absoudre les dieux, cela
               est trop naïf. Non, il a le droit de les blasphé-
               mer !

B.   S'ils existent !

R. p. 269   Ce que nous voulons, ce n'est pas de voir le
               châtiment du coupable *ni de toucher les intérêts
               de notre vertu.*
B...   Mais si ! C'est précisément ce que vous deman-
               dez.

R. p. 269   Ce que nous *voulons n'a rien d'égoïste :* c'est
               simplement d'être,... de voir le bien qne nous
               avons aimé ! *Rien de plus légitime.*
B.   En d'autres termes : Vous ne demandez pas de
               récompense, mais uniquement « ce que vous esti-
               mez qui vous est dû » et, de plus, le droit de sti-
               puler « en quelle monnaie vous serez payé ».

R. p. 270   Ce calme... *on sent qui'l est obtenu par un im-
               mense effort.*
B.   Et surtout qu'il n'est pas du « calme ».

R. p. 271   L'absolue mortification... avait éteint en lui jus-
               qu'à la dernière fibre de l'amour-propre.
B.   Eteindre... une *fibre ?*

R. p. 272   ...cet Evangile de ceux qui ne croient pas au
               surnaturel, *qui n'a pu être bien compris que de
               nos jours.*
B.   Pourquoi cela ? il faudrait nous l'expliquer.

R. p. 272   La science pourrait détruire Dieu et l'âme, que
               le livre des Pensées *resterait jeune encore de vie
               et de vérité.*
B.   ! ! En aucune façon.

R. p. 272
B.   (*au bas de la page*). De bien grands mots pour
               une chose bien médiocre.

R. Ch. XVII ...et cause du moins chez ces derniers, une vive
   p. 273   *préoccupation.*

R. p. 274   L'armée était... *egarée* dans une impasse.
B.   « S'égare-t-on » dans une « impasse ».

R. p. 282   Nous avons vu Méliton faire à l'empire *les plus
               singulières avances.*
B.   Pourquoi « singulières » ?

R. p. 285   ...ces invitations doucereuses et médiocrement *sincères...*
B.   ? Pourquoi pas « sincères ».

R. p. 285   ..*tressaillira* de joie.
B.   *tressaillera* ?

R. p. 285   Par politesse sans doute, mais aussi par une con-séquence très juste de ses principes, Méliton n'ad-met pas qu'un empereur puisse donner un ordre injuste.
B.   Cf. même page Li. I, 2.

R. p. 288   Plus tard, *poussée à bout par le monstre, Marcia* fut la *tête du complôt* qui délivra l'empire de Commode.
B.   ?

R. p. 288   Par une singulière coïncidence, le christianisme fut mêlé de très près à la tragédie finale de la maison Antonine, comme, cent ans auparavant, ce fut dans un milieu chrétien que se forma le complot qui mit fin à la tyrannie du dernier des Flavius.
B.   Retenons l'insinuation.

R. p. 291   Pothin... avait la tâche... de gouverner ces âmes, plus ardentes que soumises, et *qui cherchaient dans la soumission même autre chose que le char-me austère du devoir accompli.*
B.   Bien dit, Lyon l'inspire généralement bien.

R. p. 294   Ce qui se passe aujourd'hui dans le public fémi-nin des villes du Midi de la France à l'arrivée d'un prédicateur à la mode se produisit alòrs.
B.   Où a-t-il vu tout cela ?

R. p. 297   (Irénée) ...*sa médiocrité intellectuelle elle-même...*
B.   Je l'attendais.

R. p. 300   ...des produits bizarres, attestant une efferves-cence chrétienne...
B.   Des produits... qui attestent... une effervescence...

R. Ch. XIX   ...les dangers qui menaçaient l'empire étaient
    p. 302   considérés comme ayant pour cause l'impiété des chrétiens.

B.　　　　　Depuis quand ? et la preuve .

R. p. 304　　... on alléguait des énormités impossibles à décri-
　　　　　　　.re, des crimes qui n'ont jamais existé.

B.　　　　　Encore !

R. p. 305　　Avant d'en venir aux supplices... jusqu'à... que
　　　　　　　tous les Lyonnais qualifiaient d'aberration.

B.　　　　　La preuve ?

R. P. 329　　Tous ceux qui persévéraient dans leur confes-
　　　　　　　sion devraient être mis à mort, tous les renégats
　　　　　　　relâchés.

B.　　　　　Voilà le crime de Marc-Aurèle.

R. p. 335　　Dans cette région des Gaules, il devait être dif-
　　Note 1　　de se procurer des lions.

B.　　　　　Pourquoi plus difficile qu'à Rome ?

R. Ch. XVI　Le socialisme sectaire de 1848 a disparu en 20
　　P. 345　　ans, sans lois de répression spéciales.

B.　　　　　? Ah !

R. p. 345　　Si Marc-Aurèle... *eût employé l'école primaire et
　　　　　　　un enseignement d'Etat rationaliste.*

B.　　　　　Cf. F. Buisson ! 1905.

INDEX DES NOMS PROPRES

TABLE DES MATIERES

ACHEVÉ D'IMPRIMER
EN AOUT 1954 SUR
LES PRESSES DE
L'IMPRIMERIE HABAUZIT
A AUBENAS (ARDÈCHE).

Dépôt légal : 3ᵉ trimestre 1954